VINGT
CONTES
DIVERS

PROGRESSIVELY GRADED · WITH EXERCISES

LAURENCE H. SKINNER AND LESLIE S. BRADY

DEPARTMENT OF ROMANIC LANGUAGES · MIAMI UNIVERSITY

HOLT, RINEHART AND WINSTON
New York

PREFACE

IN PRESENTING this text it has been the aim of the editors to offer a collection of twenty stories of diversified interest and appeal, modified sufficiently to make them suitable for reading near the end of the first year, or at the beginning of the second year, of college French, and for the corresponding level in high school.

To this end the text has been simplified to bring the vocabulary burden within the limits of "A Basic French Vocabulary," *Modern Language Journal, Supplementary Series*, No. 2. This list was chosen because the editors believe it to be generally considered as adequate for the level for which this book is intended. From a much larger number of stories chosen for their intrinsic interest those twenty were finally selected which lent themselves best to modification in conformity with the basic list. The simplification was effected largely by means of elimination and substitution, and in their final form the stories do not differ greatly, except for vocabulary range, from their originals.

A certain number of words outside the limits of "A Basic French Vocabulary" which seemed essential to the meaning or the "flavor" of the story have been retained. English meanings for these have been supplied at each occurrence, and are carried at the bottom of the page.

To provide a valid arrangement of the selections according to vocabulary burden, an individual analysis was made, scoring each story separately against the basic list. (Omitted from the computation were five special classes of words previously agreed upon. These are listed in the Foreword to the French-English vocabulary at the back of the book.) The results of this tabulation are given in the following table.

TITLE	Frequency Ratings													TO-TAL	Index of difficulty
	1a	1b	1c	2a	2b	2c	3a	3b	3c	4a	4b	4c	0		
1. La Dernière classe.....	205	64	38	18	7	3		1	1			1		338	1.778
2. Messire Tempus......	198	88	49	30	13	2	3							383	1.929
3. L'Enfant espion.......	232	97	56	33	15	5	1	2					1	442	1.961
4. Ballades en prose......	179	68	44	24	15	4	3							337	1.967
5. Les Deux notes.......	168	81	40	29	3	5	3	1	1				1	332	1.904
6. L'Odeur du buis......	245	89	59	40	17	1	5	1	4					461	2.017
7. Deux amis..........	229	105	54	47	16	7	1				1			460	2.022
8. Mon Oncle Jules......	265	90	58	44	16	11	4	2		1				491	2.029
9. En Voyage..........	201	95	59	28	15	5	4		2					409	2.031
10. Le Parapluie........	230	104	53	41	23	4	4	1						460	2.035
11. Un Accident..........	247	106	67	51	16	6	4	1						498	2.040
12. Le Coup de pistolet*...	302	152	83	52	25	7	5	1				1	1	629	2.064
13. La Cloche............	218	87	47	37	14	6	3	4			1		1	418	2.067
14. Nausicaa.............	226	83	50	36	27	7	3	2						434	2.074
15. Jésus-Christ en Flandre	233	131	76	41	25	3	3	1	1				1	515	2.099
16. Printemps*...........	281	144	101	61	24	6	6	1	1					625	2.130
17. La Saint-Nicolas*.....	301	149	92	62	29	8	6	1		1		1	1	651	2.152
18. Le Pavillon sur l'eau...	260	133	91	65	21	7	4		1				1	583	2.154
19. L'Esquisse mystérieuse*	280	171	113	63	31	6	3	1	1					669	2.155
20. Le Louis d'or.........	191	84	56	35	19	5	2	2			1	1	1	397	2.161

* Double length story of two units.

To arrive at the index of average vocabulary difficulty (given in the final column of the table above) which determined the order of the stories, the point-hour system was used. That is, the value of 1 was given to 1a words, 2 to 1b words, and so on down to 13 for 0 words. (1a includes the first twelfth, roughly 50c, of the Vander Beke list, 1b the second twelfth, etc.) The number of words in each classification was then multiplied by the unit value assigned to it and the total of these results divided by the number of burden words. This gave an index figure in terms of the values allotted to the categories. For example, it is obvious that if all the words of a story were 1a words the index would be 1.0. Or again, an index of 2.5 would place the average difficulty halfway between the 1b and 1c level.

The editors believe that one of the principal values of the text lies in the fact that the total vocabulary for all the stories utilizes 96% of "A Basic French Vocabulary." This insures the student's acquaintance with almost all of the basic words, the mastery of which is set as a reasonable achievement for one year of college study; and, on the other hand, it provides a text which may be used at the beginning of the second year to furnish a rapid review of the vocabulary indicated as basic for the first year. In addition, the prepared French-English vocabulary thus becomes a manual of basic words which the student may master with profit.

The exercises have been planned with a view to providing material sufficiently full and diversified to offer a choice. Certain of the exercises are intended as drills in oral and aural comprehension; others have been particularly planned to aid in the acquisition of a reading knowledge. The nine grammatical exercises are intended to serve as a rapid check on fundamentals. In selecting idioms for drill, care was taken to choose them with reference to their occurrence in the Cheydleur *French Idiom List*. All are drawn from the upper half of the list, and 74% fall within the upper quartile.

The editors acknowledge with thanks their indebtedness to Professor James B. Tharp, of Ohio State University, for suggestions concerning the arrangement of the stories, and to Mlle Jacqueline Ferré, of Western College for Women, who has painstakingly examined the simplified version.

L.H.S.
L.S.B.

Miami University
Oxford, Ohio

CONTENTS

VINGT CONTES DIVERS

I

LA DERNIÈRE CLASSE

ALPHONSE DAUDET

Ce matin-là j'étais très en retard pour aller à l'école, et j'avais peur d'être grondé, d'autant que M. Hamel nous avait dit qu'il nous interrogerait sur les participes,[1] et je n'en savais pas le premier mot. Un moment l'idée me vint de manquer la classe et de prendre ma course à travers champs.   5

Le temps était si chaud, si clair!

On entendait les oiseaux siffler au bord du bois, et dans le champ Rippert, derrière le marché, les Allemands qui faisaient l'exercice. Tout cela me tentait bien plus que la règle des participes;[1] mais j'eus la force de résister, et je courus bien vite vers l'école.   10

En passant devant la mairie,[2] je vis qu'il y avait du monde arrêté près de la grande porte. Depuis deux ans, c'est de là que nous sont venues toutes les mauvaises nouvelles, les batailles perdues, les réquisitions, les ordres militaires; et je pensai sans m'arrêter:

«Qu'est-ce qu'il y a encore?»   15

Alors, comme je traversais la place en courant, le vieux Wachter, qui était là en train de lire les nouvelles, me cria:

—Ne te dépêche pas tant, petit; tu y arriveras toujours assez tôt, à ton école!

Je crus qu'il se moquait de moi, et j'entrai épuisé dans la petite   20 cour de M. Hamel.

D'ordinaire, au commencement de la classe, il se faisait un grand bruit qu'on entendait jusque dans la rue, les bancs repoussés, les leçons qu'on répétait très haut ensemble en se couvrant les oreilles des deux mains pour mieux apprendre, et la grosse règle du maître 25 qui frappait sur les tables:

«Un peu de silence!»

[1] participles [2] town hall

Je comptais sur tout ce bruit pour gagner mon banc sans être vu;
mais justement ce jour-là tout était tranquille, comme un matin de
dimanche. Par la fenêtre ouverte je voyais mes camarades déjà
rangés à leur place, et M. Hamel, qui allait et venait avec la terrible
5 règle de fer sous le bras. Il fallut ouvrir la porte et entrer au milieu
de ce grand calme. Vous pensez si j'étais rouge, et si j'avais peur!

Eh bien, non! M. Hamel me regarda sans colère et me dit très
doucement:

—Va vite à ta place, mon petit Frantz; nous allions commencer
10 sans toi.

Je m'assis tout de suite à mon banc. Alors seulement, un peu remis
de ma terreur, je remarquai que notre maître portait ses habits noirs
du dimanche, qu'il ne mettait que les jours d'inspection ou de distribution de prix. Du reste, toute la classe avait quelque chose
15 d'extraordinaire et de solennel. Mais ce qui me surprit le plus, ce
fut de voir au fond de la salle, sur les bancs qui restaient vides
d'habitude, des gens du village assis et silencieux comme nous: le
vieux Hauser avec son grand chapeau, l'ancien maire, l'ancien facteur, et puis d'autres personnes encore. Tout ce monde-là parais-
20 sait triste; et Hauser avait apporté un vieil abécédaire[3] mangé aux
bords qu'il tenait grand ouvert sur ses genoux.

Pendant que je m'étonnais de tout cela, M. Hamel s'était levé, et
de la même voix douce et grave dont il m'avait reçu, il nous dit:

—Mes enfants, c'est la dernière fois que je vous fais la classe.
25 L'ordre est venu de Berlin de ne plus enseigner que l'allemand dans
les écoles de l'Alsace et de la Lorraine . . . Le nouveau maître
arrive demain. Aujourd'hui c'est votre dernière leçon de français.
Je vous prie d'être bien attentifs.

Ces quelques paroles me bouleversèrent. Ah! les misérables, voilà
30 ce qu'ils avaient écrit sur la grande porte de la mairie.[2]

Ma dernière leçon de français!

Et moi qui savais à peine écrire! Je n'apprendrais donc jamais! Il
faudrait donc en rester là! Comme je m'en voulais maintenant du
temps perdu, des classes manquées à jouer dans les champs ou sur
35 la glace de la Saar. Mes livres que tout à l'heure encore je trouvais

[3] primer   [2] town hall

si ennuyeux, si lourds à porter, me semblaient à présent de vieux amis qui me feraient beaucoup de peine à quitter. C'est comme M. Hamel. L'idée qu'il allait partir, que je ne le verrais plus, me faisait oublier les mots durs, les coups de règle.

Pauvre homme!   5

C'est en l'honneur de cette dernière classe qu'il avait mis ses beaux habits du dimanche, et maintenant je comprenais pourquoi ces vieux du village étaient venus s'asseoir au fond de la salle. Cela semblait dire qu'ils regrettaient de ne pas y être venus plus souvent, à cette école. C'était aussi comme une façon de remercier notre 10 maître de ses quarante ans de bons services, et de rendre leurs devoirs à la patrie qui s'en allait . . .

J'en étais là de mes réflexions, quand j'entendis appeler mon nom. C'était mon tour de parler. Que n'aurais-je pas donné pour pouvoir dire au long cette fameuse règle des participes,[1] bien haut, bien 15 clair, sans une faute; mais je n'en savais rien, et je restai debout à me balancer dans mon banc, le cœur gros, sans oser lever la tête. J'entendais M. Hamel qui me parlait:

—Je ne te gronderai pas, mon petit Frantz, tu dois être assez puni . . . voilà ce que c'est. Tous les jours on se dit: Bah! j'ai bien 20 le temps. J'apprendrai demain. Et puis tu vois ce qui arrive . . . Ah! ç'a été le grand malheur de notre Alsace de toujours remettre son instruction à demain. Maintenant ces gens-là sont en droit de nous dire: Comment! Vous prétendiez être Français, et vous ne savez ni parler ni écrire votre langue! . . . Dans tout ça, mon 25 pauvre Frantz, ce n'est pas encore toi le plus coupable. Nous avons tous notre bonne part de reproches à nous faire.

Vos parents n'ont pas assez tenu à vous envoyer à l'école. Ils aimaient mieux vous envoyer travailler pour avoir quelques sous de plus. Moi-même n'ai-je rien à me reprocher? Est-ce que je ne vous 30 ai pas souvent fait travailler dans mon jardin au lieu de vous faire apprendre vos leçons? Et quand je voulais aller à la pêche,[4] est-ce que je me gênais pour vous donner congé? . . .

Alors, d'une chose à l'autre, M. Hamel se mit à nous parler de la langue française, disant que c'était la plus belle langue du monde, la 35

---

[1] participles [4] fishing

plus claire, la plus solide: qu'il fallait la garder entre nous et ne
jamais l'oublier, parce que quand un peuple est fait prisonnier, tant
qu'il tient bien sa langue, c'est comme s'il tenait la clef de sa prison . . . Puis il commença à nous lire notre leçon. J'étais étonné
5 de voir comme je comprenais. Tout ce qu'il me disait me semblait
facile, et lui non plus n'avait jamais mis autant de patience à expliquer les mots. On aurait dit qu'avant de s'en aller le pauvre
homme voulait nous donner tout ce qu'il savait, nous le faire entrer
dans la tête d'un seul coup.

10   La leçon finie, on passa à l'écriture. Pour ce jour-là M. Hamel
nous avait préparé des exemples tout neufs, sur lesquels était écrit
en belles lettres rondes: *France, Alsace, France, Alsace.* Cela faisait
comme des petits drapeaux qui flottaient tout autour de la classe
pendus à côté de nos bancs. Il fallait voir comme chacun s'appli-
15 quait, et quel silence! Un moment un oiseau entra; mais personne
n'y fit attention, pas même les tout petits, qui s'appliquaient à écrire
de leur mieux, avec un cœur, une conscience, comme si cela encore
était du français . . . Sur le toit de l'école, des pigeons se parlaient
tout bas, et je me disais en les écoutant:

20   «Est-ce qu'on ne va pas les obliger à chanter en allemand, eux
aussi?»

De temps en temps quand je levais les yeux de dessus ma page, je
voyais M. Hamel immobile à son bureau et fixant les objets autour
de lui, comme s'il avait voulu emporter dans son regard toute sa
25 petite maison d'école . . . Pensez! depuis quarante ans, il était là à
la même place, avec sa cour en face de lui et sa classe toute pareille.
Seulement les bancs s'étaient usés à la longue; les arbres de la cour
avaient grandi, et le houblon[5] qu'il avait planté lui-même couvrait
maintenant le mur jusqu'au toit. Quelle peine ça devait être pour
30 ce pauvre homme de quitter toutes ces choses, et d'entendre
sa sœur qui allait, venait, dans la chambre au-dessus, en train de
fermer leurs malles! car ils devaient partir le lendemain, s'en aller
du pays pour toujours.

Tout de même il eut le courage de nous faire la classe jusqu'au
35 bout. Après l'écriture, nous eûmes la leçon d'histoire; ensuite les

[5] hop-vine

petits chantèrent tous ensemble le *BA BE BI BO BU*. Là-bas au fond de la salle, le vieux Hauser tenait son abécédaire[8] à deux mains, et répétait les lettres avec eux. On voyait qu'il s'appliquait, lui aussi; sa voix tremblait d'émotion, et c'était si drôle de l'entendre, que nous avions tous envie de rire et de pleurer. Ah! je m'en 5 souviendrai de cette dernière classe . . .

Tout à coup l'horloge de l'église sonna midi, puis l'Angélus. Au même moment, les trompettes[6] des Allemands qui revenaient de l'exercice éclatèrent sous nos fenêtres . . . M. Hamel se leva, tout pâle. Jamais il ne m'avait paru si grand. 10

—Mes amis, dit-il, mes amis, je . . . je . . .

Mais quelque chose l'étouffait. Il ne pouvait pas achever sa phrase.

Alors il se tourna vers le tableau, prit un morceau de craie, et, en appuyant de toutes ses forces, il écrivit aussi gros qu'il put: 15

«Vive la France!»

Puis il resta là, la tête appuyée au mur, et, sans parler, avec sa main il nous faisait signe:

«C'est fini . . . Allez-vous-en.»

[8] primer [6] bugles

II

MESSIRE TEMPUS

ERCKMANN-CHATRIAN

Le jour de la Saint-Sébalt, vers sept heures du soir, je mettais pied à terre devant l'hôtel de la Couronne, à Pirmasens. Il avait fait une grosse chaleur tout le jour; mon pauvre cheval n'en pouvait plus. J'étais en train de l'attacher devant la porte, quand une assez jolie
5 servante sortit du vestibule et se mit à m'examiner en souriant.

—Où donc est le père Blésius? lui demandai-je.

—Le père Blésius! fit-elle d'un air surpris, vous revenez sans doute de l'Amérique?[1] . . . Il est mort depuis dix ans!

—Mort! . . . Comment, le brave homme est mort! Et Mlle
10 Charlotte?

La jeune fille ne répondit pas, elle haussa les épaules et me tourna le dos.

J'entrai dans la grande salle, tout absorbé. Rien ne me parut changé: les bancs, les chaises, les tables étaient toujours à leur place
15 le long des murs. Le chat blanc de Mlle Charlotte, les poings sous le ventre et les yeux à demi fermés, poursuivait son rêve. L'horloge, à sa place habituelle, continuait de battre la cadence. Mais à peine étais-je assis près de la cheminée, qu'un léger bruit bizarre me fit tourner la tête. La nuit envahissait alors la salle, et j'aperçus der-
20 rière la porte trois personnages dans l'ombre; ils jouaient aux cartes: un borgne,[2] un boiteux,[3] un bossu![4]

«Singulière rencontre! me dis-je. Comment diable peuvent-ils reconnaître leurs cartes dans une ombre pareille? Pourquoi cet air de mélancolie?»

25 En ce moment, Mlle Charlotte entra, tenant une lampe à la main.

Pauvre Charlotte! elle se croyait toujours jeune; elle portait toujours son petit bonnet de tulle, son fichu de soie bleue, ses petits

[1] America [2] one-eyed man [3] cripple [4] hunchback

souliers et ses bas blancs bien tirés! Elle se balançait toujours avec grâce, comme pour dire: «Hé! hé! voici Mlle Charlotte! Oh! les jolis petits pieds que voilà, les mains fines, les bras ronds, hé! hé! hé!»

Pauvre Charlotte! que de souvenirs me revinrent en mémoire!

Elle déposa sa lumière sur une table et me fit une révérence gracieuse.

—Mademoiselle Charlotte, ne me reconnaissez-vous donc pas? m'écriai-je.

Elle ouvrit de grands yeux, puis elle me répondit en souriant:

—Vous êtes M. Théodore. Oh! je vous avais bien reconnu. Venez, venez.

Et, me prenant par la main, elle me conduisit dans sa chambre; elle ouvrit un secrétaire, et, fouillant parmi de vieux papiers, de vieux rubans, de petites images, tout à coup elle s'interrompit et s'écria: —Mon Dieu! c'est aujourd'hui la Saint-Sébalt! Ah! monsieur Théodore! monsieur Théodore! vous tombez bien.

Elle s'assit à son vieux piano et chanta, comme jadis, du bout des lèvres:

> *Rose de mai, pourquoi tarder encore*
> *À revenir?*

Cette vieille chanson, la voix cassée de Charlotte, sa pauvre petite bouche, qu'elle n'osait plus ouvrir, ses petites mains sèches, qu'elle lançait à droite . . . à gauche . . . sans mesure . . . secouant la tête, levant les yeux au plafond . . . l'étrange musique du piano . . . et puis je ne sais quelle odeur de vieux parfum . . . Oh! horreur! . . . décrépitude! . . . folie! . . . Quoi! . . . C'est la Charlotte! . . . Elle! Elle! . . . Abomination!

Je pris une petite glace et me regardai . . . j'étais bien pâle. «Charlotte! . . . Charlotte!» m'écriai-je.

Aussitôt, revenant à elle et baissant les yeux d'un air chaste:

—Théodore, murmura-t-elle, m'aimez-vous toujours?

Je frissonnai tout le long de mon dos. Je m'élançai vers la porte, mais la vieille fille, pendue à mon épaule, s'écriait:

—Oh, cher . . . cher cœur! ne m'abandonne pas . . . ne me
livre pas au bossu![4] . . . Bientôt il va venir . . . il revient tous les
ans . . . C'est aujourd'hui son jour . . . Écoute!

Alors, prêtant l'oreille, j'entendis battre mon cœur . . . La rue
5 était silencieuse, j'ouvris la fenêtre. L'odeur fraîche des fleurs d'été
remplit la chambre. Une étoile brillait au loin sur la montagne . . . je la fixai longtemps . . . une larme troubla ma vue, et,
me retournant, je vis Charlotte évanouie.

«Pauvre vieille jeune fille, tu seras donc toujours enfant!»
10 Quelques gouttes d'eau fraîche la ramenèrent à la vie; et, me
regardant: —Oh! pardonnez, pardonnez, Monsieur, dit-elle, je suis
folle . . . En vous revoyant, tant de souvenirs! . . .

Et, se couvrant la figure d'une main, elle me fit signe de m'asseoir.
Son air raisonnable m'inquiétait . . . Enfin . . . Que faire?
15 Après un long silence:

—Monsieur, reprit-elle, ce n'est donc pas l'amour qui vous
ramène dans ce pays?

—Hé! ma chère demoiselle, l'amour! l'amour! Sans doute . . .
l'amour! J'aime toujours la musique . . . j'aime toujours les fleurs!
20 Mais les vieux airs . . . les vieilles chansons . . . Que diable!

—Hélas! dit-elle en joignant les mains, je suis donc condamnée
au bossu![4]

—De quel bossu[4] parlez-vous, Charlotte! Est-ce de celui de la
salle? Vous n'avez qu'à dire un mot, et nous le mettrons à la porte.
25 Mais, secouant la tête d'un air triste, la pauvre fille parut se recueillir et commença cette histoire singulière:

«Trois messieurs comme il faut, M. le garde général, M. l'avocat,
et M. le juge de paix de Pirmasens me demandèrent jadis en
mariage. Mon père me disait:

30 «Charlotte, tu n'as qu'à choisir. Tu le vois, ce sont de beaux
partis!

«Mais je voulais attendre. J'aimais mieux les voir tous les trois
réunis à la maison. On chantait, on riait, on causait. Toute la ville
était jalouse de moi. Oh! que les temps sont changés.

35 «Un soir, ces messieurs étaient réunis sur le banc de pierre devant

[4] hunchback

la porte. Il faisait un temps magnifique comme aujourd'hui. Le clair de lune remplissait la rue. Et moi, assise devant mon piano, je chantais: «Rose de mai!»

«Vers dix heures, on entendit un cheval descendre la rue; il marchait avec difficulté—clopin-clopant—et toute la société se 5 disait: «Quel bruit étrange!» Mais comme on avait beaucoup bu, chanté, dansé, la joie donnait du courage, et ces messieurs riaient de la peur des dames. On vit bientôt s'avancer dans l'ombre un grand homme à cheval; il portait un immense chapeau à plumes, un habit vert, son nez était long, sa barbe jaune; enfin, il était borgne,[5] 10 boiteux,[6] et bossu![7]

«Vous pensez, monsieur Théodore, combien tous ces messieurs se moquèrent de lui, mes amoureux surtout; chacun lui lançait une mauvaise plaisanterie, mais lui ne répondait rien.

«Arrivé devant l'hôtel, il s'arrêta, et nous vîmes alors qu'il ven- 15 dait des horloges de Nuremberg; il en avait beaucoup de petites et de moyennes, suspendues à son épaule; mais ce qui me frappa le plus, ce fut une grande horloge posée devant lui, ornée de démons et de spectres.

«Tout à coup l'aiguille[8] de cette horloge se mit à tourner avec 20 une vitesse folle, et on entendit un bruit terrible à l'intérieur. Le marchand fixa tour à tour ses yeux gris sur le garde général, que je préférais, sur l'avocat que j'aurais pris ensuite, et sur le juge de paix que j'estimais beaucoup. Pendant qu'il les regardait, ces messieurs se sentirent frissonner des pieds à la tête. Enfin, quand il eut 25 fini cette inspection, il se prit à rire tout bas et poursuivit sa route au milieu du silence général.

«Il me semble encore le voir s'éloigner, le nez en l'air, et frappant son cheval, qui n'en allait pas plus vite.

«Quelques jours après, le garde général se cassa la jambe; puis 30 l'avocat perdit un œil, et le juge de paix devenait de plus en plus voûté. Aucun médecin ne connaît sa maladie; il a beau mettre des corsets de fer, son dos plie tous les jours!»

Ici Charlotte se prit à verser quelques larmes, puis elle continua:

[5] one-eyed [6] crippled [7] hunchbacked [8] hand

«Naturellement, les amoureux eurent peur de moi, tout le monde quitta notre hôtel; plus une âme, de loin en loin un voyageur!»

—Pourtant, lui dis-je, j'ai remarqué chez vous ces trois malheureux; ils ne vous ont pas quittée!

5 —C'est vrai, dit-elle, mais personne n'a voulu d'eux; et puis je les fais souffrir, sans le vouloir. C'est plus fort que moi: j'éprouve l'envie de rire avec le borgne,[2] de chanter avec le bossu,[4] qui n'a plus qu'un souffle, et de danser avec le boiteux.[3] Quel malheur! quel malheur!

10 —Ah ça! m'écriai-je, vous êtes donc folle?

—Chut! fit-elle, tandis que sa figure changeait d'une manière horrible, chut! le voici! . . .

Elle avait les yeux grands ouverts et m'indiquait la fenêtre avec terreur.

15 En ce moment, il faisait tout à fait nuit dehors. Cependant, derrière les vitres fermées, je distinguai la silhouette d'un cheval.

—Calmez-vous, Charlotte, calmez-vous; ce n'est qu'une bête échappée.

Mais, au même instant, la fenêtre s'ouvrit comme par l'effet d'un 20 coup de vent; une longue tête maigre, couverte d'un immense chapeau bizarre, se pencha dans la chambre et se prit à rire, tandis qu'un bruit de vieilles horloges dérangées sifflait dans l'air. Ses yeux se fixèrent d'abord sur moi, ensuite sur Charlotte, pâle comme la mort, puis la fenêtre se referma.

25 —Oh! pourquoi suis-je revenu dans cette diable de maison! m'écriai-je avec désespoir.

Et je voulus m'arracher les cheveux; mais pour la première fois de ma vie, je dus convenir que j'étais chauve![9]

Charlotte, folle de terreur, frappait sur son piano au hasard, et 30 chantait d'une voix perçante: «Rose de mai! . . . Rose de mai! . . .» C'était affreux!

Je m'enfuis dans la grande salle . . . La lampe allait s'éteindre, et répandait une odeur qui me prit à la gorge. Le bossu,[4] le borgne,[2] et le boiteux[3] étaient toujours à la même place, seulement ils ne

[2] one-eyed man   [4] hunchback   [3] cripple   [9] bald

jouaient plus; appuyés sur la table et le menton dans les mains, ils pleuraient dans leurs verres vides.

Cinq minutes après, je montais à cheval et je partais à toute vitesse.

«Rose de mai! . . . Rose de mai! . . .» répétait Charlotte.

Hélas! pauvre Charlotte . . . Que le Seigneur Dieu la conduise! . . .

III

L'ENFANT ESPION[1]

ALPHONSE DAUDET

Il s'appelait Stenne, le petit Stenne.

C'était un enfant de Paris, maigre et pâle, qui pouvait avoir dix ans, peut-être quinze; avec ces gamins-là, on ne sait jamais. Sa mère était morte; son père, ancien soldat de marine, gardait un square
5 dans le quartier du Temple. Les enfants, les bonnes, les vieilles dames, les mères pauvres, tout le Paris qui vient se mettre à l'abri des voitures dans ces parcs entourés de trottoirs, connaissaient le père Stenne et l'aimaient. On savait que sous cette rude barbe se cachait un bon sourire attendri, et que, pour voir ce sourire, on
10 n'avait qu'à dire au bonhomme:

«Comment va votre petit garçon? . . .»

Il l'aimait tant son garçon, le père Stenne! Il était si heureux, le soir, après la classe, quand le petit venait le prendre et qu'ils faisaient tous les deux le tour des allées, s'arrêtant à chaque banc pour
15 saluer les amis, répondre à leurs bonnes manières.

Avec le siège malheureusement tout changea. Le square du père Stenne fut fermé, on y mit du pétrole,[2] et le pauvre homme, obligé à surveiller tout le temps, passait sa vie dans le parc désert, seul, sans fumer, n'ayant plus son garçon que le soir, bien tard, à la
20 maison . . . Le petit Stenne, lui, ne se plaignait pas trop de cette nouvelle vie.

Un siège! C'est si amusant pour les gamins. Plus d'école! Des vacances[3] tout le temps et la rue toujours en fête.

L'enfant restait dehors jusqu'au soir, à courir. Il accompagnait
25 les troupes du quartier qui allaient aux fortifications, choisissant de préférence ceux qui avaient une bonne musique. D'autres fois, il les regardait faire l'exercice; puis il y avait les queues . . .

[1] spy [2] petroleum [3] vacation

Son panier sous le bras, il se mêlait à ces longues files qui se for-
maient dans l'ombre des matins d'hiver chez les boulangers. Là, les
pieds dans l'eau, on faisait des connaissances, on causait politique, et
comme fils de M. Stenne, chacun lui demandait son avis. Mais le
plus amusant de tout, c'était encore les parties de ce fameux jeu de 5
galoche que les soldats avaient mis à la mode pendant le siège.
Quand le petit Stenne n'était pas aux fortifications ni chez les
boulangers, vous étiez sûr de le trouver à la partie de *galoche* de
la place du Château d'Eau. Lui ne jouait pas, bien entendu; il faut
trop d'argent. Il se contentait de regarder jouer les autres.   10

Un surtout, un grand en blouse bleue, qui ne jouait que des
pièces de cent sous, excitait son admiration. Quand il courait,
celui-là, on entendait l'argent sonner au fond de sa poche . . .

Un jour, en ramassant une pièce qui avait roulé jusque sous les
pieds du petit Stenne, le grand lui dit à voix basse: 15

«Ça te fait envie, hein? . . . Eh bien, si tu veux, je te dirai où
on en trouve.»

La partie finie, il l'emmena dans un coin de la place et lui proposa
de venir avec lui vendre des journaux aux Allemands; on avait
trente francs par voyage. D'abord Stenne refusa, rempli d'indigna- 20
tion; et il resta trois jours sans retourner à la partie. Trois jours
terribles. Il ne mangeait plus, il ne dormait plus. La nuit, il voyait
des tas d'argent rangés au pied de son lit, des pièces de cent sous
toutes brillantes. L'idée de cette richesse était trop forte. Le
quatrième jour, il retourna au Château d'Eau, revit le grand, se 25
laissa convaincre . . .

Ils partirent par un matin de neige, un sac de toile sur l'épaule,
des journaux cachés sous leurs blouses. Quand ils arrivèrent à la
porte de Flandres, il faisait à peine jour. Le grand prit Stenne par la
main, et, s'approchant du soldat—un brave vieux qui avait le nez 30
rouge et l'air bon—il lui dit d'une voix de pauvre:

—Laissez-nous passer, mon bon monsieur . . . Notre mère est
malade, papa est mort. Nous allons avec mon petit frère ramasser
des pommes de terre dans le champ.

Il pleurait. Stenne, tout honteux, baissait la tête. Le soldat les 35

regarda un moment, jeta un coup d'œil sur la route déserte et
blanche.

—Passez vite, leur dit-il en s'écartant; et les voilà sur le chemin
d'Aubervilliers. C'est le grand qui riait!

5   Comme dans un rêve, le petit Stenne voyait des maisons trans-
formées en postes militaires, des barricades désertes, de longues
cheminées qui se dressaient dans la neige et se dessinaient sur le
ciel, vides et tombant en ruines. De loin en loin, un garde, des
officiers qui regardaient là-bas avec des lorgnettes,[4] et de petits
10 abris de toile trempés de neige fondue devant des feux qui mouraient. Le grand connaissait les chemins, prenait à travers champ
pour éviter les postes. Pourtant ils arrivèrent, sans pouvoir y échapper, à une garde de francs-tireurs.[5] Les francs-tireurs étaient là
avec leurs petites capes, cachés au fond d'un trou plein d'eau, tout
15 le long du chemin de fer de Soissons. Cette fois le grand eut beau
raconter son histoire, on ne voulut pas les laisser passer. Alors,
pendant qu'il se désolait, de la maison du garde-barrière[6] sortit un
vieil officier, tout blanc, qui ressemblait au père Stenne:

—Allons! ne pleurons plus! dit-il aux enfants, on vous y laissera
20 aller, à vos pommes de terre; mais, avant, entrez vous chauffer un
peu . . . Il a bien froid, ce gamin-là!

Hélas! Ce n'était pas de froid qu'il tremblait, le petit Stenne,
c'était de peur, c'était de honte . . . Dans le poste, ils trouvèrent
quelques soldats assis autour d'un feu maigre. On se serra pour
25 faire place aux enfants. On leur donna un peu de café. Pendant
qu'ils buvaient, un officier vint sur la porte, appela le vieux, lui
parla tout bas et s'en alla bien vite.

—Garçons! dit le vieux en rentrant joyeux . . . on avance cette
nuit . . . On a surpris le mot des Allemands . . . Je crois que
30 cette fois nous allons le leur reprendre, ce sacré Bourget!

Il y eut une explosion de bravos et de rires. On dansait, on chantait; et, profitant de cette agitation, les enfants disparurent.

Il n'y avait plus que la plaine à passer, et au fond un long mur
blanc. C'est vers ce mur qu'ils se dirigèrent, s'arrêtant à chaque
35 pas pour faire semblant de ramasser des pommes de terre.

[4] spy-glasses   [5] sharpshooters   [6] watchman

—Rentrons . . . N'y allons pas, disait tout le temps le petit Stenne.

L'autre levait les épaules et avançait toujours. Soudain ils entendirent le trictrac d'un fusil qu'on armait.

—Couche-toi! fit le grand, en se jetant par terre.

Une fois couché, il siffla. Quelqu'un répondit. Ils s'avancèrent avec précaution . . . Devant le mur, d'un trou creusé dans le sol, parurent deux yeux gris sous un béret sale et usé. Le grand arriva enfin à côté de l'Allemand.

—C'est mon frère, dit-il en montrant son compagnon.

Il était si petit, ce Stenne, qu'en le voyant l'Allemand se mit à rire et fut obligé de le prendre dans ses bras pour l'aider à franchir le mur.

De l'autre côté, c'étaient de grands tas de terre , des arbres couchés, des trous noirs dans la neige, et dans chaque trou le même béret sale et usé, les mêmes yeux gris qui riaient en voyant passer les enfants.

Dans un coin, une grande maison, protégée de pierres et de gros morceaux de bois. Le bas était plein de soldats qui jouaient aux cartes, faisaient la soupe sur un grand feu clair. Cela sentait bon les légumes; quelle différence avec le bivouac des francs-tireurs![5] En haut, les officiers. Quand les Parisiens entrèrent, un hurrah de joie les accueillit. Ils donnèrent leurs journaux; puis on leur versa à boire et on les fit causer. Tous ces officiers avaient l'air fier et méchant; mais le grand les amusait avec ses manières de gamin. Ils riaient, répétaient ses mots après lui, le faisaient raconter vingt fois son histoire.

Le petit Stenne aurait bien voulu parler, lui aussi, prouver qu'il n'était pas une bête; mais quelque chose le gênait. En face de lui se tenait à part un Allemand plus âgé, plus sérieux que les autres, qui lisait, ou plutôt faisait semblant, car ses yeux ne le quittaient pas. Il y avait dans ce regard de la tendresse et des reproches, comme si cet homme avait eu au pays un enfant du même âge que Stenne et qu'il se fût dit:

[5] sharpshooters

«J'aimerais mieux mourir que de voir mon fils faire un métier pareil . . .»

À partir de ce moment, Stenne sentit comme une main qui se posait sur son cœur et l'empêchait de battre.

5   Pour échapper à cette angoisse, il se mit à boire. Bientôt tout tourna autour de lui. Il entendait à peine, au milieu de gros rires, son camarade qui se moquait des gardes nationaux, de leur façon de faire l'exercice. Ensuite, le grand baissa la voix, les officiers se rapprochèrent et les figures devinrent graves. Le misérable était en
10 train de les prévenir de l'attaque des francs-tireurs[5] . . .

Pour le coup, le petit Stenne se leva, furieux:

—Pas cela, grand . . . Je ne veux pas.

Mais l'autre ne fit que rire et continua. Avant qu'il eût fini, tous les officiers étaient debout. Un d'eux montra la porte
15 aux enfants:

—Allez-vous-en! leur dit-il.

Et ils se mirent à causer entre eux, très vite, en allemand. Le grand sortit, fier comme un roi, en faisant sonner son argent. Stenne le suivit, la tête basse; et lorsqu'il passa près de l'Allemand
20 dont le regard l'avait tant gêné, il entendit une voix triste qui disait: «Pas joli, ça . . . Pas joli.»

Les larmes lui vinrent aux yeux.

Une fois dans la plaine, les enfants se mirent à courir et rentrèrent vite. Leur sac était plein de pommes de terre que leur
25 avaient données les Allemands; avec cela ils passèrent sans difficulté le poste des francs-tireurs.[5] On s'y préparait pour l'attaque de la nuit. Des troupes arrivaient silencieuses, se réunissant derrière les murs. Le vieil officier était là, occupé à placer ses hommes, l'air si heureux. Quand les enfants passèrent, il les
30 reconnut et leur envoya un bon sourire . . .

Oh! que ce sourire fit mal au petit Stenne! Un moment il eut envie de crier:

«N'allez pas là-bas . . . nous vous avons trahis.»

[5] sharpshooters

Mais l'autre lui avait dit: «Si tu parles, nous serons tués,» et la peur le retint . . .

À la Courneuve, ils entrèrent dans une maison abandonnée pour partager l'argent. La vérité m'oblige à dire que cette opération fut faite d'une manière honnête, et que d'entendre [5] sonner ces belles pièces sous sa blouse, de penser aux parties de *galoche* qu'il avait là en perspective, le petit Stenne ne trouvait plus son crime aussi affreux.

Mais, lorsqu'il fut seul, le malheureux enfant! Lorsque après les portes le grand l'eut quitté, alors ses poches commencèrent [10] à devenir bien lourdes, et la main qui lui serrait le cœur le serra plus fort que jamais. Paris ne lui semblait plus le même. Les gens qui passaient le regardaient d'une façon sévère, comme s'ils avaient su d'où il venait. Le mot espion,[1] il l'entendait dans le bruit des voitures, dans les pas des soldats qui faisaient [15] l'exercice le long du canal. Enfin il arriva chez lui, et, tout heureux de voir que son père n'était pas encore rentré, il monte vite dans leur chambre cacher dans son lit ces pièces qui lui pesaient tant.

Jamais le père Stenne n'avait été si bon, si joyeux qu'en [20] rentrant ce soir-là. On venait de recevoir des nouvelles de province: les affaires du pays allaient mieux. Tout en mangeant, l'ancien soldat regardait son fusil pendu à la muraille, et il disait à l'enfant avec son bon rire:

—Hein, garçon, comme tu irais aux Allemands, si tu étais [25] grand!

Vers huit heures, on entendait le canon.

—C'est Aubervilliers . . . On se bat au Bourget, fit le bonhomme, qui connaissait tous ses forts. Le petit Stenne devint pâle, et, se disant très fatigué, il alla se coucher, mais il ne [30] dormit pas. Le canon retentissait toujours. Il se représentait les francs-tireurs[5] arrivant de nuit pour surprendre les Allemands et tombant eux-mêmes dans une embuscade.[7] Il se rappelait l'officier qui lui avait souri, le voyait étendu là-bas dans la neige, et combien d'autres avec lui! . . . Le prix de tout [35]

[1] spy [5] sharpshooters [7] ambush

ce sang se cachait là dans son lit, et c'était lui, le fils de M.
Stenne, d'un soldat . . . Les larmes l'étouffaient. Dans la pièce
à côté, il entendait son père marcher, ouvrir la fenêtre. En
bas, sur la place, les soldats se préparaient pour partir. Décidé-
5 ment, c'était une vraie bataille. Le malheureux ne put retenir
un sanglot.

—Qu'as-tu-donc? dit le père Stenne en entrant.

L'enfant n'y tint plus, sauta de son lit et vint se jeter aux
pieds de son père. Au mouvement qu'il fit, les pièces d'argent
10 roulèrent par terre.

—Qu'est-ce que cela? Tu as volé? dit le vieux en tremblant.
Alors, tout d'un trait, le petit Stenne raconta qu'il était allé
chez les Allemands et ce qu'il y avait fait. À mesure qu'il
parlait, il se sentait le cœur plus libre, cela lui faisait du bien
15 de s'accuser . . . Le père Stenne écoutait, avec une figure
terrible. Quand ce fut fini, il cacha sa tête dans ses mains et
pleura.

«Père, père . . .» voulut dire l'enfant.

Le vieux le repoussa sans répondre, et ramassa l'argent.

20 —C'est tout? demanda-t-il.

Le petit Stenne fit signe que c'était tout. Le vieux prit son
fusil, et mettant l'argent dans sa poche:

—C'est bon, dit-il, je vais le leur rendre.

Et, sans ajouter un mot, sans seulement retourner la tête,
25 il descendit se mêler aux soldats qui partaient dans la nuit.
On ne l'a jamais revu depuis.

IV

BALLADES[1] EN PROSE

ALPHONSE DAUDET

La Mort du Dauphin[2]

Le petit Dauphin[2] est malade, le petit Dauphin va mourir. . . . Les rues de la vieille résidence sont tristes et silencieuses, les cloches ne sonnent plus, les voitures vont au pas . . . Aux abords du palais, les bourgeois curieux regardent des soldats du roi en habits dorés qui causent dans les cours d'un air im- 5 portant.

Tout le château est en agitation . . . Des domestiques, des serviteurs, montent et descendent en courant les grands escaliers . . . Les galeries sont pleines de pages et de gentils-hommes vêtus de soie qui vont d'un groupe à l'autre chercher 10 des nouvelles à voix basse . . . Sur les larges marches, les dames d'honneur désolées se font de grandes révérences en essuyant leurs yeux avec de jolis mouchoirs fins.

Dans une chambre voisine, il y a nombreuse réunion de médecins en robe. On les voit, à travers les vitres, agiter leurs 15 longues manches noires et secouer la tête avec tristesse. Les valets du petit Dauphin[2] se promènent devant la porte, attendant les décisions de la Faculté. De simples domestiques passent à côté d'eux sans les saluer.

Et le roi? Où est Son Excellence le roi? . . . Le roi s'est 20 enfermé tout seul dans une chambre, au bout du château . . . Les rois n'aiment pas qu'on les voie pleurer . . . Pour la reine, c'est autre chose . . . Assise à côté du petit Dauphin,[2] elle a son visage mouillé de larmes, et pleure bien haut devant tous, comme ferait une bourgeoise. 25

[1] ballads [2] crown prince

Dans son grand lit, le petit Dauphin,[2] plus blanc que les couvertures sur lesquelles il est étendu, repose, les yeux fermés. On croit qu'il dort; mais non: le petit Dauphin[2] ne dort pas . . . Il se retourne vers sa mère, et voyant qu'elle pleure, il 5 lui dit:

—Madame la reine, pourquoi pleurez-vous? Est-ce que vous croyez en vérité que je m'en vais mourir?

La reine veut répondre. Les sanglots l'empêchent de parler.

—Ne pleurez donc pas, madame la reine; vous oubliez que 10 je suis le Dauphin,[2] et que les Dauphins ne peuvent pas mourir ainsi . . .

La reine continue à pousser des sanglots, et le petit Dauphin[2] commence à s'effrayer.

—Holà, dit-il, je ne veux pas que la mort vienne me prendre, 15 et je saurai bien l'empêcher d'arriver jusqu'ici . . . Qu'on fasse venir sur l'heure quarante soldats très forts pour monter la garde autour de mon lit! Que cent canons veillent nuit et jour sous nos fenêtres! Et malheur à la mort, si elle ose s'approcher de nous!

20 Pour faire plaisir à l'enfant royal, la reine fait un signe. Sur l'heure, on entend les gros canons qui roulent dans la cour; et quarante grands soldats, l'épée au poing, viennent se ranger autour de la chambre. Le petit Dauphin[2] bat des mains en les voyant. Il en reconnaît un et l'appelle:

25 —Lorrain! Lorrain!

Le soldat fait un pas vers le lit:

—Je t'aime bien, mon vieux Lorrain . . . Fais voir un peu ta grande épée . . . Si la mort veut me prendre, il faudra la tuer, n'est-ce pas?

30 Lorrain répond:

—Oui, monseigneur[3] . . .

Et il a deux grosses larmes qui coulent sur ses joues usées.

À ce moment, un prêtre s'approche du petit Dauphin[2] et lui parle longtemps à voix basse en lui montrant un crucifix. Le

[2] crown prince   [3] your highness

petit Dauphin[2] l'écoute d'un air étonné, puis tout à coup l'interrompant:

—Je comprends bien ce que vous me dites, monsieur l'abbé; mais enfin est-ce que mon petit ami Beppo ne pourrait pas mourir à ma place, en lui donnant beaucoup d'argent? ... 5

Le prêtre continue à lui parler à voix basse, et le petit Dauphin[2] a l'air de plus en plus étonné.

Quand le prêtre a fini, le petit Dauphin[2] reprend avec un gros soupir:

—Tout ce que vous me dites là est bien triste, monsieur 10 l'abbé; mais une chose me console, c'est que là-haut, dans le royaume des étoiles, je vais être encore le petit Dauphin[2] ... Je sais que le bon Dieu est mon cousin et ne peut pas manquer de me traiter selon mon rang.

Puis il ajoute, en se tournant vers sa mère: 15

—Qu'on m'apporte mes plus beaux habits! Je veux me faire brave pour les anges et entrer au ciel en costume de Dauphin.[2]

Une troisième fois, le prêtre se penche vers le petit Dauphin[2] et lui parle sérieusement à voix basse ... Au milieu de son 20 discours, l'enfant royal l'interrompt avec colère:

—Mais alors, crie-t-il, d'être Dauphin,[2] ce n'est rien du tout!

Et, sans vouloir plus rien entendre, le petit Dauphin[2] se tourne vers la muraille, et il pleure à gros sanglots. 25

[2] crown prince

BALLADES EN PROSE

LE SOUS-PRÉFET[1] AUX CHAMPS

M. le sous-préfet[1] est en promenade. Montée par de nombreux serviteurs, sa riche voiture l'emporte majestueusement[2] à la réunion des citoyens de la Combe-aux-Fées. Pour cette journée mémorable, M. le sous-préfet[1] a mis son bel habit
5 doré, et porte son épée de gala. Sur ses genoux repose une grande serviette[3] aux coins dorés qu'il regarde avec tristesse.

M. le sous-préfet[1] regarde avec tristesse sa serviette[3] aux coins dorés; il songe au fameux discours qu'il va falloir prononcer tout à l'heure devant les habitants de la Combe-aux-
10 Fées:

—Messieurs et chers citoyens . . .

Mais il a beau tirer son menton et répéter vingt fois de suite:

—Messieurs et chers citoyens . . . La suite du discours ne
15 vient pas.

La suite du discours ne vient pas . . . Il fait si chaud dans cette voiture! . . . A perte de vue, la route de la Combe-aux-Fées brûle sous le soleil du Midi . . . L'air est lourd et sec . . . Tout à coup M. le sous-préfet[1] frissonne. Là-bas, au
20 pied d'une petite colline, il vient d'apercevoir un petit bois de chênes verts qui semble lui faire signe.

Le petit bois de chênes verts semble lui faire signe:

—Venez donc par ici, monsieur le sous-préfet;[1] pour composer votre discours, vous serez beaucoup mieux sous mes
25 arbres . . .

M. le sous-préfet[1] est tenté; il saute à bas de sa voiture et

[1] subprefect [2] majestically [3] briefcase

22

dit à ses gens de l'attendre, qu'il va composer son discours dans
le petit bois de chênes verts.

Dans le petit bois de chênes verts il y a des oiseaux, des
fleurs, et des sources sous l'herbe fine . . . Quand ils ont
aperçu M. le sous-préfet[1] avec son bel habit et sa serviette[3] 5
aux coins dorés, les oiseaux ont eu peur et se sont arrêtés de
chanter, les sources n'ont plus osé faire de bruit, et les fleurs
se sont cachées dans l'herbe . . . Tout ce petit monde-là n'a
jamais vu de sous-préfet,[1] et se demande à voix basse quel est
ce beau seigneur qui se promène dans le bois.   10

À voix basse, parmi les feuilles, on se demande quel est ce
beau seigneur dans le bois . . . Pendant ce temps-là, M. le
sous-préfet,[1] ravi du silence et du calme du bois, relève les
pans[4] de son habit et s'assied au pied d'un jeune chêne; puis
il ouvre sur ses genoux sa grande serviette[3] aux coins dorés 15
et en tire une large feuille de papier ministre.

—C'est un artiste! dit un des petits êtres du bois.

—Non, dit un autre, ce n'est pas un artiste, puisqu'il a
un bel habit en argent; c'est plutôt un prince.

—C'est plutôt un prince, répète-t-il.   20

—Ni un artiste, ni un prince, interrompt un vieil oiseau, qui
a chanté toute une saison dans les jardins de la ville . . . Je
sais ce que c'est: c'est un sous-préfet![1]

Et tout le petit bois va répétant à voix basse:

—C'est un sous-préfet![1] c'est un sous-préfet![1]   25

Les fleurs demandent:

—Est-ce que c'est méchant?

—Est-ce que c'est méchant? demandent les fleurs.

Le vieil oiseau répond:

—Pas du tout!   30

Sur cette assurance, les oiseaux se remettent à chanter, les
sources à courir, les fleurs à répandre leurs parfums, comme
si le monsieur n'était pas là . . . Impassible au milieu de toute
cette jolie musique, M. le sous-préfet[1] appelle dans son cœur

---

[1] subprefect [3] briefcase [4] tails

la Muse des réunions agricoles,[5] et, le crayon levé, commence
à parler de sa voix officielle:

—Messieurs et chers citoyens . . .

—Messieurs et chers citoyens, dit le sous-préfet[1] de sa voix
5 officielle.

Un éclat de rire l'interrompt; il se retourne et ne voit qu'un
gros pivert[6] qui le regarde en riant. Le sous-préfet[1] hausse les
épaules et veut continuer son discours; mais le pivert[6] l'interrompt encore et lui crie de loin:

10 —A quoi bon?

—Comment! à quoi bon? dit le sous-préfet,[1] qui devient tout
rouge; et, chassant d'un geste cette méchante bête, il reprend
de plus belle:

—Messieurs et chers citoyens . . .

15 —Messieurs et chers citoyens . . ., a repris le sous-préfet[1]
de plus belle.

Mais alors, voilà les petites fleurs qui se penchent vers lui
et qui lui disent doucement:

—Monsieur le sous-préfet,[1] sentez-vous comme nous sentons
20 bon?

Et les sources lui font sous l'herbe une musique divine; et
dans les branches, au-dessus de sa tête, des tas d'oiseaux viennent lui chanter leurs plus jolis airs; et tout le petit bois
s'accorde pour l'empêcher de composer son discours.

25 Tout le petit bois s'accorde pour l'empêcher de composer
son discours . . . M. le sous-préfet,[1] grisé[7] de parfums et de
musique, essaye en vain de résister au nouveau charme qui
l'envahit. Il se couche sur l'herbe, défait son bel habit, murmure
encore deux ou trois fois:

30 —Messieurs et chers citoyens . . . Messieurs et chers ci . . .
Messieurs et chers . . .

Puis il envoie les citoyens au diable; et la Muse des réunions
agricoles[5] n'a plus qu'à disparaître.

Disparais, ô Muse des réunions agricoles[5] . . . Lorsque, au
35 bout d'une heure, les gens du sous-préfet,[1] inquiets pour leur

---

[5] agricultural   [1] subprefect   [6] woodpecker   [7] intoxicated

maître, sont entrés dans le petit bois, ils ont vu un spectacle qui les a fait reculer d'horreur . . . . M. le sous-préfet[1] était couché sur le ventre, dans l'herbe, ses vêtements en désordre. Il avait mis son habit bas . . . et, tout en cueillant des fleurs, M. le sous-préfet[1] faisait des vers.

[1] subprefect

V

LES DEUX NOTES

EDMOND SÉE

Dans cette salle d'un restaurant à la mode, ils étaient trois, trois vieux garçons qui, devant leurs petits verres de liqueur, et tandis qu'ils fumaient leurs cigarettes, causaient en liberté. Pendant la première partie du repas, la conversation avait,
5 comme il convenait, roulé sur les femmes, et puis peu à peu, je ne sais trop comment, l'on en était venu à parler des enfants . . .

—Au fond, dit le gros Redski le financier, à mon âge, ce sont eux, les enfants, qui me manquent le plus, et à présent, les
10 jours de solitude trop grande, lorsqu'il m'arrive de rêver d'un mariage, je ne l'envisage qu'à cause d'eux, à travers eux . . . un petit garçon et une petite fille, tenez, car voilà l'idéal! . . .

Le grand Sourbielle, assis en face de lui, répliqua:

—Oh! moi, je suis moins exigeant, un seul me suffirait . . .
15 un garçon . . . un beau petit bonhomme qui me servirait et auquel je servirais de compagnon . . . Parce que, avec les filles, c'est une autre affaire! Il faut les surveiller sans cesse, s'occuper d'elles, et travailler pour leur faire une dot[1] . . . Et puis, elles sont tellement moins intéressantes! . . . de petites
20 poupées, qui passent leur temps à parler de bagatelles, à faire des grimaces devant la glace, qui ne pensent qu'à elles. Non . . . Vivent les garçons!

Rebutel, le peintre, qui jusqu'alors avait gardé le silence, haussa les épaules:
25 —Quelle bêtise! fit-il.

Et comme les deux autres l'interrogeaient des yeux:

—Oui, répéta-t-il avec force, quelle bêtise! Et comme on

[1] dowry

voit bien que vous parlez là de ce que vous ne connaissez pas! . . .

—Et bien! et toi, répliqua Redski . . . tu n'es pas père, que je sache?

—Non, évidemment je ne suis pas père, je n'ai pas d'enfants 5 . . . Mais j'ai ceux de ma sœur: un neveu et une nièce; par conséquent, je peux très bien donner mon avis, en qualité d'oncle . . . car un oncle est un homme en qui ces futurs hommes et ces futures femmes ont parfois bien plus confiance qu'en leurs parents, et auxquels ils livrent bien mieux les secrets 10 de leur petite âme . . . Aussi quand j'écoute parler, comme tout à l'heure, avec ce mépris, cette incompréhension de celles en qui tu ne vois que des poupées, des coquettes! . . . Ah! si tu connaissais bien ces petits êtres si délicats, si naïfs encore certes, mais à travers lesquels se voit déjà une si délicate 15 et pénétrante féminité[2]. . . les petites filles en un mot! . . . Je t'assure que tu me donnerais raison!

Il sourit, secoua la tête, puis:

—Tiens, je vais te raconter un petit trait, une anecdote qui te démontrera à quel point tu te trompes . . . et ce petit trait 20 je l'ai recueilli l'autre semaine, chez ma sœur, et c'est ma nièce qui me l'a fourni d'une manière si naïve, si délicieuse! . . .

Il avala d'un trait son verre de liqueur.

—Il faut vous dire, poursuivit-il, que ma nièce Jacqueline vient d'avoir treize ans, et son anniversaire tombait vendredi 25 dernier. Or, chaque dimanche je déjeune dans la maison où l'oncle que je suis a son couvert mis. Ce dimanche-là, j'arrive un peu plus tôt que de coutume, car je devais précisément consulter cette petite sur le cadeau de fête que je lui donnerais. On m'introduit dans la salle d'étude, et je trouve ma 30 Jacqueline assise devant sa table, la tête penchée sur un devoir qu'elle noyait de grosses, de lourdes larmes. À ma vue, elle relève le front, essuie vivement ses yeux, et s'efforce de prendre un air gai. Je l'interroge sur la cause de son chagrin; et, après quelque résistance, elle finit par m'avouer que son travail de 35

[2] femininity

la semaine a été jugé, par sa maîtresse d'école, si médiocre que les parents se sont fâchés, et ont déclaré que si l'on n'obtenait pas, dans les trois jours, un meilleur résultat on se verrait privée des cadeaux de fête. Oui, de tous, même du mien! Or, le mien, c'était, je ne l'ignorais point, un certain cahier en cuir de Russie,[3] avec coins d'argent, un merveilleux cahier que nous avions, elle et moi, admiré plusieurs fois dans la boutique.

Après m'avoir fait cette triste confession, on sortit du bureau un autre cahier (bien modeste celui-là et couvert seulement de toile grise), le cahier sur lequel la maîtresse inscrivait son blâme ou sa satisfaction. Je lus:

Exercice d'histoire 9
Exercice de grammaire[4] 4
Moyenne générale 6½

Certes, ce n'était pas brillant, et il fallait viser sur-le-champ afin d'éviter une catastrophe. Je pris donc la résolution (puisque c'était «en grammaire»[4] que la difficulté de la petite se montrait surtout), de l'aider à faire son prochain devoir; et je proposai une collaboration que l'on accepta avec joie. Une heure plus tard, le devoir était achevé, et, à ce qu'il me semblait, de telle sorte que ma petite nièce n'avait plus rien à redouter.

Tout de même, le lendemain de ce jour-là, poussé par je ne sais quelle inquiétude, je résolus d'aller «aux nouvelles,» et je me rendis auprès de celle vis-à-vis de laquelle je me sentais un peu responsable[5] de ce qui pourrait arriver! Comme la fois précédente, elle était seule dans la salle d'étude et, en m'apercevant, se leva vivement et se jeta à mon cou, ce qui me parut un signe excellent.

—Eh bien! fis-je . . . tu es contente . . . hein? Je vois que cette fois la note est meilleure!

Elle répéta:

—La note?

[3] Russian leather [4] grammar [5] responsible

—Oui, pour le devoir de grammaire,[4] celui que nous avons
fait ensemble?

Il me semblait que Jacqueline rougissait. Elle répondit néanmoins avec gaieté:

—Oh! bien sûr!   5

—A la bonne heure, fis-je soulagé.[6]

Et j'ajoutai, non sans une certaine arrogance:

—Parbleu! j'en étais bien sûr . . . Alors . . . Cette note?

Elle hésita une seconde.

—Un 15! me lança-t-elle.   10

—Bravo! . . .

Et j'ajoutai:

—Te voilà tranquille. Dès demain j'irai acheter ton cadeau.

Mais soudain elle me serra le bras.

—Non!   15

—Comment non?

—Non, répéta-t-elle, parce que . . . voilà . . . Je voulais te
dire, te demander quelque chose . . . Ce cadeau, le cahier, tu
sais . . . Eh bien! je préfère que tu ne me le donnes pas!

Et comme je la considérais étonné: 20

—Oui, ajouta-t-elle très vite, il ne me fait plus très envie . . .
Je préférerais autre chose . . . que j'ai en vue. Oui . . . Je te
dirai quoi bientôt, demain, quand j'aurai mieux réfléchi.

Et, sans attendre ma réponse, elle se sauva sur un: «Une
minute, veux-tu? . . . Je crois qu'on m'appelle! Attends-moi!   25
Je reviens! . . .»

Un peu étonné par ce brusque départ et demeuré seul dans
la pièce, je me mis, pour passer le temps, à arranger les livres
et les papiers qui se trouvaient sur la table de travail; soudain
mes yeux tombèrent sur le petit cahier de notes, et poussé   30
par je ne sais quelle curiosité, je le parcourais, lorsque tout à
coup une ligne attira mes regards . . .

Exercice de grammaire[4] 3

Je me dressai en sursaut, et crus m'être trompé, mais non,

[4] grammar   [6] relieved

j'avais bien lu, c'était bien un 3 qu'avait obtenu notre devoir et non un 15 comme on me l'avait dit!

Et, sur-le-champ, je compris la tendre délicatesse[7] de ce mensonge, ce mensonge que l'on venait de me faire pour protéger mon amour-propre[8] «de grande personne» et qui avait entraîné la chère petite à en faire un second lorsqu'elle me demandait—avec quel trouble inquiet—de ne pas lui donner ce cadeau «dont elle n'avait plus envie,» disait-elle, mais auquel elle savait ne pas avoir droit et qui surtout, si je le lui avais apporté, aurait fait découvrir la vérité, une vérité intolérable pour son oncle! . . . Voilà! . . .

Il y eut un court silence.

—Et alors, interrogea le gros Redski, qu'est-ce que tu as fait?

—Ce que j'ai fait! Mon Dieu, ce que vous auriez sans doute fait à ma place. J'ai remis le petit cahier gris à sa place. Je n'ai rien dit à la coupable; mais, le soir même, après avoir tout raconté aux parents, j'ai acheté, envoyé l'autre cahier, le cahier en cuir de Russie,[8] celui dont «on n'avait plus envie,» et sur la première page duquel j'ai écrit, moi aussi, trois lignes, trois notes de ma façon, celles-ci:

Exercice de bonté 15
Exercice de tact 18
Moyenne féminine 16½

—Et, interrogea le gros Redski, tu crois qu'elle aura compris? . . .

—Si elle a compris! . . . s'écria Rebutel . . .

Mais il s'interrompit et d'un ton de mépris:

—Ah! tiens, lança-t-il, heureusement que tu es resté garçon et que tu n'as pas d'enfant . . . surtout pas de fille! Parce que je la plaindrais celle-là! . . . Et c'est toi, son père, qui, pour sûr, ne la comprendrais jamais . . .

[7] considerateness [8] vanity [8] Russian leather

VI

L'ODEUR DU BUIS[1]

FRANÇOIS COPPÉE

«Jamais! s'écria le père Bourgeuil en se levant avec violence et en jetant sa serviette sur la table. Jamais! . . . Tu m'entends bien? . . . Jamais! . . .»

Et, tandis que le vieux maître maçon[2] marchait de long en large dans sa salle à manger, avec de brusques mouvements 5 d'animal en cage, en faisant crier ses lourdes bottes, maman Bourgeuil, tenant baissés sur son assiette ses yeux remplis de larmes, lui servait le café.

Depuis deux ans, la même dispute éclatait souvent entre les deux époux, comme cette fois encore, à la fin du repas, au 10 moment du dessert. Car il y avait deux ans qu'ils s'étaient fâchés avec leur fils Édouard, et qu'il avait épousé, contre leur volonté, une femme qu'il avait connue au quartier Latin au moment où il faisait ses études de droit. Comme ils l'avaient aimé, gâté dès son enfance, cet Édouard, leur enfant unique! Tout 15 de suite Bourgeuil, autrefois simple ouvrier, alors déjà petit entrepreneur,[3] avait dit à sa femme: «Tu sais, Clémence, le travail ne manque pas à Paris. Le bâtiment va fort, et si cela continue, j'aurai fait fortune dans douze ou quinze ans d'ici. Aussi j'espère bien que ce petit-là n'aura pas besoin de passer 20 sa vie à un travail pénible, comme son papa, et de rentrer tous les soirs, fatigué à en tomber mort . . . Nous en ferons un monsieur, n'est-ce pas?»

Et les choses s'étaient passées comme le désirait le père. Edouard fut, au lycée, un brillant élève, et Bourgeuil, le paysan arrivé à 25 Paris, d'une province oubliée, avec de vieux souliers usés et deux pièces de çent sous nouées[4] dans un coin de son mouchoir, eut

---

[1] boxwood [2] master mason [3] contractor [4] knotted

31

l'orgueil de voir son fils félicité par Monsieur le Ministre à la
distribution des prix. Un sujet d'avenir, quoi! qui pourrait aborder
n'importe quelle carrière! «Et nous laisserons à ce garçon-là vingt-
cinq mille livres de rentes,» disait le père Bourgeuil, en frappant du
5 plat de sa grosse main l'épaule de sa femme. «Et il s'agira bientôt
de le marier, hein? la mère, et de trouver une jolie fille, qui ait de
l'instruction comme lui, qui le rende heureux et qui nous fasse
honneur.»

Ah! ils étaient loin, ces beaux projets! Le jeune homme avait
10 rencontré cette fille et était tombé amoureux d'elle. Et les études
n'avaient plus marché. Tristes, et trompés dans leur espoir, les
vieux parents ne doutaient encore de rien, pourtant. Ils songeaient:
«Cette folie ne durera pas.» Mais un jour l'impertinent a eu
l'impudence de leur déclarer qu'il aimait son amie et qu'il voulait
15 l'épouser. Oh! si alors le père Bourgeuil n'avait pas perdu la raison,
c'était une chance, par exemple. Il avait chassé son fils, lui refusant
toute aide. «Si tu donnes mon nom à cette femme, s'était écrié le
père, rouge de colère, n'attends pas un sou de nous deux avant
notre mort!» Mais le méchant enfant les avait blessés jusqu'au
20 bout, en rompant toutes relations avec eux.

Et maintenant, il s'était marié avec sa poupée et il vivait du peu
qu'il gagnait comme simple employé dans une petite maison de
commerce.

Certes, depuis deux ans qu'ils ne voyaient plus leur fils, les vieux
25 époux avaient bien souffert. Mais, dans les derniers temps, la
situation était devenue encore plus grave. La faute de la maman,
voyez-vous. Elle était trop malheureuse ainsi, et elle avait cédé
la première. Sa colère était moins forte que son chagrin. Elle
penchait du côté du pardon. Enfin, elle osa en parler à son
30 mari.

Mais sa colère éclata de nouveau et il lança un «jamais» dont les
vitres tremblèrent, défendit à la pauvre femme de dire un mot sur
ce sujet.

Elle ne put lui obéir, essaya de défendre encore la cause du

coupable. Mais à chaque nouvel effort, le père Bourgeuil entrait
en rage, faisait une véritable scène. Et ce fut terrible à la maison.
Ces deux vieilles gens, qui n'avaient pas un reproche à se faire, qui
avaient vécu et travaillé côte à côte pendant plus de trente ans,
devinrent presque des ennemis, vécurent sur le pied de guerre. 5
Chaque soir, à la fin du dîner, la dispute recommençait. Et la discussion finissait toujours par des mots qui leur blessaient le cœur
à tous deux.

—Tiens, veux-tu que je te dise, Bourgeuil? . . . Tu es sans pitié!

—Eh bien, toi, la vieille, sache-le une fois pour toutes . . . Tu 10
n'as pas de courage!

Et il sortait en fermant la porte avec violence.

Alors, restée seule auprès de la lampe, dans ce salon modeste où
elle gardait ses anciennes habitudes de femme du peuple et ses
bonnets de linge, la vieille maman pleurait sur son travail; et Bour- 15
geuil, qui s'ennuyait chez lui, à présent, en face de cette triste
figure, allait rejoindre, au café voisin, quelques amis qui l'attendaient pour la partie de cartes. Là, il attaquait les mœurs du
temps, où les enfants se moquaient de l'autorité du père, où se
perdait chaque jour davantage le respect de la famille. Lui, du 20
moins, il donnerait le bon exemple, il serait sévère jusqu'à la fin.
C'était même son unique sujet de conversation, et, malgré le pres-
tige que lui donnait sa fortune, ses compagnons de jeu le traitaient
parfois, après son départ, d'ennuyeux personnage. Mais en sa
présence, on plaignait son malheur et on louait sa conduite ferme. 25
Il y avait surtout l'employé du ministère—celui dont la pipe sentait
si mauvais—qui répondait toujours aux imprécations du bonhomme
contre son fils par cette approbation:

«Bravo! père Bourgeuil! . . . Vous êtes un Romain!»[5]

En réalité, le père Bourgeuil était d'une petite province et ne 30
possédait sur l'histoire ancienne que des notions très confuses.
Néanmoins, il connaissait en gros l'histoire du vieux Brutus, et la
pensée qu'il tenait du caractère de celui-ci le flattait. Cependant,
quand il sortait du café et se trouvait tout seul dans la nuit, il se

[5] Roman

disait—oh! tout bas—que ce Brutus avait l'âme bien dure et que c'était affreux de condamner son fils à mort.

Mais voici Pâques fleuries,[6] un gai dimanche de clair soleil. Les femmes, un peu honteuses de leurs toilettes d'hiver, reviennent de 5 l'église avec du buis[1] à la main. Car tout le monde en a, et les chevaux d'omnibus eux-mêmes en portent une petite branche près de l'oreille.

Le père Bourgeuil, qui est resté longtemps la veille au café, et qui a joué aux cartes jusqu'à minuit, se réveille tard. Il est d'une 10 humeur terrible. Hier soir, au dessert, sa femme lui a encore parlé d'Édouard et a tâché de l'attendrir. Elle avait pris des renseignements. Elle savait que la femme de leur fils n'était pas aussi mauvaise qu'ils l'avaient cru d'abord. Oh! une pauvre fille, sans doute, qui a dû gagner sa vie dans un magasin du quartier. Mais, voyons, 15 qu'est-ce qu'ils étaient, eux, les parents? Des ouvriers parvenus, et voilà tout. Ils n'avaient jamais espéré, n'est-ce pas? établir leur garçon parmi les riches. Est-ce que, après tout, il ne finirait pas par avoir un peu d'indulgence pour ces malheureux enfants?

—Car, mon vieux, ils sont dans la misère, oui, dans la misère! 20 Devine donc ce que gagne notre Édouard. . . . Deux cents francs par mois, ce que tu dépenses d'argent de poche, pour tes cigarettes et ton café. Ces choses-là brisent le cœur. . . . Oh! je ne te demande pas de les voir. Mais les aider un peu, seulement; quand nous avons plus qu'il ne nous faut, est-ce que ce ne serait pas juste?

25 Et la pauvre vieille, comme son mari ne répondait rien et tournait entre ses doigts le petit verre qu'il venait de vider, avait quitté sa place, fait le tour de la table, posé sa main—d'un air hésitant—sur l'épaule du chef de famille. Vain effort! Papa Bourgeuil s'était tout à coup rappelé qu'il était un «Romain,»[5] avait lancé des malédic-30 tions, crié son éternel: «Jamais!»

Donc, ce matin, il est particulièrement triste et sévère, le vieux maître maçon.[2] Il est nerveux et s'est coupé deux fois en se faisant la barbe. Non! il ne sera pas assez naïf pour faire des rentes à monsieur son fils. Un «Romain,»[5] vous dis-je. Est-ce que, à sa place, le vieux Brutus aurait fait des rentes? Dire que, la veille, il avait été sur le point de s'attendrir! Voilà ce que c'est que d'écouter les femmes. Pas de courage pour deux sous, les femmes.

Et, se rappelant ses résolutions, le père Bourgeuil met une chemise blanche et son complet gris des jours de fête. Il descend 5 au salon, ce salon dont il était si fier lorsque les choses l'intéres- saient encore, et il regarde la pendule qui marque onze heures; et le bonhomme, qui, ce matin, a bon appétit, perd patience à la pensée qu'on ne déjeunera qu'à midi.

Alors la mère Bourgeuil revient de la messe, avec un gros paquet 10 de buis,[1] qu'elle pose sur la table et qui, soudain, remplit la chambre de son odeur fraîche et forte.

Ce n'est pas un poète, le père Bourgeuil; il n'a pas une nature très délicate. Mais, tout de même, il a des sensations, comme vous et moi, et, comme chez vous et chez moi, ces sensations rappellent 15 des souvenirs.

Et, tandis que la vieille divise les branches, afin d'en parer la maison, leur pénétrant parfum trouble le cœur du bonhomme. Il se rappelle un matin de Pâques fleuries[6]—ah! qu'il y a longtemps!— quand il était encore simple ouvrier. Comme aujourd'hui, sa femme 20 avait apporté, en revenant de l'église, quelques branches de buis[1] dans leur pauvre et unique chambre. Qu'elle était gentille, et comme il l'aimait! Et, par un rapide effort de mémoire, il revoit, en un instant, leurs longues années de vie commune, pendant lesquelles elle avait été si travailleuse, si fidèle. C'est de leur 25 mauvais fils! . . . Mais est-il si mauvais? Sans doute, on doit respecter ses père et mère et leur obéir. Pourtant, ce sont peut-être des excuses pour bien des fautes que la jeunesse et l'amour.

En ce moment, la vieille femme, qu'il suit d'un œil ému, a pris un bout de buis,[1] s'est approchée de la muraille, a levé les bras, et 30 voici qu'elle attache la petite branche au-dessus du portrait de leur Édouard—de leur Édouard quand il était au lycée, du temps qu'il avait tous les prix et qu'ils étaient si fiers de lui.

Ma foi, il ne sait plus où il en est, le vieux maçon.[7] La tête lui tourne; l'odeur du buis[1] le bouleverse. Il va vers sa femme, lui 35

---

[1] boxwood [6] Palm Sunday [7] mason

prend les mains, et, après un regard jeté sur le portrait, il murmure, de sa rude voix, soudain attendrie:

—Dis donc, Clémence, si nous lui pardonnions? . . .

Ah! . . . Un cri de joie lui sort de la gorge, à la maman. . . .
5 Et son homme qui l'appelle Clémence, comme dans leur jeunesse! Il y a plus de quinze ans qu'il ne lui a donné ce nom-là! . . . Elle comprend qu'il l'aime toujours, son mari, son vieux camarade!

Elle lui saute au cou, lui prend la tête à deux mains, lui parle à l'oreille. Car elle n'a pu y tenir. L'autre dimanche, elle est allée
10 voir leur fils. Il est si malheureux de les avoir blessés! S'il n'est pas venu cent fois leur demander pardon, c'est qu'il n'a jamais osé!

—Et tu sais, ajoute-t-elle,—et sa voix se fait douce et caressante,— tu sais, j'ai vu sa femme . . . Il ne faut pas non plus lui en vouloir, je t'assure . . . Jolie comme une rose! . . . Elle aime bien notre
15 Édouard, ça se sent tout de suite . . . Elle tient si bien leur pauvre ménage. . . .

Mais il n'en peut plus, le père Bourgeuil, il étouffe; et mettant ses gros doigts tremblants sur la bouche de sa femme:

—En voilà assez, la mère. . . . Fais mettre quatre couverts,
20 envoie chercher une voiture. . . . Tiens, portons-leur une de ces branches, en signe de paix . . . et invitons-les à déjeuner ici. . . .

Et, tandis que la maman, comme abattue de bonheur, tombe en sanglotant[8] sur la poitrine de son mari, le père Bourgeuil—où est-il, le «Romain»,[5] où est-il, l'ancien Brutus?—se met à pleurer à son
25 tour comme une vieille bête.

[8] sobbing   [5] Roman

VII

DEUX AMIS

GUY DE MAUPASSANT

Paris avait faim. Les oiseaux se faisaient bien rares sur les toits. On mangeait n'importe quoi.

Comme il se promenait, triste et sombre, par un clair matin de janvier le long du boulevard extérieur, les mains dans les poches de son pantalon et le ventre vide, M. Morissot s'arrêta net devant un 5 ami. C'était M. Sauvage, une connaissance du bord de l'eau.

Chaque dimanche, avant la guerre, Morissot partait de très bonne heure, une canne en bambou[1] à la main. Il prenait le chemin de fer d'Argenteuil, descendait à Colombes, puis gagnait à pied l'île Marante. A peine arrivé en ce lieu de ses rêves, il se mettait à 10 pêcher; il pêchait jusqu'à la nuit.

Chaque dimanche, il rencontrait là un petit homme jovial, M. Sauvage. Ils passaient souvent l'après-midi côte à côte, la ligne à la main et les pieds pendant au-dessus du courant; et ils s'étaient pris d'amitié l'un pour l'autre. 15

En certains jours, ils ne se parlaient pas. Quelquefois ils causaient mais ils s'entendaient à merveille sans rien dire, ayant des goûts et des sensations semblables.

Au printemps, le matin, vers dix heures, quand le soleil versait dans le dos des deux ardents pêcheurs[2] une bonne chaleur de saison 20 nouvelle, Morissot parfois disait à son voisin: «Hein! quelle douceur?» et M. Sauvage répondait: «Je ne connais rien de meilleur.» Et cela leur suffisait pour se comprendre et s'estimer.

À l'automne, vers la fin du jour, quand le soleil se couchait dans un ciel de feu, jetait dans l'eau des figures de nuages brillantes, et 25 dorait les arbres, M. Sauvage regardait en souriant Morissot et prononçait: «Quel spectacle?» Et Morissot répondait, sans quitter

[1] fishing pole [2] fishermen

des yeux son flotteur:[3] «Cela vaut mieux que le boulevard, hein?»

Dès qu'ils se furent reconnus, ils se serrèrent les mains avec enthousiasme, tout émus de se retrouver en des circonstances si
5 différentes. M. Sauvage, poussant un soupir, murmura: «En voilà des événements.» Morissot, abattu, répliqua: «Et quel temps! c'est aujourd'hui le premier beau jour de l'année.»

Le ciel était, en effet, tout bleu et plein de lumière.

Ils se mirent à marcher côte à côte, muets et tristes. Morissot
10 reprit: —Et la pêche?[4] hein! quel bon souvenir?

M. Sauvage demanda: —Quand y retournerons-nous?

Ils entrèrent dans un petit café et burent ensemble une absinthe; puis ils se remirent à se promener sur les trottoirs.

Soudain, M. Sauvage s'arrêta: —Si on y allait?
15 —Où ça?

—Mais, pêcher.

—Où donc?

—Mais à notre île. Les avant-postes[5] français sont auprès de Colombes. Je connais le colonel Dumoulin; on nous laissera passer.
20 Morissot frissonna de désir: —C'est dit. J'en suis. Et ils se séparèrent pour prendre leurs lignes.

Une heure après, ils marchaient côte à côte sur la route. Puis ils gagnèrent la villa qu'occupait le colonel. Il sourit de leur demande et consentit à leur fantaisie. Ils se remirent en marche, leur mot
25 d'ordre bien en tête.

Bientôt ils laissèrent derrière eux les avant-postes,[5] traversèrent Colombes abandonné, et se trouvèrent au bord des petits champs de vigne qui descendait vers la Seine. Il était environ onze heures.

En face, le village d'Argenteuil semblait mort. Les hauteurs
30 d'Orgemont et de Sannois dominaient tout le pays. La grande plaine qui va jusqu'à Nanterre était vide, toute vide, avec ses arbres nus et ses terres grises.

M. Sauvage, montrant du doigt les collines, dit: —Les Prussiens[6] sont là! Et une inquiétude pénétrait les deux amis devant ce pays
35 désert.

<hr />

[3] cork [4] fishing [5] outposts [6] Prussians

«Les Prussiens!»[6] Ils n'en avaient jamais aperçu, mais ils les sentaient là depuis des mois, autour de Paris, ruinant la France, détruisant, tuant, invisibles et tout-puissants. Et une sorte de terreur s'ajoutait à la haine qu'ils avaient pour ce peuple inconnu.

Morissot murmura: —Hein! si nous allions en rencontrer?

M. Sauvage répondit, plaisantant malgré son appréhension: —Nous leur offririons des poissons.

Mais ils hésitaient à s'avancer dans la campagne, effrayés par le silence de tout l'horizon.

À la fin M. Sauvage se décida:—Allons, en route! mais avec précaution. Et ils descendirent dans un champ de vigne, se baissant autant que possible, profitant de la haie pour se couvrir, l'œil inquiet, l'oreille tendue.

Une bande de terre nue restait à traverser pour gagner le bord du fleuve. Ils se mirent à courir; et dès qu'ils eurent atteint la rive, ils se cachèrent dans les hautes herbes sèches.

Morissot mit sa joue par terre pour écouter si on ne marchait pas dans les environs. Il n'entendit rien. Ils étaient bien seuls, tout seuls.

Ils se rassurèrent et se mirent à pêcher.

En face d'eux l'île Marante les cachait à l'autre bord. La petite maison du restaurant était fermée, semblait abandonnée depuis des années.

M. Sauvage prit le premier poisson, Morissot le second; et d'instant en instant ils levaient leurs lignes avec une petite bête couleur d'argent s'agitant au bout du fil.

Ils introduisaient avec soin les poissons dans un grand panier qui était à leurs pieds. Et une joie délicieuse les pénétrait, cette joie qui vous saisit quand on retrouve un plaisir aimé dont on est privé depuis longtemps.

Le bon soleil leur coulait sa chaleur dans les épaules; ils n'écoutaient plus rien; ils ne pensaient plus à rien; ils ignoraient le reste du monde; ils pêchaient.

Mais soudain un bruit sourd qui semblait venir de sous terre fit trembler le sol. Le canon se remettait à retentir.

Morissot tourna la tête, et par-dessus le bord il aperçut, là-bas,

[6] Prussians

sur la gauche, la grande silhouette du Mont Valérien, qui portait
au front une trace de blanc, un petit nuage de poudre qu'il venait
de lâcher.

Et aussitôt un second jet de fumée partit de la colline; et quel-
5 ques instants après une nouvelle détonation gronda.

M. Sauvage haussa les épaules: —Voilà qu'ils recommencent,
dit-il.

Morissot, qui regardait avec intérêt plonger coup sur coup la
plume de son flotteur,[3] fut pris soudain d'une colère d'homme
10 paisible contre ces fous qui se battaient ainsi, et il gronda: —Faut-il
être bête pour se tuer comme ça.

M. Sauvage reprit: —C'est pis que des bêtes.

Et Morissot, qui venait de saisir un poisson, déclara: —Et dire
que ce sera toujours ainsi tant qu'il y aura des gouvernements.

15 M. Sauvage l'arrêta: —La République n'aurait pas déclaré la
guerre. . . .

Morissot l'interrompit: —Avec les rois on a la guerre au dehors;
avec la République on a la guerre au dedans.

Et ils se mirent à discuter, résolvant les grands problèmes po-
20 litiques avec une raison saine d'hommes doux et bornés, tombant
d'accord sur ce point, qu'on ne serait jamais libre. Et le Mont
Valérien retentissait sans repos, détruisant à coups de canon des
maisons françaises, écrasant des êtres, mettant fin à bien des rêves,
à bien des joies attendues, à bien des bonheurs espérés, ouvrant en
25 des cœurs de femmes, en des cœurs de filles, en des cœurs de mères,
là-bas, en d'autres pays, des souffrances qui ne finiraient plus.

—C'est la vie, déclara M. Sauvage.

—Dites plutôt que c'est la mort, reprit en riant Morissot.

Mais ils frissonnèrent effrayés, sentant bien qu'on venait de
30 marcher derrière eux; et ayant tourné les yeux, ils aperçurent,
debout contre leurs épaules, quatre hommes, quatre grands hommes
armés, les tenant en joue au bout de leurs fusils.

Les deux lignes s'échappèrent de leurs mains et se mirent à
descendre la rivière.

35 En quelques secondes, ils furent saisis, attachés, emportés, jetés

[3] cork

dans un petit bateau et passés dans l'île. Et derrière la maison qu'ils avaient cru abandonnée, ils aperçurent un groupe de soldats allemands.

Un homme monumental, qui fumait, à cheval sur une chaise, une grande pipe de terre, leur demanda, en excellent français: —Eh 5 bien, messieurs, avez-vous eu de la chance?

Alors un soldat déposa aux pieds de l'officier le panier plein de poissons, qu'il avait eu soin d'emporter. Le Prussien[6] sourit: —Eh! eh! je vois que ça n'allait pas mal. Mais il s'agit d'autre chose. Écoutez-moi et ne vous troublez pas. Pour moi, vous êtes deux 10 espions.[7] Je vous prends et je vous fais tuer. Vous faisiez semblant de pêcher, afin de mieux dissimuler vos projets. Vous êtes tombés entre mes mains, tant pis pour vous; c'est la guerre. Mais comme vous êtes sortis en passant par les lignes françaises, vous avez sans doute un mot d'ordre pour rentrer. Donnez-moi ce mot d'ordre et 15 je vous fais grâce.

Les deux amis, pâles, côte à côte, les mains tremblantes, se taisaient.

L'officier reprit: —Personne ne le saura jamais, vous rentrerez en paix. Le secret disparaîtra avec vous. Si vous refusez, c'est la mort, 20 et tout de suite. Choisissez.

Ils demeuraient immobiles sans ouvrir la bouche.

L'Allemand, toujours calme, reprit en étendant la main vers la rivière: —Songez que dans cinq minutes! Vous devez avoir des parents?   25

Le Mont Valérien retentissait toujours.

Les deux amis restaient debout et silencieux. L'officier donna des ordres dans sa langue. Puis il changea sa chaise de place pour ne pas se trouver trop près des prisonniers; et douze hommes vinrent se placer à vingt pas, le fusil au pied.   30

L'officier reprit: —Je vous donne une minute, pas deux secondes de plus.

Puis tout d'un coup il se leva, s'approcha des deux Français, prit Morissot sous le bras, l'entraîna plus loin, lui dit à voix basse:

[6] Prussian   [7] spies

—Vite, ce mot d'ordre? votre camarade ne saura rien, j'aurai l'air de m'attendrir.

Morissot ne répondit rien.

L'Allemand entraîna alors M. Sauvage et lui posa la même ques-
5 tion.

M. Sauvage ne répondit pas.

Ils se retrouvèrent côte à côte.

Et l'officier se mit à commander. Les soldats élevèrent leurs armes.

10 Alors le regard de Morissot tomba par hasard sur le panier plein de poissons, resté dans l'herbe, à quelques pas de lui.

Un rayon de soleil faisait briller le tas de petites bêtes qui s'agitaient encore. Et une faiblesse l'envahit. Malgré ses efforts, ses yeux se remplirent de larmes.

15 Il murmura: —Adieu, monsieur Sauvage.

M. Sauvage répondit: —Adieu, monsieur Morissot.

Ils se serrèrent la main, secoués des pieds à la tête par une émotion plus forte que leur volonté.

L'officier cria: «feu!»

20 Les douze coups n'en firent qu'un.

M. Sauvage tomba droit sur le nez. Morissot, plus grand, se balança un moment, tourna sur lui-même et s'abattit en travers sur son camarade, le visage au ciel, tandis que le sang s'échappait de son veston déchiré à la poitrine.

25 L'Allemand donna de nouveaux ordres.

Ses hommes s'en allèrent, puis revinrent avec des cordes et des pierres qu'ils attachèrent aux pieds des deux victimes; puis ils les portèrent sur la rive.

Deux soldats prirent Morissot par la tête et par les jambes; deux
30 autres saisirent M. Sauvage de la même façon. Les corps, un instant balancés avec force, furent lancés au loin, décrivirent un arc, puis plongèrent, debout, dans le fleuve, les pierres entraînant les pieds d'abord.

Un peu de sang flottait sur l'eau.

35 L'officier, toujours calme, dit: —C'est le tour des poissons maintenant.

Puis il revint vers la maison.

Et soudain il aperçut le panier de poissons dans l'herbe. Il le ramassa, l'examina, sourit, cria: «Wilhelm!»

Un soldat accourut. Et l'Allemand, lui passant le panier des deux amis, commanda: —Préparez-moi tout de suite ces petits animaux-là pendant qu'ils sont encore vivants. Ce sera délicieux.

Puis il se remit à fumer sa pipe.

VIII

MON ONCLE JULES

GUY DE MAUPASSANT

Un vieux pauvre, à barbe blanche, nous demanda de l'argent. Mon camarade Joseph Davranche lui donna cent sous. Je fus surprise. Il me dit:

—Ce misérable m'a rappelé une histoire que je vais te dire et dont
5 le souvenir me poursuit sans cesse. La voici:

Ma famille, qui vient du Havre, n'était pas riche. On s'en tirait, voilà tout. Le père travaillait, rentrait tard du bureau et ne gagnait pas beaucoup. J'avais deux sœurs. Ma mère souffrait de la misère où nous vivions, et elle trouvait souvent des paroles dures pour son
10 mari. Le pauvre homme avait alors un geste qui me faisait de la peine. Il se passait la main sur le front, comme pour essuyer une sueur[1] qui n'existait pas, et il ne répondait rien. Je comprenais sa douleur.

On faisait des économies sur tout. Mes sœurs faisaient leurs robes
15 elles-mêmes et avaient de longues discussions sur le prix d'un ruban qui valait quinze centimes le mètre. Notre nourriture ordinaire consistait en soupe grasse et bœuf préparé à toutes les sauces. Cela est sain et donne de la force, paraît-il; j'aurais préféré autre chose.

Chaque dimanche nous allions faire notre tour de quai en grande
20 tenue. Mon père, en habits du dimanche, offrait le bras à ma mère, parée comme un navire un jour de fête. Mes sœurs, prêtes les premières, attendaient le signal du départ: mais, au dernier moment, on découvrait toujours une tache[2] oubliée sur la redingote[3] du père de famille, et il fallait bien vite l'effacer avec de la benzine.
25 Mon père, gardant son chapeau sur la tête, attendait, en manches de chemise, que l'opération fût terminée, tandis que ma mère se hâtait, ayant ôté ses gants pour ne pas les gâter.

[1] perspiration [2] spot [3] frock-coat

On se mettait en route dans les formes. Mes sœurs marchaient devant, en se donnant le bras. Elles étaient en âge de mariage, et on en faisait montre en ville. Je me tenais à gauche de ma mère, dont mon père gardait la droite. Et je me rappelle l'air solennel de mes pauvres parents dans ces promenades du dimanche. Ils avançaient 5 d'un pas grave, le corps haut, les jambes droites, comme si une affaire d'une importance extrême eût dépendu de leur tenue.

Et chaque dimanche, en voyant entrer les grands navires qui revenaient de pays inconnus et lointains, mon père prononçait toujours les mêmes paroles: 10

—Hein! si Jules y était, quelle surprise!

Mon oncle Jules, le frère de mon père, était le seul espoir de la famille, après en avoir été la terreur. J'avais entendu parler de lui depuis mon enfance, et il me semblait que je l'aurais reconnu du premier coup, tant sa pensée m'était devenue familière. Je savais 15 tous les détails de son existence jusqu'au jour de son départ pour l'Amérique,[4] bien qu'on ne parlât qu'à voix basse de cette période de sa vie.

Il avait eu, paraît-il, une mauvaise conduite, c'est-à-dire qu'il avait mangé quelque argent, ce qui est bien le plus grand des crimes 20 pour les familles pauvres. Chez les riches, un homme qui s'amuse fait des bêtises. Chez les pauvres, un garçon qui force les parents à dépenser le capital devient un mauvais sujet.

Enfin l'oncle Jules avait bien diminué l'héritage sur lequel comptait mon père, après avoir d'ailleurs mangé sa part jusqu'au dernier 25 sou.

On l'avait envoyé à New-York. Une fois là-bas, il s'établit marchand de je ne sais quoi, et il écrivit bientôt qu'il gagnait un peu d'argent et qu'il espérait pouvoir rendre à mon père ce qu'il lui devait. Cette lettre causa dans la famille une émotion profonde. 30 Jules, qui ne valait rien du tout, devint tout à coup un honnête homme, un garçon de cœur, un vrai Davranche, incorruptible comme tous les Davranche. En outre, un capitaine nous apprit qu'il avait loué une grande boutique et qu'il faisait un commerce important. 35

---

[4] America

Une seconde lettre, deux ans plus tard, disait: «Mon cher
Philippe, je t'écris pour que tu ne t'inquiètes pas de ma santé, qui
est bonne. Les affaires aussi vont bien. Je pars demain pour un
long voyage. Je serai peut-être plusieurs années sans te donner de
5 mes nouvelles. Si je ne t'écris pas, ne sois pas inquiet. Je reviendrai
au Havre une fois fortune faite. J'espère que ce ne sera pas trop
long, et nous vivrons heureux ensemble . . .»

Cette lettre était devenue le seul espoir de la famille. On la lisait
à tout propos, on la montrait à tout le monde.

10 Pendant dix ans, en effet, l'oncle Jules ne donna plus de nouvelles;
mais l'espérance de mon père grandissait à mesure que le temps
marchait; et ma mère aussi disait souvent:

—Quand ce bon Jules sera là, notre situation changera. En voilà
un qui a su se tirer d'affaire!

15 Et chaque dimanche, en regardant venir de l'horizon les gros
navires noirs jetant sur le ciel des serpents de fumée, mon père
répétait sa phrase éternelle:

—Hein! si Jules y était, quelle surprise!

Et on s'attendait presque à le voir agiter un mouchoir, et crier:
20 —Ohé! Philippe.

On avait bâti mille projets sur ce retour assuré; on devait même
acheter, avec l'argent de l'oncle, une petite maison de campagne.
Je n'affirmerais pas que mon père n'eût point commencé des
négotiations à ce sujet.

25 L'aînée de mes sœurs avait alors vingt-huit ans; l'autre vingt-six.
Elles ne se mariaient pas, et c'était là un gros chagrin pour tout le
monde. Un jeune homme enfin se présenta pour la seconde. Un
employé, pas riche, mais honorable. J'ai toujours eu la conviction
que la lettre de l'oncle Jules, montrée un soir, avait terminé les
30 hésitations et emporté la résolution du jeune homme. On l'accepta
avec ardeur, et il fut décidé qu'après le mariage toute la famille
ferait ensemble un petit voyage à Jersey.

Jersey est l'idéal du voyage pour les gens pauvres. Ce n'est pas
loin; on passe la mer dans un bateau et on est en terre étrangère.
35 Ce voyage devint donc notre préoccupation, notre rêve de tous les
instants.

On partit enfin. Je vois cela comme si c'était hier: le bateau chauffant contre le quai de Granville; mon père, agité, surveillant le départ de nos trois paquets; ma mère inquiète ayant pris le bras de ma sœur non mariée, qui semblait perdue depuis le départ de l'autre; et derrière nous, les nouveaux époux qui restaient toujours s en arrière, ce qui me faisait souvent tourner la tête.

Le bâtiment siffla. Nous voici montés, et le navire, quittant le quai, s'éloigna sur une mer calme. Nous regardions les côtes s'enfuir, heureux et fiers comme tous ceux qui voyagent peu.

Mon père portait sa redingote[3] dont on avait, le matin même, 10 effacé avec soin toutes les taches,[5] et il répandait autour de lui cette odeur de benzine des jours de sortie, qui me faisait reconnaître les dimanches.

Tout à coup, il avisa deux dames élégantes à qui deux messieurs offraient des huîtres.[6] Un vieux matelot,[7] dans de misérables vête- 15 ments, les ouvrait d'un coup de couteau et les passait aux messieurs, qui les tendaient ensuite aux dames. Elles mangeaient d'une manière délicate, en avançant la bouche pour ne rien laisser tomber sur leurs robes. Puis elles buvaient l'eau d'un petit mouvement rapide et jetaient les restes à la mer. 20

Mon père, sans doute, fut attiré par cet acte distingué de manger des huîtres[6] sur un navire en marche. Il trouva cela bon genre, élégant, supérieur, et il s'approcha de ma mère et de mes sœurs en demandant:

—Voulez-vous que je vous offre quelques huîtres?[6] 25

Ma mère hésitait, à cause de la dépense; mais mes deux sœurs acceptèrent tout de suite. Ma mère dit, de mauvaise humeur:

—J'ai peur de me faire mal à l'estomac. Offre ça aux enfants seule-ment, mais pas trop, tu les rendrais malades.

Puis, se tournant vers moi, elle ajouta: 30

—Quant à Joseph, il n'en a pas besoin; il ne faut point gâter les garçons.

Je restai donc à côté de ma mère, trouvant cette distinction sans justification. Je suivais de l'œil mon père, qui conduisait d'un air solennel ses deux filles vers le vieux matelot.[7] 35 ·

[3] frock-coat [5] spots [6] oysters [7] sailor

Les deux dames venaient de partir, et mon père indiquait à mes
sœurs comment il fallait s'y prendre pour manger sans laisser couler
l'eau; il voulut même donner l'exemple et il s'empara d'une huître.[6]
En essayant d'imiter les dames, il renversa immédiatement toute
5 l'eau sur ses habits et j'entendis ma mère murmurer:

—Il ferait mieux de se tenir tranquille.

Mais tout à coup mon père me parut inquiet; il s'éloigna de
quelques pas, regarda ses filles pressées autour de l'ouvreur d'huîtres,[8] et, soudain, il vint vers nous. Il me sembla fort pâle, avec des
10 yeux singuliers. Il dit, d'une voix faible à ma mère:

—C'est extraordinaire, comme cet homme-là ressemble à Jules.

Ma mère interdite demanda:

—Quel Jules? . . .

Mon père reprit:

15 —Mais . . . mon frère . . . Si je ne le savais pas en bonne position, à New-York, je croirais que c'est lui.

Ma mère, d'un ton inquiet:

—Tu es fou! Du moment que tu sais que ce n'est pas lui, pourquoi
dire ces bêtises-là?

20 Mais mon père insistait:

—Va donc le voir, Clarisse; j'aime mieux que tu t'en assures toi-
même, de tes propres yeux.

Elle se leva et alla rejoindre ses filles. Moi aussi, je regardais
l'homme. Il était vieux, très sale, et ne détournait pas le regard de sa
25 besogne.

Ma mère revint. Je m'aperçus qu'elle tremblait. Elle prononça
très vite:

—Je crois que c'est lui. Va donc demander des renseignements au
capitaine. Surtout sois prudent, pour que ce vagabond ne nous
30 tombe pas sur les bras, maintenant!

Mon père s'éloigna, mais je le suivis. Je me sentais bien ému.

Le capitaine, un grand monsieur maigre, se promenait sur le pont
d'un air important, comme s'il eût commandé quelque grand
navire.

6 oysters   8 oyster-man

Mon père l'aborda avec déférence, en l'interrogeant sur son métier avec beaucoup de compliments:

—Quelle était l'importance de Jersey? Ses productions? Sa population? Ses mœurs? Ses coutumes? La nature du sol, etc., etc.

Puis on parla du bâtiment qui nous portait, l'Express; puis on en vint aux hommes du bord. Mon père, enfin, d'une voix troublée:

—Vous avez là un vieil ouvreur d'huîtres[8] qui paraît bien intéressant. Savez-vous quelques détails sur ce bonhomme?

Le capitaine, que cette conversation finissait par ennuyer, répondit d'un ton sec:

—C'est un vieux vagabond français que j'ai trouvé à New-York l'an dernier, et que j'ai ramené. Il a, paraît-il, des parents au Havre, mais il ne veut pas retourner près d'eux, parce qu'il leur doit de l'argent. Il s'appelle Jules . . . Jules Darmanche ou Darvanche, quelque chose comme ça, enfin. Il paraît qu'il a été riche un moment là-bas, mais vous voyez où il en est réduit maintenant.

Mon père, qui devenait pâle comme la mort, prononça, la gorge serrée, l'œil hagard:

—Ah! ah! très bien . . . fort bien . . . Cela ne m'étonne pas . . . Je vous remercie beaucoup, capitaine.

Et il s'en alla, tandis que le capitaine le regardait s'éloigner avec stupéfaction.

Il revint auprès de ma mère, tellement troublé qu'elle lui dit:

—Assieds-toi; on va s'apercevoir de quelque chose.

Il tomba sur le banc en murmurant:

—C'est lui, c'est bien lui!

Puis il demanda:

—Qu'allons-nous faire? . . .

Elle répondit vivement:

—Il faut éloigner les enfants. Puisque Joseph sait tout, il va aller les chercher. Il faut prendre garde surtout que notre gendre[9] ne se doute de rien.

Mon père paraissait abattu. Il murmura:

—Quelle catastrophe!

Ma mère ajouta, devenue tout à coup furieuse:

---

[8] oyster-man [9] son-in-law

—Je me suis toujours doutée que cet homme ne ferait rien, et qu'il nous tomberait sur le dos! Comme si on pouvait attendre quelque chose d'un Davranche!

Et mon père se passa la main sur le front, comme il faisait sous les reproches de sa femme.

Elle ajouta:

—Donne de l'argent à Joseph pour qu'il aille payer ces huîtres,[6] à présent. Il ne manquerait plus que d'être reconnus par ce vagabond. Cela ferait un joli effet sur le navire. Allons-nous-en à l'autre bout, et fais en sorte que cet homme n'approche pas de nous!

Elle se leva, et ils s'éloignèrent après m'avoir remis une pièce de cent sous.

Mes sœurs, surprises, attendaient leur père. J'affirmai que maman s'était trouvée un peu gênée par la mer, et je demandai à l'ouvreur d'huîtres:[8]

—Combien est-ce que nous vous devons, monsieur?

J'avais envie de dire: mon oncle.

Il répondit:

—Deux francs cinquante.

Je tendis mes cent sous et il me rendit la monnaie.

Je regardai sa main, une pauvre main de matelot,[7] et je regardai son visage, un vieux et misérable visage, triste, fatigué, en me disant:

—C'est mon oncle, le frère de papa, mon oncle!

Je lui laissai dix sous de pourboire. Il me remercia:

—Dieu vous bénisse, mon jeune monsieur; avec l'accent d'un pauvre qui reçoit ce que l'on veut bien lui donner. Je pensai qu'il avait dû souffrir, là-bas!

Mes sœurs me regardaient, surprises de ma bonté.

Quand je remis les deux francs à mon père, ma mère demanda:

—Il y en avait pour trois francs? . . . Ce n'est pas possible.

Je déclarai d'une voix ferme:

—J'ai donné dix sous de pourboire.

Ma mère eut un sursaut et me regarda dans les yeux:

[6] oysters [8] oyster-man [7] sailor

—Tu es fou! Donner dix sous à cet homme!

Elle s'arrêta sous un regard de mon père, qui désignait son gendre.[9]

Devant nous, à l'horizon, une ombre bleue semblait sortir de la mer. C'était Jersey.

Lorsqu'on approcha des quais, un désir violent me vint au cœur de voir encore une fois mon oncle Jules, de m'approcher, de lui dire quelque chose de consolant, de tendre.

Mais il avait disparu, descendu sans doute dans le fond du bateau où logeait ce misérable.

Et nous sommes revenus par le bateau de Saint-Malo, pour ne pas le rencontrer. Ma mère était on ne peut plus inquiète.

Je n'ai jamais revu le frère de mon père!

Voilà pourquoi tu me verras quelquefois donner cent sous aux vagabonds.

[9] son-in-law

IX

EN VOYAGE

GUY DE MAUPASSANT

Le wagon était au complet depuis Cannes; on causait, tout le monde se connaissait. Lorsqu'on passe Tarascon, quelqu'un dit: «C'est ici qu'on commet des crimes affreux.» Et on se mit à parler du mystérieux assassin qui, depuis deux ans, s'offre, de temps en
5 temps, la vie d'un voyageur. Chacun faisait des suppositions, chacun donnait son avis; les femmes regardaient en frissonnant la nuit sombre derrière les vitres, craignant de voir apparaître soudain une tête d'homme à la fenêtre. Et on se mit à raconter des histoires effrayantes, de mauvaises rencontres, des tête-à-tête avec des fous
10 dans un rapide, des heures passées en face d'un personnage mystérieux.

Un médecin, qui passait chaque hiver dans le Midi, voulut conter une aventure:

—Moi, dit-il, je n'ai jamais eu la chance d'éprouver mon courage
15 dans une affaire de cette sorte; mais j'ai connu une femme, une de mes malades, morte aujourd'hui, à qui arriva la plus singulière chose du monde, et aussi la plus mystérieuse et la plus émouvante.

C'était une Russe,[1] la comtesse[2] Marie Baranow, une très grande dame, d'une exquise beauté. Vous savez comme les Russes[1] sont
20 belles, du moins comme elles nous semblent belles, avec leur nez fin, leur bouche délicate, leurs yeux rapprochés, d'un bleu gris, et leur grâce froide, un peu dure! Elles ont quelque chose de méchant et de doux, de tendre et de sévère, tout à fait charmant pour un Français. Au fond, c'est peut-être seulement la différence de race
25 et de type qui me fait voir tant de choses en elles.

Son médecin, depuis plusieurs années, la voyait menacée d'une maladie de poitrine et tâchait de la décider à venir dans le midi de

---

[1] Russian [2] countess

52

la France; mais elle refusait toujours de quitter Pétersbourg.
Enfin l'automne dernier, la jugeant perdue, le docteur prévint le
mari qui ordonna aussitôt à sa femme de partir pour Menton.

Elle prit le train, seule dans son wagon, ses gens de service
occupant un autre compartiment.[3] Elle restait contre la portière,[4] 5
un peu triste, regardant passer les campagnes et les villages, se
sentant bien isolée, bien abandonnée dans la vie, sans enfants,
presque sans parents, avec un mari dont l'amour était mort et qui
la jetait ainsi au bout du monde.

À chaque station, son serviteur Ivan venait s'informer si rien 10
ne manquait à sa maîtresse. C'était un vieux domestique fidèle,
prêt à accomplir tous les ordres qu'elle lui donnerait.

La nuit tomba, le train roulait à toute vitesse. Elle ne pouvait
dormir, agitée à l'excès. Soudain la pensée lui vint de compter
l'argent que son mari lui avait remis à la dernière minute, en or de 15
France. Elle ouvrit son petit sac et vida sur ses genoux le flot de
métal.

Mais tout à coup un souffle d'air froid lui frappa le visage.
Surprise, elle leva la tête. La portière[4] venait de s'ouvrir. La dame,
effrayée, jeta sa cape sur son argent répandu dans sa robe, et 20
attendit. Quelques secondes s'écoulèrent, puis un homme parut,
nu-tête, blessé à la main, respirant avec difficulté, en costume de
soirée. Il referma la porte, s'assit, regarda sa voisine avec des yeux
brillants, puis enveloppa d'un mouchoir sa main dont le sang
coulait. 25

La jeune femme se sentait frissonner de terreur. Cet homme,
certes, l'avait vue compter son or, et il était venu pour la voler
et la tuer.

Il la fixait toujours, silencieux, prêt à bondir sur elle sans doute.
Il dit enfin: 30

—Madame, n'ayez pas peur!

Elle ne répondit rien, incapable d'ouvrir la bouche.

Il reprit:

—Je ne suis pas un malfaiteur,[5] madame.

Elle ne disait toujours rien, mais, dans un brusque mouvement 35

[3] compartment [4] door [5] criminal

qu'elle fit, ses genoux s'étant rapprochés, son or se mit à couler sur
le tapis.

L'homme, surpris, se baissa pour le ramasser.

Elle, affolée, se leva, jetant à terre toute sa fortune, et elle courut
5 à la portière[4] pour se précipiter sur la voie. Mais il comprit ce
qu'elle allait faire, s'élança, la saisit dans ses bras, la fit asseoir de
force, et la maintenant par les mains: —Écoutez-moi, madame, je
ne suis pas un malfaiteur,[5] et, la preuve, c'est que je vais ramasser
cet argent et vous le rendre. Mais je suis un homme perdu, un
10 homme mort, si vous ne m'aidez à m'échapper. Je ne puis vous en
dire davantage. Dans une heure, nous serons à la dernière station
russe;[1] dans une heure vingt, nous franchirons la limite de l'Empire.
Si vous ne me protégez pas, je suis perdu. Et cependant, madame,
je n'ai ni tué, ni volé, et n'ai rien fait de contraire à l'honneur.
15 Cela, je vous le jure. Je ne puis vous en dire davantage.

Et, se mettant à genoux, il ramassa l'or jusque sous les sièges,
cherchant les dernières pièces roulées au loin. Puis, quand le petit
sac fut plein de nouveau, il le remit à sa voisine sans ajouter un
mot, et il retourna s'asseoir à l'autre coin du wagon.

20 Ils ne remuaient plus ni l'un ni l'autre. Elle demeurait immobile
et muette, encore tremblante de terreur, mais s'apaisant peu à peu.
Quant à lui, il ne faisait pas un geste, pas un mouvement; il restait
droit, les yeux fixés devant lui, très pâle, comme s'il eût été mort.
De temps en temps elle jetait vers lui un regard brusque, vite
25 détourné. C'était un homme de trente ans environ, fort beau, avec
toute l'apparence d'un gentilhomme.

Le train courait dans la nuit, jetait ses appels déchirants, filant
à toute vitesse. Mais soudain il calma son allure, siffla plusieurs fois
et s'arrêta tout à fait.

30 Ivan parut à la portière[4] afin de prendre les ordres.

La comtesse[2] Marie, la voix tremblante, considéra une dernière
fois son étrange compagnon, puis elle dit à son serviteur d'une
voix brusque:

—Ivan, tu vas retourner près du comte, je n'ai plus besoin de toi.

35 L'homme, interdit, ouvrait des yeux énormes.

[4]door [5]criminal [1]Russian [2]countess

Elle reprit:

—Non, tu ne viendras pas, j'ai changé d'avis. Je veux que tu restes avec mon mari. Tiens, voici de l'argent pour retourner. Donne-moi ton bonnet et ton manteau.

Le vieux domestique ôta son chapeau et tendit son manteau, [5] obéissant toujours sans répondre, habitué aux volontés soudaines et aux étranges caprices des maîtres. Et il s'éloigna, les larmes aux yeux.

Le train repartit, courant à la frontière.[6]

Alors la comtesse[2] Marie dit à son voisin: [10]

—Ces choses sont pour vous, monsieur, vous êtes Ivan, mon serviteur. Je ne mets qu'une condition à ce que je fais: c'est que vous ne me parlerez jamais, que vous ne me direz pas un mot, ni pour me remercier, ni pour quoi que ce soit.

L'inconnu s'inclina sans prononcer une parole. [15]

Bientôt on s'arrêta de nouveau et des officiers de la douane visitèrent le train. La comtesse[2] leur tendit un petit paquet et, montrant l'homme assis au fond de son wagon:

—C'est mon domestique Ivan, dont voici les papiers.

Le train se remit en route. [20]

Pendant toute la nuit, ils restèrent en tête à tête, muets tous deux.

Le matin venu, comme on s'arrêtait dans une gare allemande, l'inconnu descendit; puis, debout à la portière:[4]

—Pardonnez-moi, madame, de ne pas tenir ma parole; mais je [25] vous ai privée de votre domestique, il est juste que je le remplace. N'avez-vous besoin de rien?

Elle répondit sans lever la tête:

—Allez chercher ma femme de chambre.

Il y alla. Puis disparut. [30]

Quand elle descendait à quelque restaurant de gare, elle l'apercevait de loin qui la regardait. Ils arrivèrent à Menton.

Le docteur se tut une seconde, puis reprit:

[6] frontier   [2] countess   [4] door

—Un jour, comme je recevais mes malades dans mon cabinet, je vis entrer un grand garçon qui me dit:

—Docteur, je viens vous demander des nouvelles de la comtesse[2] Marie Baranow. Je suis, bien qu'elle ne me connaisse point, un 5 ami de son mari.

Je répondis:

—Elle est perdue. Elle ne retournera pas à son pays.

Et soudain cet homme se mit à pleurer, puis il se leva et sortit sans me dire mot.

10 Je prévins, le soir même, la comtesse[2] qu'un étranger était venu m'interroger sur sa santé. Elle parut émue et me raconta toute l'histoire que je viens de vous dire. Elle ajouta:

—Cet homme que je ne connais point me suit maintenant comme mon ombre, je le rencontre chaque fois que je sors; il me regarde 15 d'une étrange façon, mais il ne m'a jamais parlé.

Elle réfléchit, puis ajouta:

—Tenez, je parie[7] qu'il est sous mes fenêtres.

Elle quitta sa chaise longue, alla écarter les rideaux et me montra en effet l'homme qui était venu me trouver, assis sur un banc de la 20 promenade, les yeux levés vers l'hôtel. Il nous aperçut, se leva et s'éloigna sans retourner une fois la tête.

Alors, j'assistai à une chose surprenante et douloureuse, à l'amour muet de ces deux êtres qui ne se connaissaient point.

Il l'aimait, lui, avec la dévotion d'une bête sauvée, reconnais- 25 sante et fidèle jusqu'à la mort. Il venait chaque jour me dire: «Comment va-t-elle?» comprenant que je l'avais deviné. Et il pleurait comme un enfant quand il l'avait vue passer plus faible et plus pâle chaque jour.

Elle me disait:

30 —Je ne lui ai parlé qu'une fois, à cet homme singulier, et il me semble que je le connais depuis vingt ans.

Et quand ils se rencontraient, elle lui rendait son salut avec un sourire grave et charmant. Je la sentais heureuse d'être aimée ainsi, avec respect, avec cette poésie exagérée, avec cette dévotion 35 prête à tout. Et pourtant, elle refusait de le recevoir, de connaître

[2] countess   [7] wager

son nom, de lui parler. Elle disait: «Non, non, cela me gâterait cette étrange amitié. Il faut que nous demeurions étrangers l'un à l'autre.»

Quant à lui, il ne fit rien pour se rapprocher d'elle. Il voulait tenir jusqu'au bout la parole de ne lui jamais parler qu'il avait donnée dans le wagon.

Souvent, pendant ses longues heures de faiblesse, la comtesse[2] se levait de sa chaise longue et allait entr'ouvrir son rideau pour regarder s'il était là, sous sa fenêtre. Et quand elle l'avait vu, toujours immobile sur son banc, elle revenait se coucher avec un sourire aux lèvres.

Elle mourut un matin, vers dix heures. Comme je sortais de l'hôtel, il vint à moi, le visage bouleversé; il savait déjà la nouvelle.

—Je voudrais la voir une seconde, devant vous, dit-il.

Je lui pris le bras et rentrai dans la maison.

Quand il fut devant le lit de son aimée, il lui saisit la main et la baisa d'un interminable baiser, puis il se sauva comme un fou.

Le docteur se tut de nouveau, et reprit:

—Voilà, certes, la plus singulière aventure de chemin de fer que je connaisse. Il faut dire aussi que les hommes sont des drôles d'idiots.

Une femme murmura à voix basse:

—Ces deux êtres-là ont été moins fous que vous ne croyez . . . Ils étaient . . . ils étaient . . .

Mais elle ne pouvait plus parler, tant elle pleurait. Comme on changea de conversation pour la calmer, on ne sut pas ce qu'elle voulait dire.

[2] countess

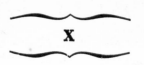

X

LE PARAPLUIE

GUY DE MAUPASSANT

Mme Oreille était économe.[1] Elle savait la valeur d'un sou et possédait un arsenal de principes sévères sur la multiplication de
l'argent. M. Oreille n'obtenait son argent de poche qu'avec une
extrême difficulté. Ils étaient à leur aise pourtant, et sans enfants;
5 mais Mme Oreille éprouvait une vraie douleur à voir l'argent sortir
de chez elle. C'était comme une blessure pour son cœur; et, chaque
fois qu'il lui avait fallu une dépense de quelque importance, bien
qu'indispensable, elle dormait fort mal la nuit suivante.

Son mari à tout moment se plaignait des privations qu'elle lui
10 faisait supporter. Il en était certaines qui lui devenaient particulièrement pénibles, parce qu'elles atteignaient sa vanité.

Il était commis[2] principal au Ministère de la Guerre, demeuré
là pour obéir à sa femme, pour augmenter les rentes de la maison.
Or, pendant deux ans il vint au bureau avec le même parapluie
15 usé qui donnait à rire à ses amis. Las enfin de leurs plaisanteries,
il exigea que Mme Oreille lui achetât un nouveau parapluie. Elle
en prit un de huit francs cinquante, article d'occasion d'un grand
magasin. Les employés, en apercevant cet objet jeté dans Paris
par milliers, recommencèrent leurs plaisanteries, et Oreille en
20 souffrit beaucoup. Le parapluie ne valait rien. En trois mois, il
fut hors de service, et la gaieté devint générale dans le Ministère.
On fit même une chanson qu'on entendait du matin au soir, du
haut en bas de l'immense bâtiment.

Oreille, perdant patience, ordonna à sa femme de lui choisir un
25 nouveau parapluie, en soie fine, de vingt francs.

Elle en acheta un de dix-huit francs et déclara, rouge d'irrita-
tion, en le remettant à son époux:

[1] thrifty   [2] clerk

58

—Tu en as là pour cinq ans, au moins.

Cette fois, Oreille obtint un vrai succès au bureau.

Lorsqu'il rentra le soir, sa femme, jetant un regard inquiet sur le parapluie, lui dit:

—Tu ne devrais pas le laisser serré ainsi, c'est le moyen de couper la soie. C'est à toi d'y veiller, parce que je ne t'en achèterai pas un tous les ans.

Elle le prit, défit le bouton et secoua les plis.[3] Mais elle demeura saisie d'émotion. Un trou rond, grand comme un sou, lui apparut au milieu du parapluie. C'était une brûlure[4] de cigarette!

Elle cria:

—Qu'est-ce qu'il a?

Son mari répondit d'un air tranquille, sans regarder:

—Qui? Quoi? Que veux-tu dire?

La colère l'étouffait maintenant; elle ne pouvait plus parler:

—Tu—tu—tu as brûlé—ton—ton—parapluie. Mais tu—tu—es donc fou! . . . Tu veux nous ruiner!

Il se retourna:

—Tu dis?

—Je dis que tu as brûlé ton parapluie. Tiens! . . .

Et, s'élançant vers lui comme pour le battre, elle lui mit sous le nez la petite brûlure[4] ronde.

Il restait interdit devant cette catastrophe, ne sachant que dire:

—Ça, ça . . . qu'est-ce que c'est? Je ne sais pas, moi! Je n'ai rien fait, rien, je te le jure. Je ne sais pas ce qu'il a, moi, ce parapluie.

Elle criait toujours:

—Je parie[5] que tu as fait des farces avec lui dans ton bureau, que tu l'as ouvert pour le montrer.

Il répondit:

—Je l'ai ouvert une seule fois pour montrer comme il était beau. Voilà tout. Je te le jure.

Mais elle était furieuse, et elle lui fit une de ces scènes qui rendent le foyer plus redoutable pour un homme de paix qu'un champ de bataille où pleuvent les balles.

[3] folds [4] burn [5] wager

Elle couvrit la brûlure[4] d'un morceau de soie coupé sur l'ancien parapluie, qui était de couleur différente; et, le lendemain Oreille partit, d'un air humble, avec l'instrument ainsi remis. Il le posa dans un coin du bureau et n'y pensa plus que comme on pense à
5 quelque mauvais souvenir.

Mais à peine fut-il rentré, le soir, sa femme lui saisit son parapluie dans les mains, l'ouvrit pour constater son état et demeura suffoquée[6] devant une déstruction irréparable. Il était semé de petits trous résultant évidemment de brûlures,[4] comme si on eût vidé
10 dessus une pipe allumée. Il était perdu, complètement perdu.

Elle regardait cela sans dire un mot, éprouvant trop d'indignation pour qu'un son pût sortir de sa gorge. Lui aussi il constatait le dommage et il restait interdit, épouvanté.

Puis ils se regardèrent; puis il baissa les yeux, puis il reçut par
15 la figure l'objet ruiné qu'elle lui jetait; puis elle cria, retrouvant sa voix dans une colère violente:

—Ah! bandit! Tu en as fait exprès! Mais tu me le payeras! Tu n'en auras plus!

Et la scène recommença. Après une heure d'orage, il put enfin
20 s'expliquer. Il jura qu'il n'y comprenait rien; que cela ne pouvait prévenir que de vengeance.

Un coup de sonnette le sauva. C'était un ami qui devait dîner chez eux.

Mme Oreille lui soumit le cas. Quant à acheter un nouveau
25 parapluie, c'était fini, son mari n'en aurait plus.

L'ami expliqua avec raison:

—Alors, madame, il perdra ses habits qui valent certes davantage.

La petite femme, toujours furieuse, répondit:

—Alors il prendra un parapluie de cuisine, je ne lui en donnerais
30 pas un nouveau en soie.

A cette pensée, Oreille éclata en indignation:

—Alors je donnerai ma démission,[7] moi! Mais je n'irai pas au bureau avec un parapluie de cuisine.

L'ami reprit:

35 —Faites recouvrir celui-là, ça ne coûte pas très cher.

[4] burn   [6] suffocated   [7] resignation

Mme Oreille, perdant patience, cria:

—Il faut au moins huit francs pour le faire recouvrir. Huit francs et dix-huit, cela fait vingt-six! Vingt-six francs pour un parapluie, mais c'est de la folie!

L'ami, bourgeois pauvre, eut une inspiration: 5

—Faites-le payer par votre Assurance.[8] Les compagnies payent les objets brûlés, pourvu que le dommage ait eu lieu dans votre domicile.

À ce conseil, la petite femme se calma net; puis, après une minute de réflexion, elle dit à son mari: 10

—Demain, avant de te rendre à ton Ministère, tu iras dans les bureaux de la compagnie faire constater l'état de ton parapluie et réclamer le payement.[9]

M. Oreille sauta de sa chaise.

—Jamais de la vie je n'oserai! C'est dix-huit francs de perdus,   15 voilà tout. Nous n'en mourrons pas.

Et il sortit le lendemain avec une canne.[10] Il faisait beau heureusement.

Restée seule à la maison, Mme Oreille ne pouvait se consoler de la perte de ses dix-huit francs. Elle avait le parapluie sur la   20 table de la salle à manger, et elle tournait autour, sans parvenir à prendre une résolution.

La pensée de l'Assurance[8] lui revenait à tout instant, mais elle n'osait pas non plus se présenter devant ces messieurs de la compagnie, car elle avait peur devant le monde, rougissant pour un   25 rien, embarrassée dès qu'il lui fallait parler à des inconnus.

Cependant le regret des dix-huit francs la faisait souffrir comme une blessure. Que faire cependant? Les heures passaient; elle ne se décidait à rien. Puis, tout à coup, elle prit sa résolution:

—J'irai et nous verrons bien!   30

Mais il lui fallait d'abord préparer le parapluie pour que la catastrophe fût complète et la cause facile à soutenir. Elle prit une allumette sur la cheminée et fit une grande brûlure,[4] large comme la main; puis elle roula avec soin ce qui restait de la soie, mit son

---

[8] insurance company [9] indemnity [10] cane [4] burn

chapeau et descendit d'un pas pressé vers la rue de Rivoli où se
trouvait l'Assurance.[8]

Mais à mesure qu'elle approchait, elle perdait confiance. Qu'allait-elle dire? Qu'allait-on lui répondre?

5   Elle regardait les numéros des maisons. Elle en avait encore
vingt-huit. Très bien! Elle pouvait réfléchir. Elle allait de moins
en moins vite. Soudain elle frissonna. Voici la porte, sur laquelle
brille en lettres d'or: «*La Maternelle, Compagnie d'Assurances.*»
Déjà! Elle s'arrêta une seconde, inquiète, honteuse, puis passa, puis
10 revint, puis passa de nouveau, puis revint encore.

Elle se dit enfin:

—Il faut y aller pourtant. Mieux vaut plus tôt que plus tard.

Mais, en pénétrant dans la maison, elle s'aperçut que son cœur
battait. Elle entra dans une vaste pièce. Un monsieur parut, por-
15 tant des papiers. Elle l'arrêta, et d'une très petite voix:

—Pardon, monsieur, pourriez-vous me dire où il faut s'adresser
pour se faire payer les objets brûlés?

—Premier, à gauche. Au bureau des sinistres.[11]

Ce mot l'effraya davantage encore; et elle eut envie de se sauver,
20 de ne rien faire, de sacrifier ses dix-huit francs. Mais à la pensée
de cette somme, un peu de courage lui revint et elle monta,
s'arrêtant à chaque marche.

Au premier, elle aperçut une porte, elle frappa. Une voix claire
cria:

25   —Entrez!

Elle entra et se vit dans une grande pièce où trois messieurs,
debout, solennels, causaient.

Un d'eux lui demanda:

—Que désirez-vous, madame?

30   Elle ne trouva plus ses mots, elle murmura:

—Je viens . . . je viens . . . pour . . . pour un sinistre.[11] Le
monsieur, poli, montra un siège.

—Donnez-vous la peine de vous asseoir; je suis à vous dans une
minute.

35   Et, retournant vers les autres, il reprit la conversation.

[8] insurance company   [11] disaster

—La compagnie, messieurs, ne se croit pas engagée envers vous pour plus de quatre cent mille francs . . .

Un des deux autres l'interrompit:

—Cela suffit, monsieur, les tribunaux[12] décideront. Nous n'avons plus qu'à nous retirer.

Et ils sortirent avec plusieurs saluts solennels.

Oh! si elle avait osé partir avec eux, elle l'aurait fait; elle aurait fui, abandonnant tout! Mais le pouvait-elle? Le monsieur revint, et, s'inclinant:

—Qu'y a-t-il pour votre service, madame?

Elle dit, avec difficulté:

—Je viens pour . . . pour ceci.

Le directeur baissa les yeux, avec un étonnement naïf, vers l'objet qu'elle lui tendait. Il prononça, d'un ton poli:

—Il me paraît bien malade.

Elle déclara avec hésitation:

—Il m'a coûté vingt francs.

Il s'étonna:

—Bien vrai? Tant que ça?

—Oui, il était excellent. Je voulais vous faire constater son état.

—Fort bien; je vois. Fort bien. Mais je ne saisis pas en quoi cela peut me concerner.

Une inquiétude la saisit. Peut-être cette compagnie-là ne payait-elle pas les petits objets, et elle dit:

—Mais . . . il est brûlé . . .

Le monsieur ne nia pas:

—Je le vois bien.

Elle ne savait plus que dire; puis, soudain, elle prononça avec précipation:

—Je suis Mme Oreille. Nous sommes assurés à la *Maternelle*; et je viens vous réclamer le prix de ce parapluie brûlé.

Elle se hâta d'ajouter:

—Je demande seulement que vous le fassiez recouvrir.

Le directeur, embarrassé, déclara:

—Mais . . . madame . . . nous ne sommes pas marchands de

[12] courts

parapluies. Nous ne pouvons nous charger de ces genres de réparations.[13]

La petite femme sentait le courage lui revenir. Il fallait lutter. Elle lutterait donc! Elle n'avait plus peur; elle dit:

5 —Je demande seulement le prix de le faire recouvrir.

Le monsieur semblait confus:

—C'est bien peu, madame. On ne nous demande jamais d'indemnité[9] pour des accidents d'un si peu d'importance. Nous ne pouvons payer, convenez-en, les mouchoirs, les gants, tous les 10 petits objets qui sont exposés chaque jour à subir des dommages par la flamme.

Elle devint rouge, sentant la colère l'envahir:

—Mais, monsieur, nous avons eu au mois de décembre dernier un feu de cheminée qui nous a causé au moins pour cinq cents 15 francs de dégats;[14] M. Oreille n'a rien réclamé à la compagnie; aussi il est bien juste qu'elle me paye mon parapluie!

Le directeur, devinant le mensonge, dit en souriant:

—Vous avouerez, madame, qu'il est bien étonnant que M. Oreille, n'ayant rien demandé pour un dégat[14] de cinq cents francs, vienne 20 réclamer une réparation[9] de cinq ou six francs pour un parapluie.

Elle ne se troubla point et répliqua:

—Pardon, monsieur, le dégat[14] de cinq cents francs concernait la bourse de M. Oreille tandis que le dégat[14] de dix-huit francs concerne la bourse de Mme Oreille, ce qui n'est pas la même chose.

25 Il vit qu'il ne s'en débarrasserait pas et qu'il allait perdre sa journée, et il demanda avec résignation:

—Veuillez me dire alors comment l'accident est arrivé.

Elle sentit la victoire et se mit à raconter:

—Voilà, monsieur! J'ai dans mon vestibule une espèce de chose 30 en bronze où l'on pose les parapluies. L'autre jour donc, en rentrant, je plaçai dedans celui-là. Il faut vous dire qu'il y a juste au-dessus une planchette[15] pour mettre les bougies[16] et les allumettes. Je prends quatre allumettes. J'en frotte une; elle se casse en deux. J'en frotte une autre; elle s'allume et s'éteint aussitôt. 35 J'en frotte une troisième; elle en fait autant.

[13] repairs [9] indemnity [14] damage [15] shelf [16] candles

Le directeur l'interrompit pour placer un mot d'esprit:

—C'étaient donc des allumettes du gouvernement.

Elle ne comprit pas et continua:

—Ça se peut bien. Toujours est-il que la quatrième prit feu et j'allumai ma bougie;[16] puis je rentrai dans ma chambre pour me 5 coucher. Mais au bout d'un quart d'heure, il me sembla qu'on sentait quelque chose. Moi, j'ai toujours peur du feu. Surtout depuis le feu de cheminée dont je vous ai parlé, je ne vis pas. Je me relève donc, je sors, je sens partout comme un chien de chasse, et je m'aperçois enfin que mon parapluie brûle. C'est sans doute 10 une allumette qui était tombée dedans. Vous voyez dans quel état ça l'a mis . . .

Le directeur en avait pris son parti; il demanda:

—À combien estimez-vous la valeur?

Elle demeura sans parole, n'osant pas fixer un chiffre. 15

Puis elle dit, voulant être large:

—Faites-le réparer[17] vous-même. Je m'en rapporte à vous.

Il refusa:

—Non, madame, je ne peux pas. Dites-moi combien vous demandez. 20

—Mais, . . . il me semble . . . que . . . Tenez, monsieur, je ne veux pas gagner sur vous, moi . . . nous allons faire une chose. Je porterai mon parapluie chez un marchand qui le recouvrira en bonne soie, en soie durable, et je vous apporterai la facture.[18] Ça vous va-t-il? 25

—Très bien, madame; c'est entendu. Voici un mot pour la caisse, qui remboursera[19] votre dépense.

Et il tendit une carte à Mme Oreille qui la saisit, puis se leva et sortit en le remerciant, ayant hâte d'être dehors, de crainte qu'il ne changeât d'avis. 30

Elle allait maintenant d'un pas gai par la rue, cherchant un marchand de parapluies qui lui parût élégant. Quand elle eut trouvé une boutique d'allure riche, elle entra et dit d'une voix assurée:

—Voici un parapluie à recouvrir en soie, en très bonne soie. 35 Mettez-y ce que vous avez de meilleur. Je ne regarde pas au prix.

[16] candle [17] repair [18] bill [19] reimburse

XI

UN ACCIDENT

FRANÇOIS COPPÉE

Saint-Médard, la vieille église de la rue Mouffetard, se trouve dans un très pauvre quartier. Le «Faubourg Marceau,» comme on dit par là, n'a pas beaucoup de religion, et le conseil doit avoir assez de peine à joindre les deux bouts. Le dimanche, aux heures des
5 offices, il y a bien peu de monde, et rien que des femmes, ou presque: un petit groupe de bourgeoises du quartier et des servantes en bonnet rond. Comme hommes, on n'y rencontre guère que trois ou quatre vieillards, qui se mettent à genoux sur la pierre, leur casquette sous le bras, en remuant les lèvres et en
10 levant les yeux vers le ciel, avec des physionomies tristes et graves. Mais en semaine, plus personne.

Aussi le vieil abbé Faber est-il sûr de ne pas trouver de pénitents, deux fois sur trois, au moment de la confession, et n'a, la plupart du temps, à entendre que les confidences peu intéressantes de
15 quelques bonnes femmes. Mais c'est un homme de devoir, et les mardis, jeudis et samedis, à sept heures précises, il se rend à la chapelle[1] Saint-Jean, sauf à faire un bout de prière et à s'en retourner s'il n'y a personne.

Un soir de l'hiver dernier, luttant contre un orage avec son
20 parapluie ouvert, l'abbé Faber montait avec difficulté la rue Mouffetard pour aller à l'église, et, presque certain de se déranger pour rien, il regrettait, à part lui, le bon feu qu'il venait de quitter dans son petit appartement de la rue Lhomond et le livre qu'il avait laissé ouvert sur sa table. Mais c'était un samedi soir, jour où les
25 vieilles femmes, qui vivent de leurs petites rentes dans les pensions bourgeoises du quartier, viennent quelquefois chercher l'absolu-

[1] chapel
66

tion, en attendant la communion du lendemain. Le brave prêtre ne pouvait donc manquer à ses devoirs.

En arrivant à son église, il se signa, fit une brève révérence et se dirigea vers sa place habituelle. Du moins, il n'était pas venu pour rien et un pénitent l'attendait. **5**

Un pénitent mâle! C'était chose rare à Saint-Médard; mais, en remarquant la courte blouse blanche et les gros souliers de l'homme devant lui, l'abbé Faber songea que c'était quelque ouvrier ayant gardé sa foi de paysan et de bonnes habitudes de pratique religieuse. Sans doute la confession qu'il allait entendre serait aussi **10** commune que les autres. Aussi le prêtre entra-t-il dans son confessionnal[2] et ouvrit-il sans aucune émotion le petit rideau de serge verte qui le séparait du pénitent.

—Monsieur le curé . . . murmura une voix rude qui s'efforçait de parler bas. **15**

—Je ne suis pas curé, mon ami . . . Dites votre prière et appelez-moi: mon père.

L'homme, dont l'abbé Faber ne pouvait pas voir le visage dans l'ombre, prononça les mots qu'il semblait se rappeler avec difficulté, puis il reprit d'une voix sourde: **20**

—Monsieur le curé . . . non . . . mon père . . . Enfin excusez-moi si je ne parle pas comme il faut, mais je ne viens pas à la confession depuis que j'ai quitté le pays . . . Vous savez ce que c'est . . . Un homme à Paris . . . Et puis je n'étais pas plus mauvais qu'un autre et je me disais: «Le bon Dieu doit être un bon **25** enfant» . . . Mais aujourd'hui, ce que j'ai sur la conscience est trop lourd à porter tout seul, et il faut que vous m'écoutiez, monsieur le curé . . . J'ai tué un homme!

L'abbé sauta sur son banc. Un assassin! Il ne s'agissait plus ici des distractions à l'office, des mauvais propos contre le voisin et **30** des bagatelles de vieilles femmes qu'il écoutait d'une oreille indifférente. Un assassin! Ce front qui était si près du sien avait conçu et porté la pensée d'un crime; ces mains jointes étaient peut-être encore couvertes de sang! Dans son trouble, où il y avait

[2] confessional

un peu de terreur, l'abbé Faber ne trouva que des paroles habituelles:

—Parlez, mon fils . . . La pitié de Dieu est infinie.

—Écoutez donc toute l'histoire, dit l'homme avec un accent qui
5 trahissait une profonde douleur. Je suis ouvrier maçon[3] et je suis
venu à Paris, il y a plus de vingt ans, avec un camarade d'enfance
. . . Nous avions couru les champs et appris à lire à l'école
ensemble . . . Presqu'un frère, quoi? . . . Il s'appelait Philippe
. . . moi, je m'appelle Jacques . . . C'était un grand et beau
10 garçon; j'ai toujours été lourd et mal bâti . . . Pas de meilleur
ouvrier que lui . . . et bon, et brave, et le cœur sur la main . . .
J'étais fier d'être son ami, de marcher à côté de lui, fier qu'il me
frappât sur l'épaule en m'appelant grosse bête . . . je l'aimais
parce que je l'admirais, enfin! Une fois ici, quelle chance! on nous
15 place tous les deux chez le même patron . . . mais le soir, il me
laissait seul, les trois quarts du temps; il allait s'amuser avec les
camarades . . . C'était bien naturel, à son âge . . . il aimait le
plaisir, il était libre, il n'avait pas de charges, au lieu que moi, je
ne pouvais pas . . . J'étais forcé de garder mon argent, car j'avais
20 encore ma vieille mère au pays . . . Pour lors, je prends mes repas
chez une femme de la maison où je demeurais . . . Philippe ne
dînait pas là, et, pour dire le vrai, la cuisine n'était pas fameuse . . .
Mais la femme était pauvre, point heureuse, et je voyais que ma
pratique lui rendait service; et puis, il faut être franc, j'étais tout
25 de suite tombé amoureux de sa fille . . . Pauvre Catherine! Vous
saurez tout à l'heure, monsieur le curé, ce qui lui est arrivé . . .
Je suis resté trois ans sans pouvoir lui avouer que j'avais de l'amitié
pour elle; je vous l'ai dit, je ne suis qu'un médiocre ouvrier, et le
peu que je gagnais était à peine suffisant pour moi et pour ce que
30 j'envoyais à la maman; pas moyen de songer à s'établir . . . Enfin
ma brave femme de mère s'en alla au ciel, je fus un peu moins
gêné, je mis quelque argent de côté et, quand il me sembla qu'il y
en avait assez pour me mettre en ménage, je parlai à Catherine de
mon sentiment. Elle ne dit d'abord ni oui ni non. Parbleu! je savais
35 bien qu'on ne me sauterait pas au cou; je n'avais rien d'un cavalier.

---

[3] mason

Pourtant Catherine consulta sa mère, qui m'estimait comme ouvrier rangé, comme bon sujet, et le mariage fut convenu. Ah! j'ai eu quelques heureuses semaines. Je voyais que Catherine ne faisait que m'accepter, qu'elle n'était pas entraînée vers moi; mais comme elle avait bon cœur, j'espérais bien me faire aimer d'elle un jour. 5 Bien entendu que j'avais tout raconté à Philippe, que je voyais chaque jour au travail, et je voulus la lui faire connaître. Vous avez peut-être deviné la suite, monsieur le curé. Philippe était bel homme, très gai, très aimable, tout ce que je n'étais pas, et sans le vouloir, il rendit Catherine folle de lui. Ah! c'est un franc et 10 honnête cœur que celui de Catherine, et dès qu'elle eut reconnu ce qu'elle éprouvait, elle me le dit tout de suite. Mais là, tout de même, je n'oublierai jamais ce moment-là! C'était le jour de la fête de Catherine et, pour la lui souhaiter, j'avais acheté une croix d'or que j'avais bien arrangée dans une petite boîte. Nous étions 15 seuls dans la salle à manger et elle venait de me servir ma soupe. Je tirai ma boîte de ma poche, je l'ouvris et je lui montrai le cadeau. Alors, elle fondit en larmes.

—Pardonnez-moi, Jacques, me dit-elle, et gardez cela pour celle que vous épouserez . . . Moi, je ne peux plus devenir votre 20 femme. J'en aime un autre . . . J'aime Philippe!

Certes, j'ai eu du chagrin alors, monsieur le curé, j'en ai eu tout ce qu'on peut éprouver. Mais que pouvais-je faire, puisque je les aimais tous les deux? Ce que je croyais être leur bonheur, pardi! les marier ensemble; et comme Philippe avait toujours fait un peu 25 la fête et qu'il était presque sans ressources, je lui ai prêté le peu d'argent que j'avais pour acheter ses meubles.

Donc ils se marièrent et tout alla bien dans les premiers temps, et ils eurent un petit garçon, dont je fus le parrain[4] et que je nommai Camille, en souvenir de ma mère. C'est peu après sa 30 naissance que Philippe commença à se déranger. Je m'étais trompé sur son compte; il n'était pas fait pour le mariage, il aimait trop le plaisir. Vous vivez dans un quartier de pauvres gens, monsieur le curé, vous devez connaître par cœur cette triste histoire-là . . .

[4] godfather

l'ouvrier qui glisse peu à peu dans une vie paresseuse et honteuse,
qui ne rapporte plus sa semaine et qui ne rentre chez lui, tout
fatigué par la mauvaise conduite, que pour faire des scènes et pour
battre sa femme. Eh bien, en moins de deux ans, Philippe était
5 devenu un de ces malheureux-là. Dans les commencements, j'ai
essayé de lui faire de la morale et quelquefois, rougissant de sa
conduite, il a tâché de se corriger. Mais ça ne durait pas longtemps . . . et puis mes sermons ont fini par l'ennuyer, et lorsque
j'allais chez lui et qu'il surprenait mon regard triste sur la brave
10 Catherine, toute maigre et pâle, il devenait furieux . . . Un jour,
il osa me faire une scène à propos de sa femme, qui est honnête
comme la bonne Vierge, me rappelant que j'avais été amoureux
d'elle autrefois, m'accusant de l'être encore, des bêtises, quoi! que
j'aurais honte de répéter . . . Ah! ce jour-là, nous avions envie de
15 nous sauter à la gorge . . . Je fis ce que je devais faire; je
renonçai à voir Catherine et le petit Camille, et quant à Philippe,
je ne le rencontrai plus que par hasard.

Seulement, vous comprenez bien, j'avais trop d'affection pour
Catherine et pour son petit: je ne pouvais pas les perdre de vue
20 tout à fait. Le samedi soir, quand je savais que Philippe était parti
avec ses camarades pour boire son argent, je passais par le quartier,
je rencontrais l'enfant, je le faisais causer et, s'il y avait trop de
misère à la maison, il ne revenait pas les mains vides, vous sentez.
Je crois que ce misérable Philippe savait que je venais en aide à sa
25 femme, et qu'il fermait les yeux, et qu'il trouvait cela commode
. . . Enfin je ne vais pas prolonger l'histoire pénible. Des années
ont passé, Philippe s'enfonçant toujours dans son vice; mais
Catherine, que j'ai aidée autant que j'ai pu, a élevé son fils, et c'est
maintenant un beau garçon de vingt ans, bon et brave comme
30 elle . . . Il n'est pas ouvrier, lui; il s'est donné de l'instruction,
et il a appris à dessiner dans les écoles du soir, et il est maintenant
chez un architecte,[5] où il gagne pas mal d'argent. Aussi, quoique
l'intérieur soit toujours bien triste à cause de la présence du père,
ça va déjà mieux, car Camille est excellent pour sa mère; et, depuis
35 un an ou deux, quand je rencontrais Catherine—elle est bien

_____
[5] architect

changée, la pauvre femme!—au bras de son garçon habillé en monsieur, cela me faisait du bien.

Mais, hier soir, en sortant de mon restaurant, je rencontre
Camille et, en lui serrant la main,—oh! il n'est pas fier et il ne
rougit pas de ma blouse d'ouvrier,—je lui trouve l'air absorbé.   5

—Voyons, qu'est-ce qu'il y a?

—Il y a qu'hier j'ai tiré au sort, me répond-il, que j'ai amené le
numéro 10, un de ceux qui vous envoient mourir de la fièvre aux
colonies; que, dans tous les cas, m'en voilà pour cinq ans, qu'il va
falloir laisser maman seule, sans ressources, avec le père, . . . et 10
qu'il n'a jamais tant bu, qu'il n'a jamais été plus méchant, . . . et
qu'elle en mourra, et que les pauvres gens sont bien malheureux!

Ah! j'ai passé une horrible nuit! Songez donc, monsieur le curé,
les vingt ans d'effort de cette pauvre femme détruits en une
minute, par la bêtise du hasard, parce qu'un enfant a fouillé dans 15
un sac et y a pris un mauvais numéro! Aussi, ce matin, j'étais
voûté comme un vieux par une nuit blanche en me rendant à la
maison que nous sommes en train de construire sur le boulevard
Arago. On a beau avoir du chagrin, il faut travailler tout de même,
n'est-ce pas? Donc, je monte sur l'échafaudage,[6]—nous avons déjà 20
monté la maison jusqu'au quatrième,—et je commence à travailler.
Tout à coup, je me sens frapper sur l'épaule. C'était Philippe! . . .
Il ne travaillait plus maintenant que par caprice, et il venait faire
une journée pour gagner de quoi boire, évidemment. Mais le
patron, ayant à terminer le bâtiment à une date fixée d'avance, 25
acceptait le premier venu.

Je n'avais pas vu Philippe depuis assez longtemps et j'eus peine
à le reconnaître. Brûlé par le vin, la barbe toute grise, les mains
tremblantes, ce n'était plus qu'un vieillard.

—Eh bien, lui dis-je, l'enfant donc a tiré un mauvais numéro? 30
—Après? me répondit-il d'une voix de mépris, avec un méchant
regard. Est-ce que tu vas aussi m'ennuyer avec ça, toi, comme
Catherine et Camille? . . . Le garçon fera comme les autres, il
servira la patrie . . . Parbleu! je sais bien ce qui les gêne, ma

[6] scaffolding

femme et mon fils . . . Si j'étais mort, il ne partirait pas. Mais,
tant pis pour eux! je suis encore solide et Camille n'est pas fils
de veuve.[7]

Fils de veuve![7] . . . Ah! monsieur le curé, pourquoi a-t-il eu
5 le malheur de dire ce mot-là? La mauvaise pensée m'est venue tout
de suite, et elle ne m'a pas quitté toute cette matinée où j'ai
travaillé côte à côte avec ce malheureux. J'ai imaginé ce qu'allait
souffrir la pauvre Catherine, quand elle n'aurait plus son garçon
pour la nourrir et la protéger et qu'elle resterait toute seule avec
10 ce misérable . . . Onze heures sonnèrent à une horloge voisine, et
les compagnons descendirent tous pour déjeuner. Nous étions
restés les derniers, Philippe et moi; mais, en s'engageant sur
l'échelle[8] pour descendre à son tour, ne voilà-t-il pas qu'il me
regarde d'un drôle d'air et qu'il me dit avec sa voix lourde et
15 grasse:

—Tu vois, on tient toujours bon . . . Camille n'est pas près
d'être fils de veuve,[7] va!

Alors je reçus au cerveau comme un coup de sang et de colère!
Je saisis dans mes deux mains les bouts de l'échelle[8] à laquelle
20 Philippe s'accrochait en criant: «A moi!» et, d'un seul effort, je le
lançai dans le vide!

Il a été tué net et l'on a cru à un accident, mais maintenant
Camille est fils de veuve[7] et il ne partira pas!

Voilà ce que j'ai fait, monsieur le curé, et ce que j'avais besoin
25 de dire à vous et au bon Dieu! J'en demande pardon, c'est
clair . . . Mais il ne me faudrait pas voir passer Catherine, dans
sa robe noire, tout heureuse au bras de son fils; je serais capable
de ne plus regretter mon crime . . . Pour éviter ça, je quitterai
le quartier, je m'éloignerai de Paris. Quant à la pénitence . . .
30 tenez, monsieur le curé, voici la croix d'or que Catherine m'a
refusée quand elle m'a avoué qu'elle était amoureuse de Philippe;
je l'avais toujours gardée, en souvenir des seuls bons moments que
j'aie eus dans ma vie . . . Prenez-la et vendez-la . . . L'argent
sera pour les pauvres.

[7] widow   [8] ladder

XII

LE COUP DE PISTOLET[1]

TRADUIT DE POUCHKINE

PAR PROSPER MÉRIMÉE

I

Nous étions en manœuvres dans le village de ———. On sait ce qu'est la vie d'un officier dans la ligne: le matin, l'exercice; puis le dîner chez le commandant du régiment ou bien au restaurant; le soir, le punch et les cartes. À ———, il n'y avait pas une maison qui reçût, pas une demoiselle à marier. Nous passions notre temps 5 les uns chez les autres, et, dans nos réunions, on ne voyait que des soldats.

Il y avait pourtant dans notre petite société un homme qui n'était pas militaire. On pouvait lui donner environ trente-cinq ans; aussi nous le regardions comme un vieillard. Parmi nous, son 10 expérience lui donnait une importance considérable; en outre, sa réserve, son caractère difficile, faisaient une grande impression sur nous autres jeunes gens. Je ne sais quel mystère semblait entourer sa destinée. Il paraissait être du pays, mais il avait un nom étranger. Autrefois, il avait servi dans l'armée et même y avait fait figure; 15 tout à coup, quittant la vie militaire, on n'avait jamais su pour quel motif, il s'était etabli dans un pauvre village où il vivait très mal tout en faisant grande dépense. Il sortait toujours à pied, très mal habillé, et cependant tenait table ouverte pour tous les officiers de notre régiment. Personne ne savait sa fortune, sa condition, et 20 personne n'osait lui poser des questions à cet égard. Sa grande occupation était de tirer le pistolet.[1] L'adresse qu'il avait acquise était surprenante, et, s'il avait juré d'abattre le pompon d'une casquette, personne dans notre régiment n'aurait fait difficulté de

[1] pistol

73

mettre la casquette sur sa tête. Quelquefois, la conversation roulait parmi nous sur les duels. Silvio (c'est ainsi que je l'appellerai) n'y prenait jamais part. Lui demandait-on s'il s'était battu, il répondait tout court que oui, mais pas le moindre détail, et il était
5 évident que de semblables questions ne lui plaisaient point. Nous supposions que quelque victime de sa terrible adresse avait laissé un poids sur sa conscience. D'ailleurs, personne d'entre nous ne se fût jamais avisé de soupçonner en lui quelque faiblesse.

Un jour, une dizaine de nos officiers dînaient chez Silvio. Le
10 dîner fini, nous priâmes le maître de la maison de commencer une partie de cartes. Après s'y être longtemps refusé, car il ne jouait presque jamais, il fit apporter des cartes et s'assit pour tailler. On fit cercle autour de lui et le jeu commença. Lorsqu'il jouait, Silvio avait l'habitude d'observer le silence le plus absolu. Si
15 quelqu'un faisait une erreur, il lui payait juste ce qui lui revenait, ou bien marquait à son propre compte ce qu'il avait gagné. Nous savions tout cela, et nous le laissions faire son petit ménage à son gré; mais il y avait avec nous un officier qui venait d'arriver au corps, qui, par distraction, fit une faute. Silvio prit la craie et fit
20 son compte à son ordinaire. L'officier, persuadé qu'il se trompait, se mit à réclamer. Silvio, toujours muet, continua de tailler. L'officier, perdant patience, prit la brosse et effaça ce qui lui semblait marqué à tort. Silvio prit la craie et le marqua de nouveau. Sur quoi, l'officier, saisissant une lampe de cuivre, la jeta à la tête
25 de Silvio, qui, par un mouvement rapide, eut le bonheur d'éviter le coup. Grande agitation! Silvio se leva, pâle de colère et les yeux en feu:

—Mon cher monsieur, dit-il, veuillez sortir, et remerciez Dieu que cela se soit passé chez moi.

30 Personne d'entre nous ne douta des suites de l'affaire, et déjà nous regardions notre nouveau camarade comme un homme mort. L'officier sortit en disant qu'il était prêt à rendre raison à Silvio, aussitôt qu'il lui conviendrait. Le jeu continua encore quelques minutes, mais on s'aperçut que le maître de la maison ne s'y intéres-
35 sait plus; nous nous éloignâmes l'un après l'autre, et nous retour-nâmes à nos quartiers en causant du congé qui allait arriver.

Le lendemain, nous demandions si le pauvre lieutenant était mort ou vivant, quand nous le vîmes paraître en personne. Il nous dit qu'il n'avait pas eu de nouvelles de Silvio. Cela nous surprit. Nous allâmes voir Silvio, et nous le trouvâmes dans sa cour, faisant passer balle sur balle dans une carte fixée sur la porte. Il nous reçut ₅ à son ordinaire, et sans dire un mot de la scène de la veille. Trois jours se passèrent et le lieutenant vivait toujours. Nous nous disions, tout étonnés: «Est-ce que Silvio ne se battra pas?» Silvio ne se battit pas. Il se contenta d'excuses très légères et tout fut dit.

Cette conduite lui fit beaucoup de tort parmi nos jeunes gens. ₁₀ Pour eux le courage est le premier de tous les mérites, l'excuse de tous les défauts. Pourtant, petit à petit, tout fut oublié, et Silvio reprit parmi nous son ancienne influence.

Seul, je ne pus me rapprocher de lui. Grâce à mon imagination, je m'étais attaché plus que personne à cet homme, et j'en avais fait ₁₅ le personnage héroïque d'un drame mystérieux. Il m'aimait; du moins, avec moi seul, quittant son ton sévère, il causait de différents sujets avec abandon et quelquefois avec une grâce extraordinaire. Depuis cette malheureuse soirée, la pensée qu'il avait manqué à son honneur me troublait sans cesse et m'empêchait ₂₀ d'être à mon aise avec lui comme autrefois. Je me faisais conscience de le regarder. Silvio avait trop d'esprit et de pénétration pour ne pas s'en apercevoir et deviner la cause de ma conduite. Deux fois, je crus remarquer en lui le désir de s'expliquer avec moi, mais je l'évitai, et Silvio m'abandonna. Depuis lors, je ne le vis qu'avec ₂₅ nos camarades.

Un jour, on lui remit une lettre qu'il ouvrit avec précipitation. En la parcourant, ses yeux brillaient d'un feu extraordinaire. Nos officiers, occupés de leurs lettres, ne s'étaient aperçus de rien.

—Messieurs, dit Silvio, des affaires m'obligent à partir tout de ₃₀ suite. Je me mets en route cette nuit; j'espère que vous ne refuserez pas de dîner avec moi pour la dernière fois . . . Je compte sur vous aussi, continua-t-il en se tournant vers moi. J'y compte particulièrement.

J'arrivai chez Silvio à l'heure indiquée, et j'y trouvai presque ₃₅ tout le régiment. Notre hôte était en belle humeur, et bientôt il la fit partager à toute la compagnie. Il était tard quand on quitta la table. Silvio dit adieu à chacun de nous, mais il me prit la main et me retint au moment même où j'allais sortir.

—J'ai besoin de causer un peu avec vous, me dit-il tout bas.

5   Je restai.

Les autres partirent et nous demeurâmes seuls, assis l'un en face de l'autre, fumant nos pipes en silence. Silvio semblait agité et il ne restait plus sur son front la moindre trace de gaieté. Au bout de quelques minutes, il rompit le silence.

10 —Il se peut, me dit-il, que nous ne nous revoyions jamais; avant de nous séparer, j'ai voulu vous parler en particulier. Vous avez pu remarquer que je me moque de l'opinion de la plupart des gens; mais je vous aime, et je sens qu'il me serait pénible de vous laisser de moi une mauvaise opinion.

15 Je gardai le silence et je baissai les yeux.

—Il a pu vous paraître singulier, poursuivit-il, que je n'aie pas exigé une satisfaction complète de cet officier, de ce fou de R . . . Vous conviendrez qu'ayant le droit de choisir les armes, sa vie était entre mes mains, et que je ne risquais pas beaucoup. Je pour-
20 rais appeler ma modération de la bonté, mais je ne veux pas mentir. Si j'avais pu donner une correction à R . . . sans risquer ma vie, sans la risquer en aucune façon, il n'aurait eu de mes excuses.

Je regardai Silvio avec surprise. Une pareille confession me troubla au dernier point. Il continua.

25 —Eh bien, malheureusement, je n'ai pas le droit de m'exposer à la mort. Il y a six ans, j'ai reçu un affront et mon ennemi est encore vivant.

Ma curiosité était vivement excitée.

—Vous ne vous êtes pas battu avec lui? lui demandai-je. Évi-
30 demment, quelques circonstances particulières vous ont em-pêché de le joindre.

—Je me suis battu avec lui, répondit Silvio, et voici un souvenir de notre rencontre.

Il se leva et tira d'une boîte un bonnet rouge, comme ce
35 que les Français appellent bonnet de police; il le posa sur sa tête; il était percé d'une balle au-dessus du front.

—Vous savez, dit Silvio, que j'ai servi dans l'armée. Vous connaissez mon caractère. J'ai l'habitude de la domination; mais, dans ma jeunesse, c'était chez moi une passion furieuse. Tous les jours, il y avait des duels dans notre régiment: tous les jours, j'y jouais mon rôle comme second ou principal. ₅ Mes camarades m'avaient en vénération, et nos officiers supérieurs, qui changeaient sans cesse, me regardaient comme un démon dont on ne pouvait se débarrasser.

Un jour, on nous envoya au régiment un jeune homme riche et d'une famille distinguée. Je ne vous le nommerai ₁₀ pas. Figurez-vous jeunesse, esprit, courage, jolie figure, gaieté, un beau nom, de l'argent tant qu'il en voulait; et, maintenant, représentez-vous quel effet il dut produire parmi nous. D'abord, attiré par ma réputation, il rechercha mon amitié. Mais je refusai ses avances, et lui, sans en paraître le moins du monde ₁₅ blessé, me laissa là. Je commençai à le haïr. Ses succès dans le régiment et parmi les dames me mettaient au désespoir. Je cherchai une excuse pour me battre avec lui. Enfin, certain jour, à un bal militaire, voyant qu'il était l'objet de l'attention de plusieurs dames, et notamment de la maîtresse de ₂₀ la maison, avec laquelle j'étais fort bien, je lui dis à l'oreille je ne sais quelle bêtise osée. Il prit feu et me donna un soufflet.[2] Nous sautions sur nos épées, les dames s'évanouissaient; on nous sépara, et sur-le-champ, nous sortîmes pour nous battre. ₂₅

Le jour paraissait. J'étais au rendez-vous avec mes trois témoins, attendant mon adversaire avec une extrême impatience. Je l'aperçus de loin. Il s'en venait à pied en manches de chemise, accompagné d'un seul témoin. Nous allâmes à sa rencontre. Il s'approcha, tenant sa casquette pleine de guignes.[3] Nos témoins ₃₀ nous placèrent à douze pas. C'était à moi de tirer le premier; mais la passion et la haine me dominaient tellement, que je craignis de n'avoir pas la main sûre, et, pour donner le temps de me calmer, je lui cédai le premier feu. Il refusa. On convint de s'en rapporter au sort. Ce fut à lui de tirer le ₃₅

[2] slap [3] cherries

premier, à lui, cet éternel enfant gâté de la fortune. Il fit
feu et perça ma casquette. C'était à mon tour. Enfin, j'étais
maître de sa vie. Je le regardais avec plaisir, m'efforçant de
surprendre sur ses traits au moins une ombre d'émotion. Non,
5 il était sous mon arme, choisissant dans sa casquette les guignes[3]
les plus mûres et soufflant les noyaux,[4] qui allaient tomber à
mes pieds.

—Que gagnerai-je, me dis-je, à lui ôter la vie, quand il en
fait si peu de cas?

10   Une pensée terrible me traversa l'esprit:

—Il paraît, lui dis-je, que vous n'êtes pas d'humeur à mourir
pour le moment. Vous préférez déjeuner. À votre aise, je
n'ai pas envie de vous déranger.

—Ne vous mêlez pas de mes affaires, répondit-il, et donnez-
15 vous la peine de faire feu . . . Enfin, comme il vous plaira:
vous avez toujours votre coup à tirer, et, en tout temps, je
serai à votre service.

Je m'éloignai avec les témoins, à qui je dis que, pour le
moment, je n'avais pas l'intention de tirer; et ainsi se termina
20 l'affaire.

Je quittai mon poste et me retirai dans ce village. Depuis
ce moment, il ne s'est pas passé un jour sans que je songeasse
à la vengeance. Maintenant, mon heure est venue!

Silvio tira de sa poche la lettre qu'il avait reçue le matin
25 et me la donna à lire. Quelqu'un lui écrivait que la *personne en*
question allait bientôt se marier avec une jeune et belle demoiselle.

—Vous devinez, dit Silvio, quelle est la *personne en ques-*
tion. Je pars pour Moscou. Nous verrons comme il regardera
30 la mort au moment de son mariage.

À ces mots, il se leva, jeta sa casquette sur le plancher, et
se mit à marcher par la chambre de long en large. Je l'avais
écouté, immobile et troublé par mille sentiments contraires.

Un domestique entra et annonça que les chevaux étaient
35 arrivés. Silvio me serra la main; nous nous embrassâmes. Il monta

[3] cherries   [4] pits

dans une petite voiture. Nous nous dîmes adieu encore une fois, et les chevaux partirent.

II

Quelques années se passèrent, et des affaires de famille m'obligèrent à demeurer dans un misérable petit village du district de ——. Occupé de mon bien, je ne cessais de regretter la [5] vie de bruit et d'indolence que j'avais menée jusqu'alors. Ce que je trouvai de plus pénible, ce fut de m'habituer à passer les soirées de printemps et d'hiver dans une solitude complète. Jusqu'au dîner, je parvenais tant bien que mal à tuer le temps, causant avec mon homme d'affaires, visitant mes [10] ouvriers, examinant mes constructions nouvelles. Mais, aussitôt qu'il commençait à faire sombre, je ne savais plus que devenir. Je connaissais par cœur le petit nombre de livres que j'avais trouvés dans la maison. Toutes les histoires que se rappelait ma cuisinière, la Kirilovna, je me les étais fait [15] vingt fois répéter.

Des proches voisins, il n'y avait près de moi que deux ou trois vieillards dont la conversation ne consistait guère qu'en soupirs et en plaintes. Mieux valait la solitude.

À une lieue de chez moi se trouvait une belle propriété [20] appartenant à la comtesse[5] B . . . , mais il n'y avait là que son homme d'affaires; la comtesse n'avait habité son château qu'une fois, la première année de son mariage, et n'y était demeurée guère qu'un mois. Un jour, le second printemps de ma vie de solitude, j'appris que la comtesse[5] viendrait passer [25] l'été avec son mari dans son château. En effet, ils s'y installèrent au commencement du mois de juin.

L'arrivée prochaine d'une voisine jeune et jolie m'agita beaucoup. Je mourais d'impatience de la voir, et, le premier dimanche qui suivit son établissement, je me rendis après dîner [30] au château de —— pour me faire présenter à madame la comtesse[5] en qualité de son plus proche voisin et son plus humble serviteur.

[5] countess

Un valet me conduisit dans le cabinet du comte et sortit
pour m'annoncer. Il y avait si longtemps que je n'avais vu
le spectacle de la richesse, que j'attendis le comte avec une
certaine crainte, comme un homme de province qui va se
5 présenter à l'audience d'un ministre. La porte s'ouvrit, et je
vis entrer un jeune homme de trente-deux ans, d'une charmante figure. Le comte m'accueillit de la manière la plus
ouverte et la plus aimable. Je fis un effort pour me remettre,
et j'allais commencer mon compliment de voisinage, lorsqu'il
10 me prévint en m'offrant sa maison de la meilleure grâce. Nous
nous assîmes. Je commençais à me trouver à l'aise, lorsque tout
à coup parut la comtesse,⁵ qui me rejeta dans un trouble pire
que le premier. C'était une beauté. Le comte me présenta.
Je voulus prendre un air dégagé, mais plus je m'efforçais de
15 paraître à mon aise, plus je me sentais embarrassé. Mes hôtes,
pour me donner le temps de me rassurer et de me faire à mes
nouvelles connaissances, se mirent à parler entre eux, comme
pour me montrer qu'ils me traitaient en bon voisin. Cependant,
j'allais et je venais dans le cabinet, regardant les tableaux. Il
20 y en eut un qui attira mon attention. C'était je ne sais quelle
vue de montagnes, et le mérite du paysage ne fut pas ce
qui me frappa le plus. Je remarquai que la toile était percée
de deux balles évidemment tirées l'une sur l'autre.

—Voilà un joli coup! m'écriai-je en me tournant vers le
25 comte.

—Oui, dit-il, un coup assez singulier. Vous tirez le pistolet,¹
monsieur? ajouta-t-il.

—Mon Dieu, oui, à ma façon, répondis-je, enchanté de trouver
une occasion de parler de quelque chose de ma compétence.
30 À trente pas, je ne manquerais pas une carte, bien entendu
avec des pistolets¹ que je connaîtrais.

—Est-ce vrai? dit la comtesse⁵ avec un air de grand intérêt.
Et toi, mon ami, est-ce que tu mettrais à trente pas dans une
carte?

35 —Nous verrons cela, répondit le comte. De mon temps, je

⁵ countess   ¹ pistol

ne tirais pas mal, mais il y a bien quatre ans que je n'ai touché un pistolet.[1]

—Alors, monsieur le comte, repris-je, même à vingt pas, vous manquerez votre carte. Pour le pistolet[1] il faut une pratique de tous les jours. Je le sais par expérience. Le meilleur tireur[6] que j'aie rencontré tirait le pistolet[1] tous les jours, au moins trois coups avant son dîner.

Le comte et la comtesse[5] semblaient contents de m'entendre causer.

—Et comment faisait-il? demanda le comte.

—Comment? vous allez voir. Il apercevait une mouche[7] posée sur le mur . . . Vous riez? madame la comtesse[5] . . . Je vous jure que c'est vrai. "Eh! Kouzka! un pistolet!"[1] Kouzka lui apporte un pistolet chargé. Pan! voilà la mouche[7] aplatie[8] sur le mur.

—Quelle adresse! s'écria le comte; et comment le nommez-vous?

—Silvio, monsieur le comte.

—Silvio! s'écria le comte sautant sur ses pieds; vous avez connu Silvio?

—Si je l'ai connu, monsieur le comte! nous étions les meilleurs amis; il était avec nous autres, au régiment, comme un camarade. Mais voilà cinq ans que je n'en ai pas eu la moindre nouvelle. Ainsi, il a l'honneur d'être connu de vous, monsieur le comte?

—Oui, connu, bien connu.

—Vous a-t-il, par hasard, raconté une histoire assez drôle qui lui est arrivée? Un affront que, dans une soirée, il reçut d'un certain animal . . .

—Et vous a-t-il dit le nom de cet animal?

—Non, monsieur le comte, il ne m'a pas dit . . . Ah! monsieur le comte, m'écriai-je devinant la vérité, pardonnez-moi . . . Je ne savais pas . . . Serait-ce vous? . . .

—Moi-même, répondit le comte d'un air de confusion, et ce tableau percé est un souvenir de notre dernière rencontre.

[1] pistol [8] shot [5] countess [7] fly [8] flattened

—Ah, cher ami, dit la comtesse,[5] pour l'amour de Dieu, ne parle pas de cela! cela me fait encore peur.

—Non, dit le comte; il faut dire la chose à monsieur; il sait le commencement de l'histoire, et il est juste qu'il en apprenne
5 la fin.

Le comte m'avance un fauteuil, et j'écoutai avec la plus vive curiosité le récit suivant:

—Il y a cinq ans, je me mariai. Le premier mois, *the honeymoon*, je le passai ici, dans ce château. À ce château s'attache
10 le souvenir des moments les plus heureux de ma vie, et aussi d'un des plus pénibles.

Un soir, nous étions sortis tous les deux à cheval; le cheval de ma femme se défendait; elle eut peur; elle mit pied à terre et me pria de le ramener en main, tandis qu'elle retournerait
15 au château à pied. À la porte, je trouvai une voiture. On m'annonça que, dans mon cabinet, il y avait un homme qui n'avait pas voulu révéler son nom, et qui avait dit seulement qu'il avait à me parler d'affaires. J'entrai dans cette chambre-ci, et je vis un homme couvert de poussière, debout devant la
20 cheminée. Je m'approchai, cherchant à me rappeler ses traits.

—Tu ne me reconnais pas, comte? me dit-il d'une voix tremblante.

—Silvio! m'écriai-je.

Et, je vous l'avouerai, je crus sentir mes cheveux se dresser
25 sur mon front.

—Précisément, continua-t-il, et c'est à moi de tirer. Es-tu prêt?

J'aperçus un pistolet[1] qui sortait de sa poche de côté. Je mesurai douze pas, et j'allai me placer là, dans cet angle, en le
30 priant de se dépêcher de tirer avant que ma femme rentrât. Il ne voulut pas et demanda de la lumière. On apporta des lampes.

Je fermai la porte, je dis qu'on ne laissât entrer personne, et de nouveau je le priai de tirer. Il leva son pistolet[1] . . .

Je comptais les secondes . . . Je pensais à elle . . . Cela dura une horrible minute. Silvio baissa son arme.

—J'en suis bien fâché, dit-il . . . Mais je fais une réflexion: ce que nous faisons ne ressemble pas trop à un duel, c'est un meurtre.[9] Je ne suis pas habitué à tirer sur un homme qui se trouve sans armes. Recommençons tout cela; tirons au sort à qui le premier feu.

La tête me tournait. Il paraît que je refusai . . . Enfin, nous chargeâmes un autre pistolet;[1] nous fîmes deux billets qu'il jeta dans cette même casquette qu'autrefois ma balle avait traversée. Je pris un billet, et j'eus encore le numéro 1.

—Tu es bien heureux, comte! me dit-il avec un sourire que je n'oublierai jamais.

Je ne comprends pas ce qui se passait en moi, et comment il parvint à m'obliger à tirer, . . . mais, je fis feu, et ma balle alla frapper ce tableau.

Le comte me montrait du doigt la toile percée par le coup de pistolet.[1] Son visage était rouge comme le feu. La comtesse[5] était plus pâle que son mouchoir, et, moi, j'eus peine à retenir un cri.

—Je tirai donc, poursuivit le comte, et, grâce à Dieu, je le manquai . . . Alors, Silvio . . . dans ce moment, il était effrayant! se mit à me viser. Tout à coup la porte s'ouvrit. Macha, ma femme, se précipite dans le cabinet et s'élance à mon cou. Sa présence me rendit mon courage.

Ma chère, lui dis-je, est-ce que tu ne vois pas que nous plaisantons? Comme te voilà effrayée . . . Va, va boire un verre d'eau, et reviens-nous. Je te présenterai un ancien ami et un camarade.

Macha n'avait garde de me croire.

—Dites-moi, est-ce vrai, ce que dit mon mari? demanda-t-elle au terrible Silvio. Est-il vrai que vous plaisantez?

—Il plaisante toujours, comtesse,[5] répondit Silvio. Une fois, par plaisanterie, il m'a donné un soufflet;[2] par plaisanterie, il m'a envoyé une balle dans ma casquette; par plaisanterie, il

[9] murder [1] pistol [5] countess [2] slap

vient tout à l'heure de me manquer d'un coup de pistolet.[1] Maintenant, c'est à mon tour de rire un peu . . .

A ces mots, il se remit à me viser . . . sous les yeux de ma femme. Macha était tombée à ses pieds.

5 —Lève-toi, Macha! n'as-tu point honte! m'écriai-je avec rage. Et vous, monsieur, voulez-vous rendre folle une malheureuse femme? Voulez-vous tirer, oui ou non?

—Je ne veux pas, répondit Silvio. Je suis content. J'ai vu ton trouble, ta faiblesse; je t'ai forcé à tirer sur moi, je suis 10 satisfait; tu te souviendras de moi, je t'abandonne à ta conscience.

Il fit un pas vers la porte, et, s'arrêtant sur le seuil, il jeta un coup d'œil sur le tableau percé, et, presque sans viser, il fit feu et mit sa balle juste dans le trou, puis il sortit. Ma 15 femme s'évanouit. Mes gens n'osèrent l'arrêter et s'ouvrirent devant lui avec terreur. Il appela son valet, et il était déjà loin avant que j'eusse repris mes esprits.

Le comte se tut.

C'est ainsi que j'appris la fin de l'histoire. Je n'ai jamais 20 revu Silvio. On dit que, au moment de l'insurrection d'Alexandre Ypsilanti, il était à la tête d'un corps de soldats, et qu'il fut tué dans la retraite de Skouliani.

[1] pistol

XIII

LA CLOCHE

JULES LEMAÎTRE

La petite église de Lande-Fleurie avait une vieille cloche et un vieux curé.

La cloche était si ancienne que sa sonnerie[1] ressemblait à une toux[2] de vieille femme, qui faisait mal à entendre et qui remplissait de tristesse les paysans répandus dans les champs. 5

Le curé, l'abbé Corentin, était solide encore, malgré ses soixante-quinze ans. Il avait une figure d'enfant, usée, mais rose, et les cheveux tout blancs. Et il était aimé de ses paroissiens[3] à cause de sa douceur et de sa grande bonté.

Comme l'époque approchait où l'abbé Corentin arriverait 10 au terme de cinquante ans de son service, ses paroissiens[3] résolurent de lui offrir un cadeau d'importance pour célébrer cet anniversaire.

Les trois membres du conseil visitèrent en secret toutes les maisons, et, quand ils eurent réuni mille francs, ils les portèrent 15 au curé, en le priant d'aller à la ville et d'y choisir lui-même une cloche neuve.

—Mes enfants, dit l'abbé Corentin, mes chers enfants . . . c'est évidemment le bon Dieu qui . . . pour ainsi dire . . . en quelque manière . . . 20

Et il n'en put dire plus long, tant il était ému. Il ne sut que murmurer en latin un petit bout de prière.

Dès le lendemain, l'abbé Corentin se mit en route pour acheter la cloche. Il devait faire à pied deux lieues de pays,

[1] peal [2] cough [3] parishioners

jusqu'au village de Rosy-les-Roses, où passait la voiture publique qui menait à la bonne ville de Pont-l'Archevêque.

Il faisait beau; et le vieux curé, la tête déjà pleine du son des belles cloches futures, marchait d'un pas léger, en louant Dieu, comme saint François, de la gaieté de la création.

Comme il approchait de Rosy-les-Roses, il vit, sur le bord de la route, une voiture de saltimbanques.[4] Non loin de cette voiture, un vieux cheval était couché dans la poussière, les quatre jambes en l'air. Un vieil homme et une vieille femme, vêtus d'habits usés, de couleurs variées, étaient assis à côté de la voiture et pleuraient sur le vieux cheval mort.

Une fille de quinze ans apparut soudain et courut vers l'abbé, en disant:

—La charité,[5] monsieur le curé! la charité, s'il vous plaît!

La voix était dure et douce à la fois et répétait sa prière comme une chanson de zingara.[6] L'enfant n'était vêtue que d'une blouse sale et d'une jupe rouge; mais elle avait de très larges yeux noirs et des lèvres comme des fraises mûres; ses bras jaunes étaient tatoués[7] de fleurs bleues et un cercle de cuivre retenait ses cheveux noirs.

L'abbé, s'arrêtant, avait tiré de sa bourse une pièce de deux sous. Mais, ayant rencontré les yeux de l'enfant, il hésita et se mit à l'interroger.

—Mon frère, expliqua-t-elle, est en prison, parce qu'on a dit qu'il avait volé un poulet. C'est lui qui nous faisait vivre et nous n'avons pas mangé depuis deux jours.

L'abbé remit les deux sous dans sa bourse et en tira une pièce blanche.

—Moi, continua-t-elle, je sais danser, et ma mère dit la bonne aventure. Mais on ne nous permet plus de faire notre métier dans les villes et dans les villages, parce que nous sommes trop misérables. Et maintenant, notre cheval est mort. Qu'est-ce que nous allons devenir?

—Mais, demanda l'abbé, ne pourriez-vous point chercher de l'ouvrage dans le pays?

[4] mountebanks　[5] charity　[6] gypsy　[7] tattooed

—Les gens ont peur de nous et nous jettent des pierres. Puis, nous n'avons pas appris à travailler; nous ne savons faire que des tours. Si nous avions un cheval et un peu d'argent pour nous habiller, nous pourrions encore vivre de notre état . . . Mais il ne nous reste plus qu'à mourir.   5

L'abbé remit la pièce blanche dans sa bourse.

—Aimes-tu le bon Dieu? demanda-t-il.

—Je l'aimerai s'il nous vient en aide, dit l'enfant.

L'abbé sentait à sa ceinture le poids du sac où étaient les mille francs de ses paroissiens.[3]   10

La petite fille ne quittait point le saint prêtre des yeux. Il demanda:

—Es-tu sage?

—Sage, fit-elle avec étonnement, car elle ne comprenait pas.

—Dis: «Mon Dieu, je vous aime!»   15

L'enfant se taisait, les yeux pleins de larmes. L'abbé avait défait les boutons de son habit et ramenait le gros sac plein d'argent.

La petite saisit le sac d'un geste rapide et dit:

—Monsieur le curé, je vous aime!   20

Et elle s'enfuit vers les deux vieux qui, sans bouger, pleuraient toujours sur le cheval mort.

L'abbé continua sa marche vers Rosy-les-Roses, songeant à la grande misère où il plaît à Dieu de tenir beaucoup de ses créatures, et le priant d'éclairer cette petite fille qui, évi- 25 demment, n'avait pas de religion.

Mais, tout à coup, il s'avisa que ce n'était plus la peine d'aller à Pont-l'Archevêque, puisqu'il n'avait plus l'argent de la cloche.

Et il revint sur ses pas.   30

Il avait peine à comprendre, maintenant, comment il avait pu donner à une inconnue une somme si énorme—et qui ne lui appartenait point.

Il pressa le pas, espérant revoir la jeune fille. Mais il n'y

[3] parishioners

avait plus, au bord du chemin, que le cheval mort et la vieille voiture.

Il réfléchit à ce qu'il venait de faire. C'était, sans aucun doute, une grande transgression: il avait trompé ses ouailles,[8] commis une espèce de crime.

Et il entrevoyait avec terreur les conséquences de sa faute. Comment la cacher? Comment en éviter les suites? Où trouver mille autres francs? Et, en attendant, que répondre à ceux qui l'interrogeraient? Quelle raison donner de sa conduite?

Le ciel se couvrait. Les arbres étaient d'un vert blessant sur l'horizon. De larges gouttes tombèrent. L'abbé Corentin fut frappé de la tristesse de la création.

Il put rentrer chez lui sans être aperçu.

—C'est déjà vous, monsieur le curé? demanda sa servante, la vieille Scholastique. Vous n'êtes donc pas allé à Pont-l'Arche-vêque?

L'abbé fit un mensonge:

—J'ai manqué la voiture de Rosy-les-Roses . . . Je retournerai un autre jour . . . Mais, écoute, ne dis à personne que je suis déjà revenu.

Il ne dit pas sa messe le lendemain. Il resta enfermé dans sa chambre et n'osa même pas se promener dans son jardin.

Mais, le jour suivant, on vint le chercher pour aller rendre visite à une malade, au village de Clos-Moussu.

—M. le curé n'est pas rentré, dit la bonne servante.

—Scholastique se trompe; me voici, dit l'abbé Corentin.

En revenant de Clos-Moussu, il rencontra un de ses plus fidèles paroissiens.[3]

—Eh bien, monsieur le curé, avez-vous fait bon voyage?

L'abbé mentit pour la seconde fois:

—Excellent, mon ami, excellent.

—Et cette cloche?

[8] flock [3] parishioners

L'abbé fit un nouveau mensonge. Hélas! il ne pouvait plus les compter.

—Superbe, mon ami, superbe! On la dirait en argent fin. Et quelle jolie musique! Rien qu'en lui donnant un tout petit coup, elle sonne si longtemps que cela n'en finit plus. 5

—Et quand la verrons-nous?

—Bientôt, mon cher enfant, bientôt. Mais il faut d'abord graver[9] dans son métal quelques paroles tirées des saintes Écritures . . . Et cela demande du temps.

—Scholastique! dit l'abbé en rentrant chez lui, si l'on ven- 10 dait le fauteuil, la pendule et la table qui sont dans ma chambre, crois-tu qu'on en tirerait mille francs?

—On n'en tirerait pas même la moitié, monsieur le curé. Car, sauf votre respect, tous vos meubles ne valent pas quatre sous. 15

—Scholastique! reprit l'abbé, je ne mangerai plus de viande. La viande me fait mal.

—Monsieur le curé, répondit la vieille servante, tout ça n'est pas naturel, et, pour sûr, vous avez quelque chose. C'est depuis le jour où vous êtes parti pour Pont-l'Archevêque. Que vous 20 est-il donc arrivé?

Elle le pressa si fort de questions qu'il finit par tout lui raconter.

—Ah! dit-elle, cela ne m'étonne point. C'est votre bon cœur qui vous perdra. Mais ne vous inquiétez pas, monsieur 25 le curé. Je me charge d'expliquer la chose jusqu'à ce que vous ayez pu ramasser mille autres francs.

Et donc, Scholastique inventa des histoires, qu'elle répétait à tout le monde: «On avait brisé la cloche neuve par accident, et il fallait la fondre encore une fois. La cloche prête, M. le 30 curé avait eu l'idée de l'envoyer dans la ville de Rome pour qu'elle fût bénie par le Saint-Père, et c'était là un long voy-age . . .»

⁹ engrave

L'abbé la laissait dire, mais il était de plus en plus malheureux. Car, outre qu'il se reprochait ses propres mensonges, il se sentait la cause de ceux de Scholastique, et cela formait, à la longue, une masse excessive de péchés.[10] Peu à peu, une
5 triste pâleur[11] remplaçait, sur ses joues maigres, les roses rouges d'une vie sans blâme.

Le jour fixé pour la fête du curé et pour l'installation de la cloche était passé depuis longtemps. Les habitants de Lande-Fleurie s'étonnaient d'un tel retard. Des bruits se répandaient:
10 Farigoul, le boulanger, racontait qu'on avait vu l'abbé Corentin dans les environs de Rosy-les-Roses, et il ajoutait:

—C'est moi qui vous le dis: il a mangé l'argent de la cloche.

Un parti se formait contre le digne curé. Quand il marchait dans la rue, il y avait des chapeaux qui restaient sur les têtes,
15 et il entendait, sur son passage, des propos peu favorables.

Le pauvre saint homme était mangé de remords. Il concevait toute l'étendue de sa faute. Et pourtant, il avait beau faire, il ne pouvait arriver à la contrition parfaite.

C'est qu'il sentait bien qu'il avait donné cet argent comme
20 malgré lui et sans avoir même la liberté d'y réfléchir. Il se disait aussi que cette bonté exagérée avait pu être, pour l'âme ignorante de la pauvre enfant, la meilleure révélation de Dieu et le commencement de l'illumination intérieure. Et toujours il revoyait, si noirs, si doux et tout pleins de larmes, les yeux
25 de la petite fille au bord de la route . . .

Cependant, l'angoisse de sa conscience devenait intolérable. Sa faute grandissait, rien qu'en durant. Un jour, après être resté longtemps en prière, il résolut de faire une confession publique de sa faute.

30 Le dimanche suivant, il monta en chaire,[12] et, plus pâle que les martyrs devant les lions, il commença:

—Mes chers frères, mes chers amis, mes chers enfants, j'ai une confession à vous faire . . .

[10] sins   [11] pallor   [12] pulpit

À ce moment, une sonnerie[13] belle et claire chanta dans le clocher et remplit la vieille église . . . Toutes les têtes se retournèrent, et un chuchotement[14] étonné parcourut les bancs des fidèles:

—La cloche neuve! la cloche neuve! 5

Était-ce un miracle? Et Dieu avait-il fait apporter la nouvelle cloche par ses anges, afin de sauver l'honneur de son charitable ministre?

Ou bien Scholastique était-elle allée confier l'embarras de son vieux maître à ces deux dames américaines qui habitaient 10 un si beau château à trois lieues de Lande-Fleurie, et ces excellentes dames s'étaient-elles arrangées pour faire à l'abbé Corentin cette jolie surprise?

À mon avis, la seconde explication[15] souffrirait encore plus de difficultés que la première. 15

Quoi qu'il en soit, les habitants de Lande-Fleurie ne surent jamais ce que l'abbé Corentin avait à leur dire dans sa confession.

[13] ringing   [14] whispering   [15] explanation

XIV

NAUSICAA

JULES LEMAÎTRE

Après qu'il eut mis à mort les prétendants,[1] Ulysse, plein de sagesse
et de souvenirs, coulait des jours tranquilles dans son palais d'Ithaque. Tous les soirs, assis entre sa femme Pénélope et son fils Télémaque, il leur racontait ses voyages et, quand il avait fini, il recom-
5 mençait.

Une des aventures qu'il contait le plus volontiers, c'était sa
rencontre avec Nausicaa, fille d'Alcinoüs, roi des Phéaciens.

—Jamais, disait-il, je n'oublierai combien belle, gracieuse et
aimable elle m'apparut. Depuis trois jours et trois nuits, je flottais
10 sur la vaste mer, attaché à une planche de mon bateau brisé. Enfin,
je gagnai le bord; un bois était proche; je ramassai des feuilles et,
comme j'étais nu, je m'en recouvris tout entier. Je m'endormis . . .
Tout à coup, un bruit d'eau retombante me réveilla, puis des cris.
J'ouvre les yeux, et je vois des jeunes filles qui jouaient à la balle
15 sur le bord de la mer. La balle venait de tomber dans les flots agités.
Je me lève, en ayant soin de me recouvrir d'une branche de feuilles.
Je m'avance vers la plus belle des jeunes filles . . .

—Vous nous avez déjà dit cela, mon ami, interrompit Pénélope.

—C'est bien possible, dit Ulysse.

20 —Qu'est-ce que cela fait? dit Télémaque.

Ulysse reprit:

—Je la vois encore sur sa charrette,[2] conduisant ses mules. La
voiture était pleine du beau linge et des robes de laine que la petite
princesse[3] venait de laver au fleuve avec ses compagnes. Et, debout,
25 tirant sur les rênes,[4] ses cheveux d'or flottant autour de son front,
elle m'amenait vers le palais de son père.

¹suitors ²cart ³princess ⁴lines

—Et après? demanda Télémaque.

—Elle était tout à fait bien élevée, continua Ulysse. Quand nous approchâmes de la ville, elle me pria de la quitter afin qu'on ne pût tenir sur elle aucun mauvais propos en la voyant avec un homme. Mais, à la façon dont je fus accueilli dans le palais d'Alcinoüs, je vis bien qu'elle avait parlé de moi à ses nobles parents. Je ne la revis plus qu'au moment de mon départ. Elle me dit: «Je vous salue, ô mon hôte, afin que, dans votre patrie, vous ne m'oubliiez jamais, car c'est à moi la première que vous devez la vie.» Et je lui répondis: «Nausicaa, fille d'Alcinoüs, si le puissant époux de Héra veut que je goûte l'instant de retour et que je rentre dans ma demeure, là je t'adresserai tous les jours des vœux; car c'est toi qui m'as sauvé.» De fille plus belle et plus sage, je n'en ai point rencontré, et, puisque je ne voyagerai plus, je suis bien sûr de n'en rencontrer jamais.

—Pensez-vous qu'elle soit mariée à présent? demanda Télémaque.

—Elle n'avait que quinze ans et n'était point encore fiancée.

—Lui avez-vous dit que vous aviez un fils?

—Oui, et que j'avais grande envie de le revoir.

—Et lui avez-vous dit du bien de moi?

—Je lui en ai dit, quoique je te connusse à peine, étant parti d'Ithaque alors que tu étais tout petit enfant dans les bras de ta mère.

Cependant, Pénélope, voulant marier son fils, lui présenta l'une après l'autre les plus belles vierges du pays, les filles des princes de Dulichios, de Samos et de Zacynthe. Chaque fois, Télémaque lui dit:

—Je n'en veux point, car j'en connais une plus belle et meilleure.

—Qui donc?

—Nausicaa, fille du roi des Phéaciens.

—Comment peux-tu dire que tu la connais, puisque tu ne l'as jamais vue?

—Je la verrai donc, répliqua Télémaque.

Un jour, il dit à son père:

—Mon cœur veut, ô mon illustre père, que je voyage vers l'île des Phéaciens, et que j'aille demander au roi Alcinoüs la main de la belle Nausicaa. Car j'ai beaucoup d'amour pour cette vierge que
5 mes yeux n'ont jamais aperçue; et, si vous vous opposez à mon projet, je ne me marierai jamais et vous n'aurez point de petit-fils.

Ulysse répondit:

—C'est sans doute un dieu qui a mis en toi ce désir. Depuis que
10 je t'ai parlé de cette princesse[3] qui lavait son linge dans le fleuve, tu ne prends aucun plaisir aux plats servis sur notre table, et un cercle noir se voit autour de tes yeux. Prends donc avec toi trente hommes sur un bateau rapide et pars à la recherche de celle que tu ne connais pas et sans qui tu ne peux plus vivre. Mais il faut que
15 je t'avertisse des dangers du voyage. Si le vent te pousse vers l'île de Polyphème, garde-toi d'y aborder; ou, si l'orage te jette sur la rive, cache-toi, et, dès que ton navire pourra reprendre la mer, fuis et n'essaye pas de voir le Cyclope. Je lui ai brûlé l'œil autrefois; mais, bien qu'aveugle, il est encore redoutable. Fuis aussi l'île des
20 Lotophages, ou, si tu abordes chez eux, ne mange point de la fleur qu'ils t'offriront, car elle fait perdre la mémoire. Redoute aussi l'île d'Ea, royaume de la blonde Circé, dont la baguette[5] change les hommes en cochons.

Ulysse ajouta d'autres avis touchant les dangers de l'île des
25 Sirènes, de l'île du Soleil et de l'île des Lestrygons. Il dit en finissant:

—Souviens-toi, mon fils, de mes paroles, car je ne veux point que tu recommences mes tristes aventures.

Je me souviendrai, dit Télémaque. Au reste, tout obstacle et
30 même tout plaisir me sera ennemi qui pourrait remettre mon arrivée dans l'île du sage Alcinoüs.

Télémaque partit donc, le cœur plein de Nausicaa.

Un coup de vent l'écarta de sa route, et, au moment où son

[3] princess   [5] wand

bateau passait l'île de Polyphème, il fut curieux de voir le Cyclope autrefois vaincu par son père. Il se disait:

—Le danger n'est pas grand, puisque Polyphème est aveugle.

Il quitta seul le navire, et commença l'exploration de la grasse campagne. 5

À l'horizon, derrière une colline, une tête énorme se dressa, puis des épaules pareilles à ces rochers polis qui s'avancent dans la mer, puis la poitrine d'un être monumental. Un instant après, une vaste main saisit Télémaque, et il vit se pencher sur lui un œil aussi large qu'un bouclier.[6] 10

—Vous n'êtes donc plus aveugle? demanda-t-il au Cyclope.

—Mon père Neptune m'a guéri, répondit Polyphème. C'est un petit homme de ton espèce qui m'avait ravi la lumière du jour, et c'est pourquoi je vais te manger.

—Vous auriez tort, fit Télémaque; car, si vous me laissiez vivre, 15 je vous amuserais en vous racontant de belles histoires.

—J'écoute, dit Polyphème.

Télémaque commença le récit de la guerre de Troie. Quand la nuit vint:

—Il est temps de dormir, dit le Cyclope. Mais je ne te mangerai 20 pas ce soir, car je veux savoir la suite. . . .

Chaque soir, le Cyclope disait la même chose, et cela dura trois ans.

La première année, Télémaque raconta le siège de la ville de Priam; 25

La seconde année, le retour de Ménélas et d'Agamemnon;

La troisième année, le retour d'Ulysse, ses aventures et ses ruses merveilleuses.

—Hé! disait Polyphème, tu es bien hardi de louer ainsi devant moi le petit homme qui m'a fait si grand mal. 30

—Mais, répondit Télémaque, plus je montrerai l'esprit de ce petit homme, et moins il sera honteux pour vous d'avoir été vaincu par lui.

—Cela est juste, disait le Cyclope, et je te pardonne. Je parlerais

[6] shield

sans doute autrement si un dieu ne m'avait rendu la vue. Mais les
maux passés ne sont qu'un rêve.

Vers la fin de la troisième année, Télémaque eut beau chercher
dans sa mémoire: il ne trouvait plus rien à raconter au Cyclope.
5 Alors il recommença les mêmes histoires. Polyphème y prit le
même plaisir, et cela dura trois autres années.

Mais Télémaque ne se sentit pas le courage de répéter une
troisième fois le siège d'Ilion. Il le dit à Polyphème et il ajouta:

—J'aime mieux que vous me mangiez. Je ne regretterai qu'une
10 chose en mourant: c'est de n'avoir point vu la belle Nausicaa.

Il raconta tout au long son amour et sa douleur, et, soudain, il
vit dans l'œil du Cyclope une larme aussi grosse qu'une courge.[7]

—Va, dit le Cyclope, va chercher celle que tu aimes. Que ne
m'as-tu parlé plus tôt? . . .

15   —Je vois bien, songea Télémaque, que j'aurais mieux fait de
commencer par là. J'ai perdu six années par ma faute. Il est vrai
qu'une honte m'eût empêché, auparavant, de dire mon secret. Si je
l'ai trahi, c'est que j'ai bien cru que j'allais mourir.

Il construisit un petit bateau (car le navire laissé dans la mer
20 avait disparu depuis longtemps) et s'en alla de nouveau sur la mer
profonde.

Un autre orage le jeta dans l'île de Circé.

Il vit, à l'entrée d'une grande forêt, une jolie jeune femme. Sa
baguette de magicienne[8] était passée dans sa ceinture, comme une
25 épée.

Circé regardait Télémaque.

«Je suis perdu, pensa-t-il. Elle va me toucher de sa baguette[8] et
je serai semblable aux cochons.»

Mais Circé lui dit d'une voix douce:

30   —Suis-moi, jeune étranger . . .

Il la suivit. Bientôt ils arrivèrent à son palais, qui était cent fois
plus beau que celui d'Ulysse.

Le long du chemin, du fond des bois et des ravines, les cochons

---

[7] pumpkin   [8] magician's wand

et les loups, qui étaient d'anciens hommes jetés par les orages sur l'île, accouraient sur les pas de la jeune femme; et, bien qu'elle eût saisi un long bâton de fer dont elle les piquait sans pitié, ils essayaient de baiser ses pieds nus.

Durant trois années, Télémaque resta avec Circé.   5

Puis, un jour, il eut honte, il se sentit bien las, et il découvrit qu'il n'avait point cessé d'aimer la fille d'Alcinoüs, la vierge innocente aux yeux bleus, celle qu'il n'avait jamais vue.

Mais il songeait:

«Si je veux m'en aller, Circé me transformera en bête, et ainsi je 10 ne verrai jamais Nausicaa.»

Or, Circé, de son côté, était lasse de son compagnon. Elle se mit à le haïr, parce qu'elle l'avait aimé. En sorte qu'une nuit elle prit sa baguette[5] et l'en frappa à l'endroit du cœur.

Mais Télémaque garda sa forme et son visage. C'est qu'à cet in- 15 stant même il pensait à Nausicaa, et qu'il avait le cœur plein de son amour.

—Va-t'en! va-t'en! cria Circé.

Télémaque retrouva son petit bateau, reprit la mer, et un troisième orage le jeta dans l'île des Lotophages.   20

C'étaient des hommes polis, pleins d'esprit, et d'une humeur égale et douce.

Leur roi offrit à manger à Télémaque une fleur de lotus.

—Je n'en mangerai point, dit le jeune homme; car ceci est la fleur qui fait oublier, et je veux me souvenir.   25

—C'est pourtant un grand bien d'oublier, reprit le roi. Grâce à cette fleur, qui est notre unique nourriture, nous ignorons la peine, le regret, le désir, et toutes les passions qui troublent les malheureux humains. Mais, au reste, nous ne forçons personne à manger la fleur divine.   30

Télémaque vécut quelques semaines des provisions qu'il avait sauvées de son bateau. Puis, comme il n'y avait pas dans l'île de

[5] wand

fruits ni d'animaux bons à manger, il se nourrit, comme il put, de poissons.

—Ainsi, dit-il un jour au roi, la fleur de lotus fait oublier aux hommes même ce qu'ils désirent ou ce dont ils souffrent le plus?

5 —Certes, oui, dit le roi.

—Oh! dit Télémaque, elle ne me ferait jamais oublier la belle Nausicaa.

—Essayez donc.

—Si j'essaye, c'est que je suis bien sûr que le lotus ne saurait faire 10 ce que n'ont pu les artifices d'une magicienne.[9]

Il mangea la fleur et s'endormit.

Je veux dire qu'il se mit à vivre de la même façon que les doux Lotophages, jouissant de l'heure présente et ne s'inquiétant d'aucune chose. Seulement, il sentait quelquefois, au fond de son cœur, 15 comme le souvenir d'une ancienne blessure, sans qu'il pût savoir au juste ce que c'était.

Lorsqu'il se réveilla, il n'avait point oublié la fille d'Alcinoüs; mais vingt années s'étaient écoulées sans qu'il s'en aperçût: il avait fallu tout ce temps à son amour pour vaincre l'influence de la fleur 20 de lotus.

—Ce sont les vingt meilleures années de votre vie, lui dit le roi. Mais Télémaque ne le crut pas.

Il prit donc congé de ses hôtes.

Je ne vous dirai point les autres aventures où l'engagea, tantôt la 25 nécessité, tantôt la curiosité de voir des choses nouvelles, soit dans l'île des Sirènes, soit dans l'île du Soleil, soit dans l'île des Lestrygons, ni comment son amour fut assez fort pour le tirer de tous les dangers.

Un dernier orage le poussa vers l'île désirée, au pays des Phéa- 30 ciens. Il gagna le bord; un bois était proche. Il ramassa des feuilles et, comme il était nu, il s'en recouvrit tout entier. Il s'endormit . . . Tout à coup un bruit d'eau retombante le réveilla.

[9] magician

Télémaque ouvrit les yeux et vit des servantes qui lavaient du linge sous les ordres d'une femme âgée vêtue de robes riches.

Il se leva, en ayant soin de cacher son corps d'une branche de feuilles, et s'approcha de cette femme. Elle avait la taille épaisse et lourde, mais on voyait qu'elle avait été belle, bien qu'elle ne le 5 fût plus.

Télémaque lui demanda l'hospitalité.[10] Elle lui répondit avec politesse et lui fit donner des vêtements par ses femmes:

—Et maintenant, mon hôte, je vais vous conduire dans la maison du roi. 10

—Seriez-vous la reine? demanda Télémaque.

—Vous l'avez dit, ô étranger.

Alors Télémaque, se réjouissant dans son cœur:

—Puissent les dieux accorder longue vie à la mère de la belle Nausicaa! 15

—Nausicaa, c'est moi, répondit la reine . . . Mais qu'avez-vous, vénérable vieillard? . . .

Sur son bateau préparé à la hâte, sans regarder derrière lui, le vieux Télémaque gagna de nouveau la haute mer.

[10] hospitality

XV

JÉSUS-CHRIST EN FLANDRE[1]

HONORÉ DE BALZAC

Le bateau qui servait à passer les voyageurs de l'île de Cadzant à Ostende allait quitter le village. Le patron sonna le cor[2] à plusieurs reprises, afin d'appeler ceux qui étaient en retard, car ce voyage était son dernier. La nuit approchait, on pouvait à peine apercevoir les côtes de Flandre.[1] Le bateau était plein, un cri s'éleva: «Qu'attendez-vous? Partons!»

En ce moment, un homme apparut à quelques pas du quai; le patron, qui ne l'avait entendu ni venir ni marcher, fut assez surpris de le voir. Ce voyageur semblait s'être levé de terre tout à coup, comme un paysan qui se serait couché dans un champ en attendant l'heure du départ et que le cor[2] aurait réveillé. Était-ce un brigand? était-ce quelque homme de douane ou de police?

Quand il arriva sur le quai, sept personnes placées debout à l'arrière du bateau s'empressèrent de s'asseoir sur les bancs, afin de s'y trouver seules et de ne pas laisser l'étranger se mettre avec elles. Ce fut une pensée instinctive et rapide, une de ces pensées qui viennent au cœur des gens riches. Quatre de ces personnages appartenaient à la plus haute noblesse des Flandres.[1] D'abord un jeune cavalier, accompagné de deux grands et beaux chiens, se tenait avec impertinence au milieu des voyageurs, en jetant des regards de mépris autour de lui. Une fière demoiselle tenait un faucon[3] sur son poing et ne s'adressait qu'à sa mère ou à un prêtre de haut rang, leur parent sans doute. Ces personnes faisaient grand bruit et se parlaient entre elles comme si elles eussent été seules dans le bateau. Néanmoins, auprès d'elles se trouvait un homme très important dans le pays, un gros bourgeois de Bruges, enveloppé dans un grand manteau. Son domestique, armé jusqu'aux dents, avait mis

[1] Flanders [2] horn [3] falcon

près de lui deux sacs pleins d'argent. À côté d'eux se trouvait encore un homme de science, docteur de Louvain. Ces gens, qui montraient du mépris les uns pour les autres, étaient séparés de l'avant par le banc des rameurs.[4]

Lorsque le voyageur en retard mit le pied dans le bateau, il jeta [5] un regard rapide sur l'arrière, n'y vit pas de place, et alla en demander une à ceux qui se trouvaient sur l'avant du bateau.

Ceux-là étaient de pauvres gens. À l'aspect d'un homme à la tête nue, dont l'habit était simple, qui ne tenait pas de chapeau à la main, sans bourse ni épée à la ceinture, tous le prirent pour un bourg- [10] mestre[5] sûr de son autorité, bon homme et doux, dont la nature et le caractère nous ont été si bien conservés par les peintres du pays. Les pauvres voyageurs accueillirent alors l'inconnu par des démonstrations de respect qui excitèrent le rire des gens de l'arrière. Un vieux soldat, homme de peine et de fatigue, donna sa place sur le [15] banc à l'étranger, et s'assit au bord du bateau. Une jeune femme, mère d'un petit enfant, et qui paraissait appartenir à la classe ouvrière d'Ostende, se recula pour laisser passer le nouveau venu.

L'étranger les remercia par un geste plein de noblesse. Puis il s'assit entre cette jeune mère et le vieux soldat. Derrière lui se trou- [20] vaient un paysan et son fils, âgé de dix ans. Une pauvre vieille femme, type de malheur et d'indifférence, était couchée à la pointe du bateau. Un des rameurs,[4] qui l'avait connue belle et riche, l'avait fait entrer, suivant l'admirable mot du peuple, *pour l'amour de Dieu*. [25]

—Grand merci, Thomas, avait dit la vieille; je dirai pour toi ce soir deux *Pater* et deux *Ave* dans ma prière.

Le patron sonna le cor[2] une dernière fois, regarda la campagne muette, jeta la chaîne dans son bateau; puis, après avoir lancé un coup d'œil au ciel, il dit d'une voix forte à ses rameurs,[4] quand ils [30] furent en pleine mer: «Ramez,[6] ramez fort, et dépêchons! Je sens l'orage à mes blessures.»

Ces paroles, dites en termes de marine, imprimèrent aux rameurs[4] un mouvement précipité. Le beau monde assis à l'arrière prit plaisir à voir tous ces bras nerveux, ces visages bruns aux yeux de feu, ces [35]

[4] oarsmen   [5] burgomaster   [2] horn   [6] row

muscles tendus et ces différentes forces humaines agissant de concert pour les transporter en échange de quelques sous. Loin de plaindre cette misère, ces gens se montrèrent les rameurs[4] en riant de l'expression grotesque que le travail imprimait à leurs physio-
5 nomies. À l'avant, le soldat, le paysan et la vieille les regardaient avec cette espèce de compassion naturelle aux gens qui connaissent les rudes angoisses du travail. Puis, habitués à la vie en plein air, tous avaient compris, à l'aspect du ciel, le danger qui les menaçait, tous étaient donc sérieux. La jeune mère endormait son enfant, en
10 lui chantant une vieille chanson d'église.

—Si nous arrivons, dit le soldat au paysan, le bon Dieu aura mis de la bonne volonté à nous laisser en vie.

—Ah! il est le maître, répliqua la vieille; mais je crois que son bon plaisir est de nous appeler près de lui.

15 En effet, la mer faisait entendre une espèce de bruit intérieur, assez semblable à la voix d'un chien quand il ne fait que gronder. Il y eut un moment où, sur le bateau, chacun se tut et regarda la mer et le ciel, soit par instinct, soit pour obéir à cette mélancolie religieuse qui nous saisit presque tous à l'heure de la prière, à la chute
20 du jour, à l'instant où la nature se tait, où les cloches parlent. La physionomie de la nature inspirait en ce moment un sentiment terrible. Le vent s'éleva tout à coup vers l'ouest, et le patron, qui ne cessait de consulter la mer, s'écria: «Hau! hau!» À ce cri, les matelots[7] s'arrêtèrent aussitôt et laissèrent nager leurs rames.[8]

25 —Le patron a raison, dit Thomas quand le bateau, emporté sur des eaux agitées, descendit de nouveau comme au fond de la mer entr'ouverte.

À ce moment extraordinaire, à cette colère soudaine de l'océan, les gens de l'arrière devinrent pâles et jetèrent un cri terrible:
30 «Nous périssons!»[9]

—Oh! pas encore, leur répondit d'une voix tranquille le patron. En ce moment, les nuages se déchirèrent sous l'effort du vent, précisément au-dessus du bateau. Une faible lumière tomba sur la mer et permit de voir les visages. Les voyageurs, nobles ou riches,

[4] oarsmen   [7] sailors   [8] oars   [9] perish

matelots[7] et pauvres, restèrent un moment surpris à l'aspect du dernier venu. Ses cheveux d'or retombaient sur ses épaules, en dessinant sur la grise atmosphère le contour d'une figure sublime de douceur et où se montrait l'amour divin. Il ne craignait pas la mort, il était certain de ne pas périr.[9] Mais, si d'abord les gens de l'arrière ₅ oublièrent un instant l'orage dont l'implacable colère les menaçait, ils revinrent bientôt à leurs sentiments intéressés et aux habitudes de leur vie.

—Est-il heureux, cet homme, de ne pas s'apercevoir du danger que nous courons tous! Il est là comme un chien, et mourra sans ₁₀ souffrir, dit le docteur.

À peine avait-il prononcé cette phrase, que l'orage lança ses légions. Les vents soufflèrent de tous les côtés, le bateau tourna sur lui-même, et la mer y entra!

—Oh! mon pauvre enfant! mon pauvre enfant! Qui sauvera mon ₁₅ enfant? s'écria la mère d'un ton effrayé.

—Vous-même, répondit l'étranger.

Le timbre de cette voix pénétra le cœur de la jeune femme, il y mit un espoir; elle entendit cette suave parole malgré l'orage, malgré les cris poussés par les voyageurs. ₂₀

—Sainte Vierge de Bon Secours, qui êtes à Anvers, je vous promets mille francs et une statue, si vous me tirez de là! s'écria le bourgeois à genoux sur ses sacs d'or.

—La Vierge n'est pas plus à Anvers qu'ici, lui répondit le docteur. ₂₅

—Elle est dans le ciel, répliqua une voix qui semblait sortir de la mer.

—Qui a donc parlé?

—C'est le diable! s'écria le domestique, il se moque de la Vierge d'Anvers. ₃₀

—Laissez-moi donc là votre sainte Vierge, dit le patron aux voyageurs. Prenez-moi les écopes[10] et videz-moi l'eau du bateau. Et vous autres, reprit-il en s'adressant aux rameurs,[4] au travail! Nous avons un moment de repos, au nom du diable qui nous laisse en ce monde, soyons nous-mêmes notre providence. Ce petit canal ₃₅

---

[7] sailors [9] perish [10] bailing-scoops [4] oarsmen

est décidément dangereux, on le sait; voilà trente ans que je le traverse. Est-ce de ce soir que je me bats avec l'orage?

Puis, debout parmi ses hommes, le patron continua de regarder tour à tour son bateau, la mer et le ciel.

5 —Il se moque toujours de tout, le patron, dit Thomas à voix basse.

—Dieu nous laissera-t-il mourir avec ces misérables? demanda la fière jeune fille au beau cavalier.

—Non, non, noble demoiselle. Écoutez-moi! Il l'attira par la
10 taille, et, lui parlant à l'oreille: «Je sais nager, n'en dites rien! Je vous prendrai par vos beaux cheveux, et vous conduirai doucement au bord; mais je ne puis sauver que vous.»

La demoiselle regarda sa vieille mère. La dame était à genoux et demandait quelque absolution au prêtre, qui ne l'écoutait pas. Le
15 chevalier lut dans les yeux de sa belle maîtresse un faible sentiment d'obligation, et lui dit d'une voix sourde: «Soumettez-vous aux volontés de Dieu! S'il veut appeler votre mère à lui, ce sera sans doute pour son bonheur . . . en l'autre monde,» ajouta-t-il d'une voix encore plus basse. «Et pour le nôtre en celui-ci,» pensa-t-il.

20 La lumière qui éclairait ces pâles visages permit de voir leurs diverses expressions quand le bateau, enlevé en l'air par les eaux, puis rejeté comme au fond de la mer, puis secoué comme une feuille, s'arrêta un instant et parut près de se briser. Ce fut alors des cris horribles, suivis d'affreux silences. L'attitude des personnes
25 assises à l'avant du bateau forma une différence singulière avec celle des gens riches ou puissants. La jeune mère serrait son enfant con-tre elle chaque fois que les eaux menaçaient d'avaler le bateau; mais elle croyait à l'espérance que lui avait jetée au cœur la parole dite par l'étranger; chaque fois, elle tournait ses regards vers cet
30 homme, et trouvait dans son visage une foi nouvelle, la foi forte d'une femme faible, la foi d'une mère.

Debout contre le bord du bateau, le soldat ne cessait de regarder cet être singulier; jaloux de se montrer tranquille et calme autant que ce courage supérieur, il sembla trouver à la fin le principe
35 secret de cette puissance intérieure. Puis son admiration devint un

amour sans limites, une confiance en cet homme, semblable à l'enthousiasme que les soldats ont pour leur chef.

La pauvre vieille disait à voix basse: «Ah! pécheresse[11] que je suis! ai-je souffert assez pour être punie des plaisirs de ma jeunesse? Ah! pourquoi, malheureuse, as-tu mené une telle vie? Ah! j'ai eu ₅ grand tort. Ô mon Dieu! mon Dieu! laissez-moi finir ma misère sur cette terre de malheur.» Ou bien: «Sainte Vierge, mère de Dieu, prenez pitié de moi!»

—Consolez-vous, la mère, lui dit le soldat; le bon Dieu n'est pas méchant. Quoique j'aie tué, peut-être à tort et à travers, les bons et ₁₀ les mauvais, je ne crains pas la résurrection.

—Ah! monsieur, sont-elles heureuses, ces belles dames, d'être auprès d'un prêtre, d'un saint homme! reprit la vieille, elles auront l'absolution de leurs péchés.[12] Oh! si je pouvais entendre la voix d'un prêtre me disant: «Vos péchés[12] vous seront remis,» je le ₁₅ croirais!

L'étranger se tourna vers elle, et son regard charitable la fit trembler.

—Ayez la foi, lui dit-il, et vous serez sauvée.

—Que Dieu vous récompense, mon bon seigneur, lui répondit- ₂₀ elle. Si vous dites vrai, j'irai pour vous et pour moi en pèlerinage,[13] pieds nus.

Les deux paysans, le père et le fils, restaient silencieux, résignés et soumis à la volonté de Dieu. Ainsi, d'un côté les richesses, l'orgueil, la science, les excès, le crime, toute la société humaine ₂₅ telle que la font les arts, la pensée, l'éducation, le monde et ses lois; mais aussi, de ce côté seulement, les cris, la terreur, mille sentiments divers combattus par des doutes affreux; là, seulement, les angoisses de la peur.

Puis, au-dessus de ces existences, un homme puissant, le patron du ₃₀ bateau, ne doutant de rien, et luttant avec la mer corps à corps.

À l'autre bout du bâtiment, des faibles! . . . la mère avec son petit enfant qui souriait à l'orage; une vieille femme, jadis joyeuse, maintenant livrée à d'horribles remords; un soldat, son corps couvert de blessures, sans autre récompense que sa vie de douleur: il ₃₅

---

[11] sinner   [12] sins   [13] pilgrimage

avait à peine un morceau de pain trempé de larmes; néanmoins, il se riait de tout et marchait sans soucis; enfin, deux paysans, gens de peine et de fatigue. Ces simples créatures ignoraient la pensée et ses trésors, ayant la foi d'autant plus forte, qu'elles n'avaient jamais
5 rien discuté; natures vierges où la conscience était restée pure et le sentiment puissant.

Quand le bateau, conduit par la merveilleuse adresse du patron, arriva presque en vue d'Ostende, à cinquante pas du quai, il en fut repoussé par une convulsion de l'orage, et se renversa soudain.
10 L'étranger au visage divin dit alors à ce petit monde de douleur: «Ceux qui ont la foi seront sauvés; qu'ils me suivent!»

Cet homme se leva, marcha d'un pas ferme sur les flots. Aussitôt la jeune mère prit son enfant dans ses bras et marcha près de lui sur la mer. Le soldat se dressa soudain en disant dans son langage de
15 naïveté: «Ah! nom d'une pipe! je te suivrais au diable.» Puis, sans paraître étonné, il marcha sur la mer. La vieille pêcheresse,[11] croyant à la toute-puissance de Dieu, suivit l'homme et marcha sur la mer. Les deux paysans se dirent: «Puisqu'ils marchent sur l'eau, pourquoi ne ferions-nous comme eux?» Ils se levèrent et
20 coururent après eux en marchant sur la mer. Thomas voulut les imiter; mais, sa foi chancelant,[14] il tomba plusieurs fois dans la mer, se releva; puis, après trois épreuves, il marcha sur la mer. Le brave patron s'était attaché sur le plancher de son bateau. Le bourgeois avait eu la foi et s'était levé; mais il voulut emporter son or, et son
25 or l'emporta au fond de la mer. Se moquant du charlatan et des imbéciles qui l'écoutaient, au moment où il vit l'inconnu proposant aux voyageurs de marcher sur la mer, le savant se prit à rire et fut avalé par l'océan. La jeune fille fut entraînée dans les eaux par le chevalier. Le prêtre et la vieille dame allèrent au fond, lourds de
30 crimes peut-être, mais plus lourds encore de doutes, de confiance en de fausses images, lourds de dévotion, légers de vraie religion.

La troupe fidèle qui marchait d'un pied ferme et sec sur la plaine des eaux agitées entendait autour d'elle les horribles siffle-ments[15] de l'orage. Une force invincible coupait l'océan. À travers
35 la pluie ces fidèles apercevaient dans le lointain, sur le bord, une

<hr>

[11] sinner   [14] wavering   [15] howling

petite lumière faible dans la fenêtre d'une cabane de pêcheur.[16]
Chacun, en marchant vers cette lumière, croyait entendre son
voisin criant à travers les bruits de la mer: «Courage!» Et cependant, attentif à son danger, personne ne disait mot. Ils atteignirent
ainsi le bord de la mer. Quand ils furent tous assis dans la cabane 5
du pêcheur,[16] ils cherchèrent en vain leur guide. D'un rocher, au
bas duquel l'orage jeta le patron attaché sur sa planche, l'Homme
descendit, le recueillit presque brisé; puis il dit en étendant la main
sur sa tête: «Bon pour cette fois-ci, mais n'y revenez plus, ce serait
d'un trop mauvais exemple.»   10

Il prit le patron sur ses épaules et le porta jusqu'à la cabane du
pêcheur.[16] Il frappa pour le malheureux, afin qu'on lui ouvrît la
porte de cette modeste maison, puis le Sauveur[17] disparut. En cet
endroit fut bâti, pour les pauvres gens de la mer, le couvent[18] de la
Merci, où se virent longtemps les traces que les pieds de Jésus- 15
Christ avaient, dit-on, laissées sur la sable. En 1793, lors de l'inva-
sion française, des religieux emportèrent cette précieuse relique,
l'attestation de la dernière visite que Jésus ait faite sur la terre.

[16] fisherman's hut   [17] Savior   [18] convent

XVI

PRINTEMPS

ÉMILE ZOLA

I

Ce jour-là, vers cinq heures du matin, le soleil entra avec une hâte joyeuse dans la petite chambre que j'occupais chez mon oncle Lazare, curé du village de Dourgues. Un large rayon jaune tomba sur mes yeux encore fermés, et je m'éveillai dans la lumière.

5   Ma chambre, peinte à neuf, avec ses murailles et ses meubles de bois blanc, avait une gaieté engageante. Je me mis à la fenêtre, et je regardai la Durance qui coulait, toute large, au milieu des forêts noires de la vallée.[1] Et des souffles frais me caressaient le visage, les chansons de la rivière et des arbres semblaient m'appeler.

10   J'ouvris ma porte doucement. Il me fallait, pour sortir, traverser la chambre de mon oncle. J'avançai sur la pointe des pieds, craignant que le bruit de mes gros souliers ne réveillât le digne homme qui dormait encore, la face souriante. Et je tremblais d'entendre la cloche de l'église sonner l'Angélus. Mon oncle Lazare, depuis quel-
15 ques jours, me suivait partout, d'un air triste et fâché. Il m'aurait peut-être empêché d'aller là-bas, sur le bord de la rivière, et de me cacher sous les arbres de la rive, afin d'attendre le passage de Babet, la grande fille brune, qui était née pour moi avec le printemps nouveau.

20   Mais mon oncle dormait d'un profond sommeil. J'eus comme un remords de le tromper et de me sauver ainsi. Je m'arrêtai un instant à regarder son visage calme, que le repos rendait plus doux. Je me souvins avec émotion du jour où il était venu me chercher dans la maison froide et déserte que quittait le convoi[2] de ma mère.

25 Depuis ce jour, que de tendresse, que de dévotion, que de sages

¹ valley   ² funeral procession

108

paroles! Il m'avait donné sa science et sa bonté, toute son intelligence et tout son cœur.

Je fus un instant tenté de lui crier:

—Levez-vous, mon oncle Lazare! allons faire ensemble un bout de promenade, dans cette allée que vous aimez, au bord de la Durance. L'air frais et le jeune soleil vous réjouiront. Vous verrez au retour quel grand appétit!

Et Babet qui allait descendre à la rivière, et que je ne pourrais voir, vêtue de ses jupes claires du matin! Mon oncle serait là, il me faudrait baisser les yeux. Il devait faire si bon sous les arbres, couché sur le ventre, dans l'herbe fine! Je sentis une faiblesse glisser en moi, et, à petits pas, retenant mon souffle, je gagnai la porte. Je descendis l'escalier, je me mis à courir comme un fou dans l'air frais de la joyeuse matinée de mai.

Le ciel était tout blanc à l'horizon, avec des couleurs roses et bleues d'une qualité exquise. Le soleil pâle semblait une grande lampe d'argent, dont les rayons pleuvaient dans la Durance en une averse³ de clartés. Et la rivière, large et molle, s'étendant d'un air paresseux sur le sable rouge, allait d'un bout à l'autre de la vallée¹ pareille à un long ruban de métal. À l'ouest, une ligne de collines basses faisait sur le blanc du ciel une longue silhouette bleue.

Depuis dix ans, j'habitais ce coin perdu. Que de fois mon oncle Lazare m'avait attendu pour me donner ma leçon de latin! Le digne homme voulait faire de moi un savant. Moi, j'étais de l'autre côté de la Durance, je cherchais des oiseaux, je faisais la découverte d'une colline sur laquelle je n'étais pas encore monté. Puis, au retour, c'était des sermons: le latin était oublié, mon pauvre oncle me grondait d'avoir déchiré mon pantalon, et il frissonnait en voyant parfois que la peau se trouvait entamée.⁴ La vallée¹ était à moi, bien à moi; je l'avais parcourue dans tous les sens, j'en étais le vrai propriétaire, par droit d'amitié. Et ce bout de rivière, ces deux lieues de Durance, comme je les aimais, comme nous nous entendions bien ensemble! Je connaissais tous les caprices de ma chère rivière, ses colères, ses grâces, ses physionomies diverses à chaque heure de la journée.

³shower ¹valley ⁴scratched

Ce matin-là, lorsque j'arrivai au bord de l'eau, je fus saisi d'admiration à la voir si douce et si blanche. Jamais elle n'avait eu un si gai visage. Je me glissai vivement sous les arbres, dans une clairière[5] où il y avait une grande nappe de soleil posée sur l'herbe noire. Là,
5 je me couchai sur le ventre, l'oreille tendue, regardant entre les branches le sentier par lequel allait descendre Babet.

«Oh! comme l'oncle Lazare doit dormir!» pensai-je.

Et je m'étendais de tout mon long sur la terre molle. Le soleil pénétrait mon dos d'une bonne chaleur, tandis que ma poitrine,
10 enfoncée dans l'herbe, était toute fraîche.

N'avez-vous jamais regardé dans l'herbe, de tout près? Moi, en attendant Babet, je fouillais du regard un petit bout de terrain qui était tout un monde. Il y avait des rues, des chemins, des places publiques, des villes entières. Au fond, je distinguais un grand tas
15 d'ombre où les feuilles du dernier printemps mouraient de tristesse; puis les tiges[6] légères se levaient, se penchaient avec mille élégances, et c'étaient des colonnades, des églises, des forêts vierges. Je vis deux insectes[7] maigres qui se promenaient au milieu de ce monde immense; ils étaient sans doute perdus, les pauvres enfants, car ils
20 allaient de colonnade en colonnade, de rue en rue, d'une façon épouvantée et inquiète.

Ce fut juste à ce moment qu'en levant les yeux je vis tout au haut du sentier les jupes blanches de Babet se détachant sur la terre noire. Je reconnus sa robe grise à petites fleurs bleues. Je m'en-
25 fonçai dans l'herbe davantage, j'entendis mon cœur qui battait contre la terre, qui me soulevait presque. Ma poitrine brûlait maintenant, je ne sentais plus le froid qui montait de l'herbe.

La jeune fille descendait toute joyeuse. Ses jupes, touchant le sol, avaient des mouvements qui me ravissaient. Je la voyais de bas en
30 haut, toute droite, dans sa grâce fière et heureuse. Elle ne me savait point là, derrière les arbres; elle marchait d'un pas libre, elle courait sans faire attention au vent qui soulevait un coin de sa robe. Je distinguais ses pieds, trottant[8] vite, vite, et un morceau de ses bas blancs, qui était bien large comme la main, et qui me faisait rougir
35 d'une façon douce et pénible.

[5]glade   [6]stems   [7]insects   [8]skipping

Oh! alors, je ne vis plus rien, ni la Durance, ni les arbres, ni le ciel. Je me moquais bien de la vallée![1] Elle n'était plus ma bonne amie; ses joies, ses tristesses me laissaient tout à fait froid. Que m'importaient mes camarades, les rochers et les arbres des collines! La rivière pouvait s'en aller tout d'un trait si elle voulait; ce n'est 5 pas moi qui l'aurait regrettée.

Et le printemps, je ne pensais nullement au printemps! Il aurait emporté le soleil qui me chauffait le dos, ses feuilles, ses rayons, toute sa matinée de mai, que je serais resté là, à regarder Babet, courant dans le sentier en balançant ses jupes. Car Babet avait pris 10 dans mon cœur la place de la rivière, Babet était le printemps. Jamais je ne lui avais parlé. Nous rougissions tous les deux, lorsque nous nous rencontrions dans l'église de mon oncle Lazare. J'aurais juré qu'elle me détestait.

Elle causa, ce jour-là, pendant quelques minutes avec les lavan- 15 dières.[9] Ses rires clairs arrivaient jusqu'à moi, mêlés à la grande voix de la Durance. Puis, elle se baissa pour prendre un peu d'eau dans sa main; mais la rive étant haute, Babet, qui avait peur de glisser, se retint aux herbes.

Je ne sais quel courage soudain m'inspira. Je me levai tout d'un 20 coup, et, sans honte, sans même rougir, je courus auprès de la jeune fille. Elle me regarda, effrayée; puis, elle se mit à sourire. Moi, je me penchai, m'exposant au péril de tomber. Je réussis à remplir d'eau ma main droite, dont je serrais les doigts. Et je tendis à Babet cette coupe[10] nouvelle, l'invitant à boire. 25

Les lavandières[9] riaient. Babet, confuse, n'osait accepter, hésitait, tournait la tête à demi. Enfin, elle se décida, elle appuya les lèvres sur le bout de mes doigts; mais elle avait trop tardé, toute l'eau s'en était allée. Alors elle éclata de rire, elle redevint enfant, et je vis bien qu'elle se moquait de moi. 30

J'étais fort sot. Je me penchai de nouveau. Cette fois, je pris de l'eau dans mes deux mains, me hâtant de les porter aux lèvres de Babet. Elle but, et je sentis le baiser léger de sa bouche, qui remonta le long de mes bras jusque dans ma poitrine.

«Oh! que mon oncle doit dormir!» me disais-je tout bas. 35

[1] valley [9] washerwomen [10] cup

Comme je me disais cela, j'aperçus une ombre noire à côté de moi, et, m'étant tourné, j'aperçus mon oncle Lazare en personne, à quelques pas, nous regardant d'un air fâché, Babet et moi. Son habit paraissait tout blanc au soleil; il y avait dans ses yeux des reproches
5 qui me donnèrent envie de pleurer.

Babet eut très peur. Elle devint rouge, elle se sauva en disant d'une voix troublée:

—Merci, monsieur Jean, je vous remercie bien.

Moi, essuyant mes mains mouillées, je restai confus, immobile
10 devant mon oncle Lazare.

Le digne homme, les bras pliés, regarda Babet qui remontait le sentier en courant, sans tourner la tête. Puis, lorsqu'elle eut disparu derrière les haies, il abaissa ses regards vers moi, et je vis passer dans sa bonne figure un sourire triste.

15 —Jean, me dit-il, viens dans la grande allée. Le déjeuner n'est pas prêt. Nous avons une demi-heure à perdre.

Il se mit à marcher de son pas un peu pesant, évitant les hautes herbes mouillées de rosée.[11] Il tenait un livre sous le bras; mais il avait oublié sa lecture du matin, et il s'avançait, la tête baissée,
20 rêvant, ne parlant point.

Son silence m'effrayait. Il parlait beaucoup, d'ordinaire. À chaque pas, mon inquiétude croissait. Pour sûr, il m'avait vu donner à boire à Babet. Quel spectacle! La jeune fille, riant et rougissant, me baisait le bout des doigts, tandis que moi, me dres-
25 sant sur les pieds, tendant les bras, je me penchais comme pour l'embrasser. C'est alors que mon action me parut bien hardie. Et toute ma crainte revint. Je me demandai comment j'avais pu oser me faire baiser les doigts d'une façon si douce.

Et mon oncle Lazare qui ne disait rien, qui marchait toujours à
30 petits pas devant moi, sans avoir un seul regard pour les vieux arbres qu'il aimait! Il me préparait sans doute un sermon. Il ne m'emmenait dans la grande allée qu'afin de me gronder à l'aise. Nous en aurions au moins pour une heure: le déjeuner serait froid, je ne pourrais revenir au bord de l'eau et rêver aux baisers délicieux
35 que les lèvres de Babet avaient laissés sur mes mains.

[11] dew

Nous étions dans la grande allée. Cette allée, large et courte, suivait la rivière; elle était faite de chênes énormes, qui levaient vers le ciel leurs hautes branches. L'herbe fine tendait un tapis sous les arbres, et le soleil, perçant les feuilles, ornait ce tapis de figures d'or. Au loin, tout autour, s'étendaient des prairies d'un vert clair. 5

Mon oncle, sans se retourner, sans changer son pas, alla jusqu'au bout de l'allée. Là, il s'arrêta, et je me tins à son côté, comprenant que le moment terrible était venu.

La rivière tournait à cet endroit; un petit parapet faisait du bout de l'allée une sorte de plateau, qui donnait sur une vallée[1] de lu- 10 mière. La campagne se montra devant nous, à plusieurs lieues. Le soleil montait dans le ciel, où les rayons d'argent du matin s'étaient changés en un éclat d'or; des clartés brillantes coulaient de l'horizon, le long des pentes, s'étendant dans la plaine avec des couleurs de feu. 15

II

Après un instant de silence, mon oncle Lazare se tourna vers moi. «Bon Dieu, le sermon!» pensai-je.

Et je baissai la tête. D'un geste large, mon oncle me montra la vallée;[1] puis, se dressant:

—Regarde, Jean, me dit-il d'une voix lente, voilà le printemps. La 20 terre est en joie, mon garçon, et je t'ai amené ici, en face de cette plaine de lumière, pour te montrer les premiers sourires de la jeune saison. Vois quel éclat et quelle douceur! Il monte de la campagne des odeurs fraîches qui passent sur nos visages comme des souffles de vie. 25

Il se tut, paraissant rêver. J'avais relevé le front étonné, respirant à l'aise. Mon oncle n'allait pas prêcher.[12]

—C'est une belle matinée, reprit-il, une matinée de jeunesse. Tes dix-huit ans semblent bien longs, au milieu de ces feuilles âgées au plus de dix-huit jours. Tout est beauté et parfum, n'est-ce pas? la 30 grande vallée[1] te semble un lieu de joies: la rivière est là pour te donner sa force, les arbres pour te prêter leur ombre, la campagne entière pour te parler de tendresse, le ciel lui-même pour éclairer

[1] valley [12] preach

ces horizons que tu interroges avec espérance et désir. Le printemps appartient aux gamins de ton âge. C'est lui qui enseigne aux
garçons la façon de faire boire les jeunes filles . . .

Je baissai la tête de nouveau. Décidément, mon oncle Lazare
5 m'avait vu.

—Un vieux bonhomme comme moi, continua-t-il, sait malheureusement à quoi s'en tenir sur les grâces du printemps. Moi,
mon pauvre Jean, j'aime la Durance parce qu'elle donne à boire à
ces prairies et qu'elle fait vivre la vallée;[1] j'aime ces jeunes feuilles
10 parce qu'elles m'annoncent les fruits de l'été et de l'automne; j'aime
ce ciel parce qu'il est bon pour nous, parce que sa chaleur vient
jusqu'à la terre. Il me faudrait te dire cela un jour ou l'autre; je
préfère te le dire aujourd'hui, à cette heure. C'est le printemps lui-
même qui te fait la leçon. La terre est un vaste atelier[13] où l'on ne se
15 trouve jamais sans travail. Regarde cette fleur, à nos pieds: elle est
un parfum pour toi; pour moi elle est un travail, elle accomplit sa
tâche en produisant sa part de vie, une petite graine[14] noire qui
travaillera à son tour, le printemps prochain. Et, maintenant, interroge le vaste horizon. Toute cette joie n'est qu'une renaissance. Si
20 la campagne sourit, c'est qu'elle recommence l'éternelle besogne.
L'entends-tu à présent respirer avec force, active et pressée? Les
fleurs se hâtent, l'herbe pousse sans cesse; toutes les plantes se dis-
putent à qui grandira le plus vite; et l'eau vivante, la rivière, vient
aider le travail commun, et le jeune soleil qui monte dans le ciel a
25 charge de rendre gaie l'éternelle besogne des travailleurs.

Mon oncle, à ce moment, me força à le regarder en face. Il
acheva en ces termes:

—Jean, tu entends ce que te dit ton ami le printemps. Il est la
jeunesse, mais il prépare l'âge mûr; son clair sourire n'est que la
30 gaieté du travail. L'été sera puissant, l'automne sera fécond,[15] car le
printemps chante à cette heure, en accomplissant avec courage sa
tâche.

Je restai fort sot. Je comprenais mon oncle Lazare. Il me faisait
bel et bien un sermon, dans lequel il me disait que j'étais un pares-
35 seux et que le moment de travailler était venu.

[1] valley   [13] workshop   [14] seed   [15] abundant

Mon oncle paraissait aussi embarrassé que moi. Après m'avoir regardé pendant quelques instants:

—Jean, dit-il en hésitant un peu, tu as eu tort de ne pas venir me tout raconter . . . Puisque tu aimes Babet et que Babet t'aime . . .

—Babet m'aime! m'écriai-je.

Mon oncle eut un geste d'humeur.

—Eh! laisse-moi dire. Je n'ai pas besoin d'une nouvelle confession . . . Elle me l'a avoué elle-même.

—Elle vous a avoué cela, elle vous a avoué cela!

Et soudain je sautai au cou de mon oncle Lazare.

—Oh! que c'est bon! ajoutai-je . . . Je ne lui avais jamais parlé, vrai . . . Elle vous a dit ça à la confession, n'est-ce pas? . . . Jamais je n'aurais osé lui demander si elle m'aimait, moi, jamais je n'aurais rien su . . . Oh! que je vous remercie!

Mon oncle Lazare était tout rouge. Il sentait qu'il venait de commettre une faute. Il avait pensé que je n'en étais pas à ma première rencontre avec la jeune fille, et voilà qu'il me donnait une certitude, lorsque je n'osais encore rêver une espérance. Il se taisait maintenant; c'était moi qui parlais avec enthousiasme.

—Je comprends tout, continuai-je. Vous avez raison, il faut que je travaille pour gagner Babet. Mais vous verrez comme j'aurai du courage . . . Ah! que vous êtes bon, mon oncle Lazare, et que vous parlez bien! J'entends ce que dit le printemps; je veux avoir, moi aussi, un été puissant, un automne fécond.[15] On est bien ici, on voit toute la plaine; je suis jeune comme elle, je sens la jeunesse en moi qui demande à remplir sa tâche . . .

Mon oncle me calma.

—C'est bien, Jean, me dit-il. J'ai longtemps espéré faire de toi un prêtre, et je ne t'avais donné ma science que dans ce but. Mais ce que j'ai vu ce matin au bord de l'eau, me force à renoncer pour toujours à mon rêve le plus cher. C'est le ciel qui dispose de nous. Tu aimeras Dieu d'une autre façon . . . Tu ne peux rester maintenant dans ce village, où je veux que tu ne rentres que développé par l'âge et le travail. J'ai choisi pour toi le métier de typographe;[16]

[15] abundant   [16] printer

ton instruction te servira. Un de mes amis, un imprimeur[16] de
Grenoble, t'attend lundi prochain.

Une inquiétude me prit.

—Et je reviendrai épouser Babet? demandai-je.

5   Mon oncle eut un imperceptible sourire.

—Le reste est à la volonté du ciel, répondit-il.

—Le ciel, c'est vous, et j'ai foi en votre bonté. Oh! mon oncle,
faites que Babet ne m'oublie pas. Je vais travailler pour elle.

Alors mon oncle Lazare me montra de nouveau la plaine que la
10 lumière gagnait de plus en plus, chaude et dorée.

—Voilà l'espérance, me dit-il. Ne sois pas aussi vieux que moi,
Jean. Oublie mon sermon, garde l'ignorance de cette campagne.
Elle ne songe pas à l'automne; elle est toute à la joie de son sourire;
elle travaille, sans soucis et sans peur. Elle espère.

15 Et nous revînmes à la maison, marchant d'un pas lent dans l'herbe
que le soleil avait chauffée, causant avec émotion de notre prochaine séparation. Le déjeuner était froid, comme je l'avais prévu;
mais cela m'importait peu. J'avais des larmes dans les yeux, chaque
fois que je regardais mon oncle Lazare. Et, au souvenir de Babet,
20 mon cœur battait à m'étouffer.

Je ne me rappelle pas ce que je fis le reste du jour. J'allai, je
crois, me coucher sous mes arbres, au bord de l'eau. Mon oncle
avait raison, la terre travaillait. En appliquant l'oreille contre le sol,
il me semblait entendre des bruits mystérieux. Alors, je rêvais ma
25 vie. Étendu dans l'herbe, jusqu'au soir, j'arrangeai une existence
toute de travail, entre Babet et mon oncle Lazare. La jeunesse,
l'énergie de la terre avaient pénétré dans ma poitrine, que j'ap-
puyais contre la mère commune, et je m'imaginais par instants être
un de ces arbres qui vivaient autour de moi. Le soir, je ne pus dîner.
30 Mon oncle comprit sans doute les pensées qui m'étouffaient, car il
fit semblant de ne pas remarquer mon peu d'appétit. Dès qu'il me
fut permis de me lever, je me hâtai de retourner respirer l'air libre
du dehors.

Un vent frais montait de la rivière, dont j'entendais au loin les
35 bruits sourds. Une douce lumière tombait du ciel. La plaine s'éten-

---

[16] printer

dait comme une mer d'ombre, sans limites, blanche et vague. Il y
avait des bruits légers dans l'air, comme un large battement[17]
d'ailes, qui aurait passé sur ma tête. Des odeurs mystérieuses mon-
taient de l'herbe.

J'étais sorti pour voir Babet; je savais que, tous les soirs, elle
venait à l'église, et j'allai me cacher derrière une haie. Je n'avais
plus mes craintes du matin; je trouvais tout naturel de l'attendre là,
puisqu'elle m'aimait et que je devais lui annoncer mon départ.

Quand je vis ses jupes dans la nuit claire, je m'avançai sans bruit.
Puis, à voix basse:

—Babet, murmurai-je, Babet, je suis ici.

Elle ne me reconnut pas d'abord, elle eut un mouvement de terreur. Quand elle m'eut reconnu, elle parut très effrayée encore, ce
qui m'étonna profondément.

—C'est vous, monsieur Jean, me dit-elle. Que faites-vous là? que
voulez-vous?

J'étais près d'elle, je lui pris la main.

—Vous m'aimez bien, n'est-ce pas?

—Moi! qui vous a dit cela?

—Mon oncle Lazare.

Elle demeura interdite. Sa main se mit à trembler dans la mienne.
Comme elle allait se sauver, je pris son autre main. Nous étions face
à face, dans une sorte d'angle que formait la haie, et je sentais le
souffle de Babet qui courait tout chaud sur mon visage. Le calme,
le silence frissonnant de la nuit, traînaient tout autour.

—Je ne sais pas, murmura la jeune fille, je n'ai jamais dit cela . . .
Monsieur le curé a mal entendu . . . Par grâce, laissez-moi, je suis
pressée.

—Non, non, repris-je, je veux que vous sachiez que je pars demain, et que vous me promettiez de m'aimer toujours.

—Vous partez demain!

Oh! le doux cri, et que Babet y mit de tendresse! Il me semble
encore entendre sa voix inquiète, pleine de désolation et d'amour.

—Vous voyez bien, criai-je à mon tour, que mon oncle Lazare
a dit la vérité. D'ailleurs, il ne ment jamais. Vous m'aimez, vous

---

[17] fluttering

m'aimez, Babet! Vos lèvres, ce matin, l'avaient confié tout bas à mes doigts.

Et je la fis asseoir au pied de la haie. Mes souvenirs m'ont gardé mes premières paroles d'amour dans leur religieuse innocence. 5 Babet m'écouta comme une petite sœur. Elle n'avait plus peur, elle me confia l'histoire de son amour. Et ce furent des déclarations solennelles, des confessions naïves, des projets sans fin. Elle jura de n'épouser que moi, je jurai de mériter sa main à force de travail et de tendresse. Il y avait un grillon[18] derrière la haie, qui accom- 10 pagnait notre entretien de son chant d'espérance, et toute la plaine, chuchotant[19] dans l'ombre, prenait plaisir à nous entendre causer si doucement.

Nous nous séparâmes en oubliant de nous embrasser.

Quand je rentrai dans ma petite chambre, il me sembla que je 15 l'avais quittée depuis une année au moins. Cette journée si courte me paraissait éternelle de bonheur. C'était là ma journée de prin- temps, la plus douce, la plus parfumée[20] de ma vie, celle dont le souvenir est aujourd'hui la voix lointaine et émue de ma jeune saison.

[18] cricket   [19] whispering   [20] fragrant

XVII

LA SAINT-NICOLAS

ANDRÉ THEURIET

I

—Monsieur le sous-directeur[1] peut-il recevoir Mme Blouet? demanda le garçon de bureau, entr'ouvrant avec discrétion la porte du cabinet.

Assis à son bureau, le sous-directeur,[1] Hubert Boinville, travaille penché sur un tas de papiers. Il relève sa figure grave et fatiguée, et ses yeux noirs laissent tomber un regard indifférent sur la carte que lui tend le digne et solennel garçon. Il y voit écrit à la main, d'une écriture faible et tremblée: «Veuve[2] Blouet.» Le nom ne lui apprend rien, et, tout en rejetant la carte au milieu des papiers, il a un geste d'impatience.

—C'est une vieille femme, ajoute le garçon, faut-il la renvoyer?

—Faites-la entrer, répond le sous-directeur[1] d'un ton résigné.

Le garçon de bureau se dresse dans son habit à boutons de métal, disparaît, puis, au bout d'un instant, introduit la vieille femme qui, dès le seuil, fait une antique révérence.

Hubert Boinville se soulève à demi et indique à la femme un fauteuil où elle s'assied après avoir répété sa révérence.

C'est une petite vieille en pauvres vêtements noirs. La robe de laine lui sert depuis bien des saisons. Un voile de crêpe usé pend de chaque côté du vieux chapeau et laisse voir, sous un tour de faux cheveux, une figure ronde et âgée, avec de petits yeux vifs et une petite bouche dont les lèvres rentrées trahissent l'absence des dents.

—Monsieur, commence-t-elle d'une voix un peu tremblante, je suis fille, veuve[2] et sœur d'employés qui ont fourni de bons

[1] assistant director [2] widow

119

services au gouvernement, et j'ai adressé une demande de
secours à la Direction générale . . . Je désirerais savoir si je puis
espérer quelque chose.

Le sous-directeur[1] a écouté ce début sans émotion. Il a
5 entendu tant de demandes semblables!

—Avez-vous déjà été aidée, madame? demande-t-il sans même
la regarder.

—Non, monsieur, jusqu'à présent j'avais pu vivre sans tendre
la main . . . J'ai une petite pension et . . .

10 —Ah! interrompt-il d'un ton sec, dans ce cas je crains bien
que nous ne puissions rien pour vous . . . Nous avons à aider
beaucoup de personnes malheureuses qui n'ont pas même cette
ressource d'une pension.

—Attendez, monsieur! s'écrie-t-elle avec désespoir, je n'ai
15 pas tout dit . . . J'avais trois garçons, ils sont morts; le dernier
donnait des leçons d'histoire . . . L'autre hiver, en allant à
son collège, par une grosse pluie, il a pris un mauvais rhume
qui a mal tourné et qui l'a emmené en quinze jours . . . Ses
leçons nous faisaient vivre, moi et son enfant, car il m'a laissé
20 une petite-fille. Les frais de maladie m'ont mise à sec. J'ai
engagé mon titre de pension pour payer les dettes . . . Me
voilà seule au monde avec la petite, sans un pauvre sou, et
j'ai quatre-vingt-deux ans . . . C'est un grand âge, n'est-ce
pas?

25 Les yeux de la vieille femme se sont remplis de larmes. Le
sous-directeur[1] l'a écoutée avec plus d'attention. Les intonations
un peu chantantes et certaines locutions de province de la vieille
dame sonnent à son oreille comme une musique déjà entendue
et jadis familière. Ses façons de parler ont quelque chose de
30 particulier qu'il croit reconnaître et qui lui cause une sensation singulière. Il sonne, demande les papiers de «la veuve[2]
Blouet,» et, quand le solennel garçon de bureau pose, d'un air
important, la mince chemise jaune sur la table, Hubert Boinville
examine les pièces avec un intérêt visible.

35 —Vous êtes Lorraine,[3] madame, reprend-il en montrant à la

---

[1] assistant director   ·[2] widow   [3] native of Lorraine

veuve[2] une figure moins fermée, où court un faible sourire. Je m'en
étais douté à votre accent.

—Oui, monsieur, je suis de l'Argonne . . . Comment, vous
avez reconnu mon accent? Je croyais bien l'avoir perdu après
avoir si longtemps habité aux quatre coins de la France. 5

Le sous-directeur[1] regarde avec une compassion croissante
cette pauvre veuve[2] d'employé. Il sent peu à peu s'attendrir
son cœur officiel et répond en souriant de nouveau:

—Moi aussi je suis de l'Argonne, et j'ai vécu longtemps près
de votre village, à Clermont . . . Allons, madame, ayez bon 10
courage . . . J'espère que nous obtiendrons le secours que
vous désirez . . . Vous avez donné votre adresse?

—Oui, monsieur, rue de la Santé, numéro 12 . . . Bien des
mercis; je m'en vais contente de vos bonnes paroles, et contente aussi d'avoir retrouvé un pays . . . 15

Et la vieille dame se retire après s'être confondue en révérences.

Dès que Mme Blouet a disparu, le sous-directeur[1] se lève et
va appuyer son front à la vitre de l'une des fenêtres qui don-
nent sur les jardins de l'hôtel. Mais ce ne sont pas les arbres
de la cour qu'il considère; son regard, perdu en rêves, s'en 20
va plus loin . . . Très loin, là-bas, vers l'Est, au delà des plaines
et des collines de la Champagne, jusqu'à une grande forêt,
avec une modeste rivière qui roule son eau jaune entre de
hauts arbres, au pied d'une vieille petite ville aux toits bruns . . .

C'est là qu'il a vécu enfant, c'est là qu'il revenait une fois 25
chaque année passer quelques semaines. Son père y menait la
vie étroite et serrée des petits bourgeois sans fortune. Habitué
de bonne heure au devoir strict et au travail dur, Hubert a
quitté le pays à vingt ans et n'y est plus guère retourné qu'au
moment de la mort de son père. Une intelligence supérieure, 30
une volonté de fer, un travail sérieux l'ont fait arriver très
tôt dans l'administration. Être sous-directeur[1] à trente-huit ans,
cela passe dans le monde des bureaux pour quelque chose
d'extraordinaire. Austère, précis, réservé et poli, il arrive au
ministère à dix heures, n'en sort qu'à six et emporte du travail 35

[2] widow [1] assistant director

chez lui. D'une nature peu expansive bien que sensible au fond,
il passe pour être peu intéressant. Il ne va guère dans le monde
et sa vie a été tellement prise par le travail qu'il n'a jamais
eu le temps de songer au mariage. Son cœur a pourtant parlé
5 une fois, dans l'Argonne, alors qu'il avait vingt ans, mais il
était sans fortune, la fille qu'il aimait l'a refusé, et s'est mariée
avec un gros marchand de bois. Cette première déception a
laissé à Boinville une amertume[4] que ses succès n'ont jamais
complètement corrigée. Ce soir, après avoir entendu cette vieille
10 femme lui parler de sa misère avec cet accent qu'on n'oublie
jamais, il s'est senti envahi d'une tristesse rétrospective.

Le front posé contre la vitre, il remue comme un tas de
feuilles mortes, les lointains souvenirs de jeunesse, cachés profondément dans sa mémoire, et le parfum des saisons passées
15 à son pays lui remonte doucement au cerveau.

Il revient à son fauteuil, et prenant la feuille Blouet, il écrit
au crayon à côté du nom: «Situation digne d'intérêt—accorder»—puis il sonne le garçon et renvoie la chemise au
bureau des secours.

20 Le jour où le secours fut accordé, Hubert Boinville quitta
son bureau un peu plus tôt que d'habitude. L'idée lui était
venue d'aller annoncer lui-même la bonne nouvelle.

Trois cents francs, c'était une goutte d'eau à peine, tombant
du réservoir de l'énorme budget du gouvernement, mais dans
25 le budget de la veuve[2] cette goutte devait avoir son importance. Encore qu'on fût au commencement de décembre, le
temps était doux, et Boinville fit à pied la distance qui le
séparait de la rue de la Santé. Quand il arriva à destination,
la nuit commençait à tomber dans ce quartier désert. Mais il
30 aperçut bientôt le numéro 12, au-dessus d'une porte percée
dans un long mur de pierres. Il n'eut qu'à pousser cette porte
et se trouva dans un vaste jardin. Au fond, deux ou trois points
de lumière éclairaient la façade d'un vieux bâtiment. Le sous-
directeur[1] se dirigea vers le rez-de-chaussée et eut la chance
35 de tomber sur l'escalier menant à l'appartement de la veuve.[2]

[4]bitterness [2]widow [1]assistant director

Après avoir monté l'escalier sombre, Boinville heurta à une porte, et fut tout étonné quand, cette porte s'étant ouverte, il vit devant lui une jeune fille de vingt ans environ qui se tenait sur le seuil, levant sa lampe d'une main et regardant cet homme avec des yeux surpris. 5

C'était une jeune personne vêtue de noir, à la physionomie vive et affable. La lumière tombant de haut éclairait à point ses cheveux d'or, sa bouche souriante et ses yeux bleus.

—Ne me suis-je pas trompé? murmura Boinville, est-ce bien ici que demeure Mme Blouet? 10

—Oui, monsieur, donnez-vous la peine d'entrer . . . Grand'-mère, c'est un monsieur qui te demande.

—Je viens! répondit une voix brisée qui sortait d'une pièce voisine; et une minute après, la vieille dame arrivait, avec son tour de travers sous son bonnet noir, et achevant de détacher 15 son tablier⁵ de toile bleue.

—Sainte mère de Dieu! s'écria-t-elle étonnée en reconnaissant le sous-directeur,¹ comment, monsieur, c'est vous? . . . Faites bien excuse, je ne m'attendais guère à l'honneur de vous voir . . . Claudette, offre donc le fauteuil à monsieur 20 le sous-directeur¹ . . . C'est ma petite-fille, monsieur, tout ce qui me reste au monde.

Hubert Boinville s'était assis dans un antique fauteuil, et d'un rapide coup d'œil il avait examiné la pièce qui paraissait servir à la fois de salon et de salle à manger. Peu de meubles, 25 mais tout très propre et avec un bon petit air de campagne.

Il expliqua l'objet de sa visite.

—Ah! mon brave monsieur, bien des mercis! s'écria la veuve² . . . On a raison de dire: un bonheur n'arrive jamais seul . . . Figurez-vous que la petite a passé ses examens pour en- 30 trer dans les Télégraphes,⁶ et, en attendant d'être placée, elle fait de petits objets d'art . . . Aujourd'hui, elle a été payée de plusieurs images, et alors nous avons décidé que nous célébrions ce soir la Saint-Nicolas, comme au bon vieux temps . . . Vous vous souvenez? 35

⁵apron ¹assistant director ²widow ⁶telegraph system

—Mais, grand'-mère, interrompit la jeune fille en riant, monsieur ne sait pas ce que c'est que la Saint-Nicolas . . . À Paris, on ne connaît pas ce saint-là!

—Si fait, monsieur sait très bien ce que je veux dire. Il
5 est du pays, Claudette, il est de Clermont.

—La Saint-Nicolas! reprit le sous-directeur[1] en souriant, je crois bien! . . . C'est aujourd'hui en effet le six décembre . . .

Cette date avait allumé toute une suite de souvenirs d'enfance qui éclairaient son cerveau. À cette clarté, il revit la vaste
10 cheminée de la maison de son père, ornée des décorations de la fête du patron; il entendait la musique des violons,[7] allant par les rues chercher les filles pour le bal; et il se rappela ses émotions du lendemain, quand il courait pieds nus pour chercher ses sabots pleins de cadeaux que Saint-Nicolas, sur son âne,
15 avait apportés la nuit par la cheminée.

II

—Donc, ce soir, continua la grand'mère, nous avons résolu de ne manger que des plats du pays. Le voisin d'en bas nous a donné de quoi faire une bonne soupe; j'ai acheté un saucis-
son[8] de Lorraine, et quand vous êtes entré j'étais en train de
20 préparer un *tôt-fait.*

—Oh! un *tôt-fait!* s'écria Boinville devenu plus gai, voilà bien vingt ans que je n'ai entendu prononcer le nom de ce gâteau d'œufs, de lait et de farine,[9] et plus longtemps encore que je n'y ai goûté . . .
25 Tandis qu'il souriait au souvenir de ce plat du pays, la grand'mère et Claudette s'étaient retirées un peu à l'écart et paraissaient discuter avec animation une grave question.

—Non, grand'mère, disait à voix basse la jeune fille, ce serait osé.
30 —Pourquoi donc? murmura la vieille, je suis sûre que cela lui ferait plaisir.

Et comme il les regardait intéressé, la grand'mère revint vers lui:

—Monsieur, commença-t-elle, vous avez déjà été bien bon

[1] assistant director   [7] violinists   [8] sausage   [9] flour

pour nous et si ce n'était pas imprudent, j'aurais encore une faveur à vous demander . . . Il est déjà tard et vous avez un bon bout de chemin à faire pour aller retrouver votre dîner . . . Vous nous rendriez bien heureuses si vous vouliez goûter de notre *tôt-fait* . . . N'est-ce pas, Claudette? 5

—Oui, grand'mère, seulement monsieur dînera mal, et d'ailleurs il est sans doute attendu chez lui.

—Non, personne ne m'attend, répondit Boinville en songeant au restaurant où d'habitude il dînait tout seul, je suis libre, mais . . . 10

Il hésitait encore, tout en regardant les jolis yeux de Claudette; puis, tout à coup, il s'écria avec une animation qui ne lui était pas ordinaire:

—Eh bien! j'accepte sans façon et avec plaisir!

—À la bonne heure! fit la vieille dame tout heureuse . . . 15 Claudette, qu'est-ce que je te disais? . . . Mets vivement le couvert, et puis tu iras chercher du vin, tandis que je retournerai à mon *tôt-fait* . . .

En un instant la table fut dressée. La jeune fille alluma une lampe et descendit, tandis que la grand'mère continuait à préparer 20 le repas.

—N'est-ce pas que la petite est gentille et gaie? disait-elle au sous-directeur[1] . . . C'est ma consolation . . . Elle réjouit mes vieux jours comme un oiseau qui chante sur un vieux toit . . . Et elle reprenait en surveillant son travail: Ce sera un 25 maigre souper, mais un souper offert de bon cœur, et puis ça vous rappellera le pays, n'est-ce pas?

Claudette était remontée, rouge d'avoir couru; la bonne dame apporta la soupe fumante et on se mit à table.

Entre cette brave femme tout heureuse, et cette jeune fille 30 si gaie et si naturelle; devant ce plat qui lui rappelait des choses du passé, Hubert Boinville fit honneur à la soupe. Il se trouvait de plus en plus à son aise, s'amusant aux plaisanteries de Claudette et riant d'un bon rire d'enfant aux mots de patois[10] dont la grand'mère semait ses phrases. De temps en temps, la veuve[2] 35

[1] assistant director   [10] dialect   [2] widow

se levait et allait à la cuisine. Enfin elle parut, toute fière,
tenant à deux mains le *tôt-fait*. Elle apporta ensuite à la table
une bouteille de *fignolette*, liqueur spéciale de son pays; puis,
tandis que Claudette mettait de l'ordre, elle prit son tricot[11]
5 et s'assit près de la cheminée, tout en causant; mais, sous l'influence d'une chaleur douce, jointe à l'action de la *fignolette*,
elle ne tarda pas à s'endormir. Claudette avait posé la lampe
au milieu de la table; Hubert et la jeune fille se trouvaient
ainsi presque en tête à tête, et Claudette, naturellement gaie,
10 dirigeait à elle seule la conversation.

Elle aussi avait passé son enfance en Argonne, près d'une
vieille tante, et elle rappelait à Boinville de petits détails dont
la précision le remettait peu à peu dans le milieu provincial
d'autrefois. Comme il faisait très chaud dans la chambre, Clau-
15 dette avait entr'ouvert la fenêtre, et il arrivait des souffles d'air
frais, chargés de l'odeur du jardin d'en bas.

Hubert Boinville eut tout à coup une hallucination. La *fignolette* et les yeux clairs de cette jolie jeune fille qui le faisaient penser aux paysages de sa petite ville, y étaient pour
20 beaucoup. Il lui sembla qu'il avait reculé de vingt ans en arrière, et qu'il était transporté dans quelque antique maison
de sa vieille province . . . Sa jeunesse cachée pendant vingt
ans sous les papiers de son bureau, sa jeunesse revenait dans
toute sa force, et devant lui les yeux bleus de Claudette riaient
25 d'une manière si naturelle, avec un éclat d'avril en fleur, que
son cœur insensible se réveillait et battait un gai tic-tac dans
sa poitrine . . .

La vieille dame s'était réveillée en sursaut et murmurait des
paroles d'excuse. Hubert Boinville se leva; il était temps de
30 prendre congé. Après avoir bien remercié Mme Blouet et
avoir promis de revenir, il tendit la main à Claudette. Leurs
regards se rencontrèrent un moment et les yeux du sous-directeur[1] étaient si brillants, que ceux de la jeune fille se baissèrent
vivement. Ce fut elle qui l'accompagna jusqu'au bas, et quand
35 ils furent sur le seuil, il lui serra encore une fois la main sans
trouver rien à lui dire . . .

[11] knitting   [1] assistant director

Et cependant il avait le cœur plein, le sous-directeur,[1] et quand il se retrouva seul dans le désert sombre de la rue de la Santé, il lui sembla qu'il entendait dans le ciel tous les violons[12] de la Saint-Nicolas.

Hubert Boinville donnait de nouveau, comme on dit en style des bureaux, «une impulsion active et éclairée au service.» L'administration avait recommencé à charger sa table des rapports *petit ordre* et des rapports *grand ordre*, des lettres au ministre et des projets divers. Les séances du Conseil, les demandes et les commissions ne lui avaient pas laissé une heure pour aller rue de la Santé. Pourtant le souvenir de la soirée de la Saint-Nicolas lui revenait souvent au milieu de son travail. À plusieurs reprises, il avait été détourné de la lecture d'un papier par l'image des beaux yeux de Claudette. Cette apparition volait au-dessus de ses papiers comme un léger papillon[13] bleu; le soir, quand le sous-directeur[1] rentrait dans son triste appartement de garçon, elle l'accompagnait et semblait le regarder en riant, tandis qu'il arrangeait son feu qui brûlait mal. Alors il songeait à ce bon dîner dans la petite chambre, à cette jeune fille qui avait un moment éveillé en lui les sensations de sa jeunesse. Parfois, il regardait avec tristesse dans la glace sa barbe déjà un peu grise; et il se disait comme le bonhomme La Fontaine: «Ai-je passé le temps d'aimer?» Alors, il était pris d'un sentiment de tendresse qui lui mettait l'esprit en agitation, et il regrettait de ne s'être point marié.

Un jour, par un sombre après-midi de la fin de décembre, le solennel garçon de bureau entr'ouvrit avec discrétion la porte du cabinet et annonça:

—Madame veuve[2] Blouet.

Boinville se leva avec grande joie pour recevoir la vieille dame. Après qu'il l'eut fait asseoir, il lui demanda en rougissant des nouvelles de sa petite-fille.

—Merci, monsieur, répondit-elle, la petite va bien, votre visite lui a porté chance . . . Elle cherchait depuis longtemps une

---

[1] assistant director [12] violins [13] butterfly [2] widow

place dans les Télégraphes[6] . . . Elle a reçu hier sa nomination et je n'ai pas voulu quitter Paris sans prendre congé de vous et vous exprimer toute notre reconnaissance.

La poitrine de Boinville se serra.

5 —Vous quittez Paris? demanda-t-il, ce poste est donc en province?

—Oui, loin de Paris . . . Et naturellement j'accompagne Claudette . . . J'ai quatre-vingt-deux ans, mon cher monsieur; je n'ai plus grand temps à passer dans ce monde et nous ne voulons pas 10 nous séparer.

—Vous partez bientôt?

—Dans la première semaine de janvier . . . Adieu, monsieur, vous avez été très bon pour nous, et Claudette m'a bien recommandé de vous remercier en son nom . . .

15 Le sous-directeur,[1] interdit et absorbé, ne répondait guère à ces phrases polies. Quand la vieille dame fut sortie, il resta longtemps à son bureau, la tête dans ses mains. Cette nuit-là, il dormit mal, et, le lendemain, il fut de très mauvaise humeur avec ses employés. Il ne tenait pas en place. Dès trois heures, il prit son chapeau, 20 quitta le ministère et sauta dans une voiture qui passait.

Une demi-heure après, il traversait tout frissonnant le jardin du numéro 12 de la rue de la Santé et il sonnait à la porte de Mme Blouet.

Ce fut Claudette qui vint lui ouvrir. À l'aspect du sous-direc- 25 teur,[1] elle recula, puis devint toute rouge, tandis qu'un sourire passait dans ses yeux bleus.

—Grand'mère est sortie, dit-elle, mais elle ne tardera pas à rentrer, et elle sera si heureuse de vous voir! . . .

—Ce n'est pas Mme Blouet que je désirais surtout rencontrer, 30 mais vous, mademoiselle.

—Moi? murmura-t-elle, troublée.

—Oui, vous, répéta-t-il d'un ton assez brusque . . . Sa gorge se serrait, il cherchait ses mots et les trouvait avec peine: —Vous partez toujours au mois de janvier?

[6] telegraph system   [1] assistant director

Elle répondit par un signe de tête.

—Ne regrettez-vous pas de quitter Paris?

—Oh! si! . . . Cela me fait gros cœur . . . Mais quoi? Cette place est pour nous une bonne fortune et grand'mère pourra au moins vivre en paix pendant ses dernières années.

—Et si je vous donnais un moyen de rester à Paris, tout en assurant le repos et le bien-être de Mme Blouet?

—Oh! monsieur! s'écria la jeune fille dont le visage s'alluma de joie.

—C'est un moyen héroïque, reprit-il en hésitant; vous le trouverez peut-être au-dessus de vos forces.

—J'ai du courage . . . Dites seulement, monsieur.

—Eh bien! mademoiselle . . . Il s'arrêta pour reprendre sa respiration; puis, très vite, d'un ton presque rude, il ajouta: —Voulez-vous m'épouser?

—Mon Dieu! . . . L'émotion la laissa sans voix.

Tout en exprimant une violente surprise, sa figure n'avait rien d'effrayé. Sa poitrine était agitée, ses lèvres restaient entr'ouvertes, mais ses grands yeux bleus brillaient d'un éclat très doux.

Quant à Boinville, il n'osait la regarder, de peur de lire sur ses traits une négation absolue. Pourtant, inquiet de son silence prolongé, sans relever la tête, il lui demanda: —Me trouvez-vous trop âgé? Vous semblez tout effrayée! . . .

—Effrayée, répondit-elle avec naïveté, non, mais troublée et . . . contente! . . . C'est trop beau . . . Je n'ose pas y croire!

—Chère enfant! s'écria-t-il en lui prenant les mains, croyez-y et croyez surtout que le véritable heureux, c'est moi, parce que je vous aime!

Elle restait muette, mais dans ses yeux il y avait une telle expression de reconnaissance et de tendresse, qu'Hubert Boinville ne pouvait plus s'y tromper. Il y lut sans doute qu'elle aussi se sentait heureuse, et pour les mêmes raisons, car il l'attira plus près de lui. Elle se laissait faire et Hubert, plus hardi, ayant levé les mains de la jeune fille à la hauteur de ses lèvres, les baisait avec une ardeur toute juvénile.

—Sainte mère de Dieu! s'écria la vieille dame qui arriva à ce moment.

Ils se retournèrent, lui, un peu confus; elle, toute rouge et heureuse.

5 —Mme Blouet, dit enfin Hubert Boinville, ne vous fâchez pas! Le soir où j'ai dîné chez vous, Saint-Nicolas est descendu dans ma cheminée comme au temps où j'étais enfant, et il m'a fait cadeau d'une femme . . . La voici, c'est votre petite-fille . . . Nous nous marierons le plus tôt possible, si vous le permettez.

XVIII

LE PAVILLON[1] SUR L'EAU

THÉOPHILE GAUTIER

Dans la province de Canton, à deux lieues environ de la ville, demeuraient porte à porte deux riches Chinois[2] retirés des affaires. L'un de ces Chinois[2] s'appelait Tou, et l'autre Kouan; Tou, très savant, avait occupé de hautes fonctions dans l'état; Kouan, dans des postes moins relevés, avait su obtenir de la fortune et de la considération. ₅

Tou et Kouan s'étaient aimés autrefois. Plus jeunes, ils se plaisaient à se réunir avec quelques-uns de leurs anciens condisciples pendant les soirées d'automne pour boire de petites tasses de vin; mais leurs deux caractères, qui ne présentaient d'abord que très ₁₀ peu de différences, devinrent, avec le temps, tout à fait opposés.

D'année en année, Tou prenait une attitude sérieuse; son ventre augmentait, son triple menton s'étageait[3] d'un air solennel, il ne faisait plus que des vers moraux bons à suspendre dans les pavillons.[1] ₁₅

Kouan, au contraire, semblait devenir plus jeune avec l'âge, et il chantait avec plus de joie que jamais le vin, les fleurs, et les oiseaux. Son esprit, débarrassé de soins ordinaires, était vif comme celui d'un jeune homme, et quand le mot qu'il fallait mettre dans un vers avait été donné, sa main n'hésitait pas un seul instant. ₂₀

Peu à peu les deux amis s'étaient pris de haine l'un contre l'autre. Ils ne pouvaient plus se parler sans s'adresser de paroles piquantes. Les choses en vinrent au point qu'ils n'eurent plus aucun rapport ensemble et firent pendre, chacun de son côté, à la façade de leurs maisons, une plaque portant la défense absolue ₂₅ qu'aucun des habitants du domicile voisin, sous quelque prétexte que ce fût, en franchît jamais le seuil.

[1] summer-house [2] Chinese [3] rose in tiers

Ils auraient bien voulu pouvoir arracher leurs maisons et les
planter ailleurs; malheureusement cela n'était pas possible. Tou
essaya même de vendre sa propriété; mais il n'en put trouver un
prix raisonnable, et d'ailleurs il en coûte toujours de quitter toutes
5 ces petites choses personnelles qu'on a pris tant de peine à ajouter;
il est dur de céder à d'autres le jardin qu'on a planté soi-même, où
l'on a vu, chaque printemps, paraître les fleurs préférées; chacun
de ces objets attache le cœur de l'homme avec un fil plus mince
que la soie, mais aussi difficile à rompre qu'une chaîne de fer.

10   À l'époque où Tou et Kouan étaient amis, ils avaient fait élever
dans leur jardin chacun un pavillon,[1] sur le bord d'une pièce d'eau
commune aux deux propriétés: c'était un plaisir pour eux de
s'envoyer chacun de son côté des salutations familières et de
fumer la goutte d'opium en échangeant des bouffées[4] d'amitié;
15 mais, depuis leurs dissensions, ils avaient fait bâtir un mur qui
séparait le petit lac en deux portions égales; seulement, comme
l'eau était d'une grande profondeur, le mur s'appuyait sur des
espèces d'arcades basses, dont les ouvertures laissaient passer les
eaux sur lesquelles se voyaient les reflets du pavillon[1] opposé.
20   Chaque pavillon[1] comptait trois étages avec des terrasses[5] en
retraite. Des rochers servaient du côté de la terre de base à ces
jolies constructions; du côté de l'eau, elles reposaient sur des
poteaux[6] de bois indestructible.

Sous le cristal de l'eau jouaient par bandes des poissons d'or, et
25 de jolis canards[7] glissaient en tous sens sur la surface. Sauf vers le
milieu, où le fond était formé d'un sable d'un blanc extraordinaire,
tout le reste du lac était couvert du plus beau tapis vert qu'on
puisse imaginer, par des nappes de cresson vivace.[8]

Sans cette vilaine muraille élevée par la haine des deux voisins,
30 il n'y eût pas eu, dans toute l'étendue de l'empire, qui, comme on
le sait, occupe plus des trois quarts du monde, un jardin plus joli
et plus délicieux; chacun eût ajouté à sa propriété la vue de celle
de l'autre; car l'homme de ce monde ne peut prendre des objets
que l'apparence.

[1] summer-house [4] puffs [5] terraces [6] piling [7] ducks [8] perennial water-cress

Telle qu'elle était, cependant, un sage n'eût pas souhaité, pour terminer sa vie dans la contemplation de la nature et les amusements de la poésie, une retraite plus fraîche et plus favorable.

Tou et Kouan avaient gagné à cause de leur haine une muraille pour toute perspective, et s'étaient privés de la vue des charmants pavillons:[9] mais ils se consolaient par l'idée d'avoir fait tort chacun à son voisin.

Cet état de choses régnait déjà depuis quelques années: les mauvaises herbes avaient envahi les sentiers qui conduisaient d'une maison à l'autre. On eût dit que les plantes comprenaient les dissensions qui divisaient les deux anciens amis, et y prenaient part en tâchant de les séparer encore davantage.

Pendant ce temps, les femmes de Tou et de Kouan avaient chacune donné le jour à un enfant. Madame Tou était mère d'une charmante fille, et madame Kouan, d'un garçon le plus joli du monde. Cet heureux événement, qui avait mis la joie dans les deux maisons, était ignoré de part et d'autre; car, bien que leurs propriétés se touchassent, les deux maris vivaient aussi étrangers l'un à l'autre que s'ils eussent été séparés par le fleuve Jaune ou la grande muraille; les connaissances communes évitaient toute allusion à la maison voisine, et les serviteurs, s'ils se rencontraient par hasard, avaient ordre de ne point se parler sous peine d'être battus.

Le garçon s'appelait Tchin-Sing, et la fille, Ju-Kiouan, c'est-à-dire, la perle[10] et le jaspe;[11] leur parfaite beauté justifiait le choix de ces noms. Quand ils étaient encore assez petits, la muraille, qui coupait le lac en deux et bornait la vue à tout le monde, attira leur attention, et ils demandèrent à leurs parents ce qu'il y avait de l'autre côté, et à qui appartenaient les grands arbres dont on n'apercevait que les plus hautes branches.

On leur répondait que c'était l'habitation de gens bizarres et pas du tout convenables, et que cette muraille avait été faite pour se défendre de si méchants voisins.

Cela avait suffi à ces enfants; ils s'étaient habitués à la muraille et n'y prenaient plus garde.

---

[9] summer-houses   [10] pearl   [11] jasper

Ju-Kiouan croissait en grâces et en perfections, elle s'y connaissait en travaux de jeunes filles, elle se servait de l'aiguille[12] avec
une adresse incomparable. Elle savait par cœur le livre des Odes et
les cinq règles de conduite; jamais main plus légère ne jeta sur le
5 papier de soie des caractères plus hardis et plus nets. Elle connaissait tous les modes de poésies, et composait des pièces pleines de
mérite sur les sujets qui doivent naturellement frapper une jeune
fille.

Tchin-Sing n'avait pas moins profité de ses études; son nom se
10 trouvait être des premiers sur la liste des examens. Quoiqu'il fût
bien jeune, il eût pu mettre le bonnet noir, et déjà toutes les mères
pensaient qu'un garçon si avancé dans les sciences ferait un excellent gendre[13] et parviendrait bientôt aux plus hauts honneurs dans
les lettres; mais Tchin-Sing disait qu'il était trop tôt, et qu'il dési-
15 rait jouir encore quelque temps de sa liberté. Il refusa l'une après
l'autre Hon-Giu, Lo-Men-Gli, Oma, Po-Fo et autres jeunes personnes fort distinguées. Jamais jeune homme ne reçut plus
d'avances; mais son cœur paraissait insensible à l'amour, non par
indifférence, car à mille détails on pouvait deviner que Tchin-Sing
20 avait l'âme tendre; on eût dit qu'il se souvenait d'une image connue
dans une autre existence, et qu'il espérait retrouver dans celle-ci.

De son côté, Ju-Kiouan ne se montrait pas moins difficile: elle
refusait tous les prétendants.[14] Celui-ci saluait sans grâce, celui-là
ne s'habillait pas avec goût; l'un avait une écriture lourde et com-
25 mune, l'autre ne savait pas le livre des vers, ou s'était trompé sur
la rime; bref, ils avaient tous un défaut quelconque.

À la fin, les parents des deux enfants s'inquiétèrent de leur
manière résolue à repousser tous les partis qu'on leur présentait.
Madame Tou et madame Kouan, absorbées sans doute dans ces
30 idées de mariage, continuaient dans leurs rêves de nuit leurs pensées de jour. Un de ces rêves qu'elles firent les frappa particulièrement. Madame Kouan rêva qu'elle voyait sur la poitrine de son
fils Tchin-Sing une pierre de jaspe[11] si bien polie, qu'elle jetait des
rayons brillants en tous sens; de son côté, madame Tou rêva que
35 sa fille portait au cou une perle[10] de la qualité la plus belle et

---

[12] needle   [13] son-in-law   [14] suitors   [11] jasper   [10] pearl

d'une valeur inestimable. Que voulaient dire ces deux rêves? Celui de madame Kouan indiquait-il pour Tchin-Sing les honneurs du Collège impérial, et celui de madame Tou voulait-il dire que Ju-Kiouan trouverait quelque trésor caché dans le jardin ou sous une pierre de la cheminée? Une telle idée n'avait rien d'impossible, 5 et plus d'un s'en fût contenté; mais les bonnes dames virent dans ce rêve des allusions à des mariages merveilleux que devaient bientôt conclure leurs enfants. Malheureusement Tchin-Sing et Ju-Kiouan insistaient plus que jamais à ne pas se marier.

Kouan et Tou, quoiqu'ils n'eussent rien rêvé, s'étonnaient d'une 10 pareille conduite, le mariage étant d'ordinaire un événement pour lequel les jeunes gens ne montrent pas une aversion si soutenue; ils s'imaginèrent qu'ils refusaient peut-être à cause d'une inclina-tion secrète; mais Tchin-Sing ne faisait la cour à aucune jeune fille, et nul jeune homme ne se promenait sous la fenêtre de 15 Ju-Kiouan. Quelques jours d'observation suffirent pour en con-vaincre les deux familles. Madame Tou et madame Kouan crurent plus que jamais aux grandes destinées prévues par le rêve.

Les deux femmes allèrent, chacune de son côté, consulter le bonze[15] du temple de Fô. Après avoir brûlé du papier doré et des 20 parfums devant un dieu, le bonze[15] répondit à madame Tou qu'il fallait la perle[10] au jaspe,[11] et à madame Kouan qu'il fallait le jaspe[10] à la perle:[11] que leur union seule pourrait terminer toutes les difficultés. Peu satisfaites de cette réponse incompréhensible, les deux femmes revinrent chez elles, sans s'être vues au temple, 25 par un chemin différent; leur embarras était encore plus grand qu'auparavant.

Or, il arriva qu'un jour Ju-Kiouan s'appuyait sur la balustrade du pavillon,[1] précisément à l'heure où Tchin-Sing en faisait autant de son côté.
30

Le temps était beau, aucun nuage ne cachait le ciel; il ne faisait pas assez de vent pour agiter une feuille. Les arbres de la rive se réfléchissaient dans l'eau si bien que l'on hésitait entre l'image et la réalité; on eût dit une forêt qui se serait noyée dans le lac pour un chagrin d'amour; les poissons avaient l'air de nager dans les 35

[15]Buddhist priest [10]pearl [11]jasper [1]summer-house

branches et les oiseaux de voler dans l'eau. Ju-Kiouan s'amusait
à considérer cette transparence merveilleuse, lorsque, jetant les
yeux sur la portion du lac qui était près du mur de séparation,
elle aperçut le reflet du pavillon[1] opposé qui s'étendait jusque-là
5 en glissant par une ouverture de l'arcade.

Elle n'avait jamais fait attention à cette image renversée, qui la
surprit et l'intéressa. Mais ce qui l'étonna au plus haut degré, ce
fut de voir penchée sur la balustrade, dans une position pareille à
la sienne, une figure qui lui ressemblait d'une telle façon, que si
10 elle ne fut pas venue de l'autre côté du lac, elle l'eût prise pour
elle-même: c'était l'ombre de Tchin-Sing, et si l'on trouve étrange
qu'un garçon puisse être pris pour une demoiselle, nous répon-
drons que Tchin-Sing, à cause de la chaleur, avait ôté son bonnet,
qu'il était encore très jeune et n'avait pas encore de barbe; ses
15 traits délicats et ses yeux brillants pouvaient prêter à l'illusion, qui,
du reste, ne dura guère. Ju-Kiouan, aux mouvements de son cœur,
reconnut bien vite que ce n'était point une jeune fille dont l'eau
répétait l'image.

Jusque-là, elle avait cru que la terre ne renfermait pas l'être créé
20 pour elle, et bien souvent elle avait souhaité d'avoir à sa disposition
un des chevaux de Fargana, qui font mille lieues par jour, pour le
chercher dans un pays lointain et merveilleux.

En voyant cette ombre dans l'eau, elle comprit que sa beauté
avait une sœur ou plutôt un frère. Loin d'être fâchée, elle se
25 trouva tout heureuse; l'orgueil de se croire unique céda bien vite
à l'amour, car dès cet instant, le cœur de Ju-Kiouan fut lié à
jamais; un seul coup d'œil échangé, non pas même d'une façon
directe, mais par simple réflexion, suffit pour cela.

Tchin-Sing avait aussi aperçu cette beauté merveilleuse: —Est-ce
30 un rêve que je fais tout éveillé, s'écria-t-il? Cette charmante figure
doit être formée des rayons de la lune par une nuit de printemps
et du plus délicat parfum des fleurs; quoique je ne l'ai jamais vue,
je la reconnais, c'est bien elle dont l'image est imprimée dans mon
âme, la belle inconnue à qui j'adresse mes vers d'amour.

[1] summer-house

Tchin-Sing en était là de son monologue, lorsqu'il entendit la voix de son père qui l'appelait.

—Mon fils, lui dit-il, c'est un parti très riche et très convenable que l'on te propose par Wing, mon ami. C'est une fille qui a du sang impérial, dont la beauté est célèbre, et qui possède toutes les qualités propres à rendre un mari heureux.

Tchin-Sing, tout occupé de l'aventure du pavillon,[1] et brûlant d'amour pour l'image entrevue dans l'eau, refusa nettement. Son père, très en colère, s'emporta et lui fit les menaces les plus violentes.

—Mauvais sujet, s'écria le vieillard, je prierai que l'on te fasse enfermer dans cette prison occupée par les sauvages d'Europe! Là, tu auras le temps de réfléchir et de te corriger!

Ces menaces n'effrayèrent pas beaucoup Tchin-Sing, qui répondit qu'il accepterait la première épouse qu'on lui présenterait pourvu que ce ne fût pas celle-là.

Le lendemain, à la même heure, il se rendit au pavillon,[1] et, comme la veille, se pencha en dehors de la balustrade.

Au bout de quelques minutes, il vit apparaître sur l'eau le reflet de Ju-Kiouan comme un bouquet de fleurs sous la surface. Le jeune homme posa la main sur son cœur, mit des baisers au bout de ses doigts et les envoya au reflet avec un geste plein de grâce et de passion.

Un sourire joyeux se montra dans la transparence de l'eau et prouva à Tchin-Sing qu'il ne déplaisait pas à la belle inconnue; mais comme on ne peut pas avoir de bien longues conversations avec un reflet dont on ne peut pas voir le corps, il fit signe qu'il allait écrire, et rentra dans l'intérieur. Au bout de quelques instants il sortit tenant une feuille de papier de couleurs variées, sur laquelle il avait écrit une déclaration d'amour en deux quatrains. Il roula sa pièce de vers et l'enveloppa d'une large feuille de nénuphar[16] qu'il posa avec soin sur l'eau.

Un léger vent, qui s'éleva fort à propos, poussa la déclaration sous la muraille, de sorte que Ju-Kiouan n'eut qu'à se baisser pour la recueillir. De peur d'être surprise, elle se retira dans la plus

---

[1] summer-house   [16] water-lily

reculée de ses chambres, et lut avec un plaisir infini les expressions
d'amour dont Tchin-Sing s'était servi; outre la joie de se savoir
aimée, elle éprouvait la satisfaction de l'être par un homme de
mérite, car la beauté de l'écriture, le choix des mots, l'exactitude
5 des rimes, l'éclat des images prouvaient une éducation brillante:
ce qui la frappa surtout, c'était le nom de Tchin-Sing. Elle avait
trop souvent entendu sa mère parler du rêve de la perle[10] pour
n'être pas frappée de cette coïncidence; aussi ne douta-t-elle pas
un instant que Tchin-Sing ne fût l'époux que le ciel lui destinait.
10   Le jour suivant, comme le vent avait changé, Ju-Kiouan envoya
par le même moyen une réponse en vers, où, malgré toute la
réserve naturelle à une jeune fille, il était facile de voir qu'elle
partageait l'amour de Tchin-Sing.

En lisant la signature du billet, Tchin-Sing ne put retenir une
15 exclamation de surprise: «Le Jaspe!»[11] N'est-ce pas la pierre
précieuse que ma mère voyait en rêve! Décidément il faut que je
me présente dans cette maison; car c'est là qu'habite l'épouse que
les dieux me destinent.

Comme il allait sortir, il se souvint des dissensions qui divisaient
20 les deux propriétaires, et des deux prohibitions inscrites sur la
plaque; et ne sachant quel parti prendre, il conta toute l'histoire
à madame Kouan. Ju-Kiouan, de son côté, avait tout dit à madame
Tou. Ces noms de perle[10] et de jaspe[11] parurent si importants aux
deux mères, qu'elles retournèrent au temple de Fô consulter le
25 bonze.[15]

Le bonze répondit que tel était, en effet, le sens du rêve, et que
ne pas le suivre serait risquer la colère des dieux. Touché des
prières des deux femmes, et aussi par quelques légers présents
qu'elles lui firent, il se chargea de tout dire à Tou et à Kouan,
30 et les convainquit si bien, qu'ils ne purent rien refuser lorsqu'il
découvrit la véritable origine des époux. En se revoyant après un
si long temps, les deux anciens amis s'étonnèrent d'avoir pu se
séparer pour si peu de causes, et sentirent combien ils s'étaient
privés l'un et l'autre. Le mariage se fit et la Perle[10] et le Jaspe[11]
35 purent enfin se parler autrement que par moyen d'un reflet.

[10] pearl   [11] jasper   [15] Buddhist priest

XIX

L'ESQUISSE[1] MYSTÉRIEUSE

ERCKMANN–CHATRIAN

I

En face de l'église de Saint-Sébalt, à Nuremberg, s'élève une petite
auberge, étroite et haute. C'est là que j'ai passé les plus tristes jours
de ma vie. J'étais allé à Nuremberg pour étudier les vieux maîtres
allemands; mais, faute d'argent, il me fallut faire des portraits . . .
et quels portraits!   5

Des portraits je descendis aux croquis,[1] et des croquis aux
silhouettes.

Rien d'ennuyeux comme d'avoir tout le temps sur le dos un
maître d'hôtel qui vient vous dire chaque jour: «Ah! ça! me
payerez-vous bientôt, monsieur? savez-vous à combien se monte 10
votre note? Non, cela ne vous inquiète pas . . . Monsieur mange,
boit et dort sans soucis . . . La note de monsieur se monte à
deux cents florins . . . ce n'est pas la peine qu'on en parle.»

Ceux qui n'ont pas entendu chanter ce refrain, ne peuvent s'en
faire une idée; l'amour de l'art, l'imagination, l'enthousiasme sacré 15
du beau se meurent au souffle d'un pareil drôle . . . Vous devenez
gauche, sans courage; toute votre énergie se perd, aussi bien que
le sentiment de votre orgueil personnel, et vous saluez de loin,
avec respect, M. le bourgmestre[2] Schnéegans!

Une nuit, n'ayant pas le sou, comme d'habitude, et menacé de 20
la prison par ce digne maître Rap, je résolus de lui jouer un tour
en me coupant la gorge. Dans cette agréable pensée, assis sur mon
pauvre lit en face de la fenêtre, je me livrais à mille réflexions plus
ou moins réjouissantes . . . Je n'osais ouvrir mon rasoir,[3] de peur
que la force invincible de ma logique ne m'inspirât le courage d'en 25

[1] sketch [2] burgomaster [3] razor

finir. Après avoir bien considéré de la sorte, je soufflai ma lumière, renvoyant la suite au lendemain.

Cet abominable Rap m'avait complètement ruiné. Je ne voyais plus, en fait d'art, que des silhouettes, et mon seul désir était 5 d'avoir de l'argent, pour me débarrasser de sa présence. Mais cette nuit-là, il se fit une singulière révolution dans mon esprit. Je m'éveillai vers une heure, j'allumai de nouveau ma lampe, et, m'enveloppant de mon surtout gris, je jetai sur le papier une rapide esquisse[1] . . . quelque chose d'étrange, de bizarre, et qui 10 n'avait aucun rapport avec mes conceptions habituelles.

Figurez-vous une cour sombre, entre de hautes murailles tombant en ruines . . . Ces murailles sont plantées de crocs,[4] à sept ou huit pieds du sol. On devine, au premier aspect, une boucherie.[5] Vous apercevez un bœuf suspendu à côté d'une porte sombre. 15 Du sang coule un peu partout. La lumière vient de haut, entre les cheminées, et les toits des maisons voisines jettent les unes sur les autres leurs ombres épaisses d'étage en étage.

Au fond de cette cour se trouve quelques bottes de paille, des paquets de corde, une cage à poulets et une vieille cabane à lapins[6] 20 hors de service.

Comment ces détails s'offraient-ils à mon imagination? . . . Je l'ignore; je n'avais nulle réminiscence semblable, et pourtant, chaque coup de crayon était un fait d'observation frappant. Rien n'y manquait!

25 Mais à droite, un coin de la cour restait blanc . . . je ne savais qu'y mettre . . . Là quelque chose s'agitait . . . Tout à coup j'y vis un pied, un pied renversé, détaché du sol. Malgré cette position improbable, je suivis l'inspiration sans me rendre compte de ma propre pensée. Ce pied aboutit à une jambe . . . sur la jambe, 30 étendue avec effort, flotta bientôt le bas d'une robe . . . Bref, une vieille femme, pâle, défaite, le visage hagard, renversée au bord d'un puits,[7] et luttant contre un poing qui lui serrait la gorge . . .

C'était une scène de meurtre[8] que je dessinais. Le crayon me 35 tomba de la main.

[1] sketch   [4] hooks   [5] butcher-shop   [6] rabbit hutch   [7] well   [8] murder

Cette femme, dans l'attitude la plus hardie, le corps plié sur le bord du puits,[7] les yeux grands ouverts de terreur, les deux mains saisissant le bras de l'assassin, me faisait peur . . . Je n'osais la regarder. Mais l'homme, lui, le personnage de ce bras, je ne le voyais pas . . . Il me fut impossible de le terminer.   5

«Je suis fatigué, me dis-je, il ne me reste que cette figure à faire, je terminerai demain . . . Ce sera facile.»

Et je me couchai de nouveau, tout effrayé de ma vision. Cinq minutes après je dormais profondément.

Le lendemain j'étais debout au petit jour. Je venais de m'habiller, 10 et je m'apprêtais à reprendre l'œuvre interrompue, quand deux petits coups retentirent à la porte.

«Entrez!»

La porte s'ouvrit. Un homme déjà vieux, grand, maigre, vêtu de noir, apparut sur le seuil. La physionomie de cet homme, ses yeux 15 rapprochés, son grand nez, avait quelque chose de sévère. Il me salua d'un air grave.

—M. Christian Vénius, le peintre? dit-il.

—C'est moi, monsieur.

Il s'inclina de nouveau, ajoutant: 20

—Le baron Frédéric Van Spreckdal.

L'apparition, dans ma pauvre chambre, du riche amateur Van Spreckdal, juge au tribunal criminel,[9] fit une grande impression sur moi. Je ne pus m'empêcher de jeter un coup d'œil dérobé sur mes vieux meubles et sur mon plancher sale et usé. Mais Van 25 Spreckdal ne parut pas faire attention à ces détails, et s'asseyant devant ma petite table:

—Maître Vénius, reprit-il, je viens . . .

Mais, au même instant, ses yeux s'arrêtèrent sur l'esquisse[1] commencée . . . il ne termina point sa phrase. Je m'étais assis au bord 30 du lit, et l'attention soudaine que ce personnage accordait à l'une de mes productions, faisait battre mon cœur d'une étrange appréhension.

Au bout d'une minute, Van Spreckdal levant la tête:

[7] well   [9] criminal court   [1] sketch

—Êtes-vous l'auteur de cette esquisse?[1] me dit-il le regard attentif.

—Oui, monsieur.

—Quel en est le prix?

5 —Je ne vends pas mes esquisses[1] . . . C'est le projet d'un tableau.

—Ah! fit-il, en levant le papier du bout de ses longs doigts jaunes.

Il se mit à étudier le dessin en silence.

—Et les dimensions de ce tableau, maître Vénius? fit-il enfin
10 sans me regarder.

—Trois pieds sur quatre.

—Le prix?

—Cinquante ducats.

Van Spreckdal déposa le dessin sur la table, et tira de sa poche
15 une longue bourse de soie verte.

—Cinquante ducats! dit-il, les voilà.

Je fus trop étonné pour lui répondre.

Le baron s'était levé, il me salua, et j'entendis sa grande canne[10]
sonner sur chaque marche jusqu'au bas de l'escalier. Alors, revenu
20 de ma surprise, je me rappelai tout à coup que je ne l'avais pas
remercié, et je descendis les cinq étages à toute vitesse; mais,
arrivé sur le seuil, j'eus beau regarder à droite et à gauche, la rue
était déserte.

«Tiens! me dis-je, c'est drôle! . . .»

25 Et je remontai l'escalier et rentrai dans ma pauvre chambre.

La manière surprenante dont Van Spreckdal venait de m'apparaître me jetait dans une profonde joie. «Hier, me disais-je en
regardant la pile de ducats brillant au soleil, hier je formais le
30 projet coupable de me couper la gorge, pour quelques misérables
florins, et voilà qu'aujourd'hui la fortune me tombe du ciel . . .
Décidément, j'ai bien fait de ne pas ouvrir mon rasoir,[8] et si jamais
le désir d'en finir me reprend, j'aurai soin de remettre la chose au
lendemain.»

35 Après ces sages réflexions, je m'assis pour terminer l'esquisse;[1]

[1] sketch   [10] cane   [8] razor

quatre coups de crayon, et c'était une affaire faite. Mais ici m'attendait une déception incompréhensible. Ces quatre coups de crayon, il me fut impossible de les donner; j'avais perdu le fil de mon inspiration, le personnage mystérieux ne se montrait pas. J'avais beau le chercher, lui donner forme, le reprendre; il ne 5 s'accordait plus avec l'ensemble. J'en suais[11] à grosses gouttes.

Au plus beau moment, Rap ouvrait la porte sans frapper, suivant son habitude, ses yeux se fixèrent sur ma pile de ducats, et d'une voix de triomphe il s'écria:

—Eh! eh! je vous y prends. Direz-vous encore, monsieur le 10 peintre, que l'argent vous manque . . .

Et ses doigts tremblants s'avancèrent vers mon argent.

Je restai surpris quelques secondes.

Le souvenir de toutes les humiliations que m'avait imposées cet individu, son sourire impudent, tout me jeta dans une colère 15 terrible. D'un seul geste je le saisis, et le repoussant des deux mains hors de la chambre, je lui aplatis[12] le nez avec la porte.

Dehors le vieil usurier[13] poussa des cris aigus:

—Mon argent! bandit! mon argent!

Les voisins sortaient de chez eux et demandaient: 20

—Qu'y a-t-il donc? Qu'est-ce qui se passe?

J'ouvris la porte, et dépêchant, dans le dos de maître Rap, un coup de pied qui le fit rouler plus de vingt marches:

—Voilà ce qui se passe! m'écriai-je hors de moi. Puis je refermai la porte à double tour, tandis que les éclats de rire des voisins 25 saluaient maître Rap au passage.

J'étais content de moi, je me frottai les mains . . . Je repris l'ouvrage et j'allais terminer le dessin lorsqu'un étrange bruit frappa mes oreilles. Je regardai par ma fenêtre et je vis trois agents de police, le fusil au pied, à la porte d'entrée. 30

«Ce misérable Rap se serait-il cassé quelque chose?» me dis-je effrayé.

Et voyez l'étrange opération de l'esprit humain: moi qui voulais la veille me couper la gorge, je tremblai de terreur en pensant qu'on pourrait bien me pendre, si Rap était mort! 35

[11] perspired   [12] flattened   [13] miser

Tout à coup on essaya d'ouvrir ma porte. Elle était fermée!
Alors ce fut un bruit général.

—Au nom de la loi . . . ouvrez!

Je me levai, frissonnant, les jambes molles . . .

5 —Ouvrez! reprit la même voix.

Voyant que la fuite était impossible, je m'approchai de la porte,
et je tournai la clef.

Deux poings s'abattirent sur mon épaule. Un petit homme qui
sentait le vin me dit:

10 —Je vous arrête!

C'était le chef de la police.

—Que voulez-vous? lui demandai-je.

—Descendez, s'écria-t-il en faisant signe à l'un de ses hommes de
m'emmener.

15 Celui-ci m'entraîna plus mort que vif, pendant que les autres
bouleversaient ma chambre jusqu'aux derniers coins.

On me jeta dans une voiture, entre deux agents . . . J'entendis
rouler derrière nous les pas de tous les gamins de la ville.

—Qu'ai-je donc fait? demandai-je à l'un des agents.

20 Il regarda l'autre avec un sourire bizarre, et dit:

—Hans . . . il demande ce qu'il a fait!

Ce sourire me glaça[14] le sang.

Bientôt une ombre profonde enveloppa la voiture. Nous entrions
à la Raspelhaus . . . des mains de Rap je tombais dans une prison
25 d'où bien peu de pauvres diables ont eu la chance de se tirer.

Le géolier,[15] autant que je m'en souviens, s'appellait Kaspar
Schlüssel; avec son bonnet de laine grise, son bout de pipe entre
les dents, ses clefs à la ceinture, il ne me promit rien de bon pour
l'avenir. Il m'enferma d'un air absorbé, en rêvant à autre chose.

30 Quant à moi, les mains croisées sur le dos, la tête inclinée, je restai
plus de dix minutes à la même place. Puis, je regardai ma prison.
Elle venait d'être blanchie[16] à neuf, et ses murailles n'offraient
encore aucun dessin. Le jour venait d'une petite fenêtre située à
neuf ou dix pieds de hauteur; les meubles se composaient d'une
35 botte de paille et d'une vieille table.

[14] froze   [15] jailor   [16] white-washed

Je m'assis sur la paille, les mains autour des genoux, dans une prostration absolue . . .

Presque au même instant, j'entendis Schlüssel traverser le corridor; il ouvrit la porte et me dit de le suivre. Il était toujours assistés des deux agents.

Nous traversâmes de longues galeries, éclairées, de distance en distance, par quelques fenêtres intérieures. J'aperçus derrière une grille le fameux Jic-Jack, qui devait être exécuté le lendemain. Il portait le camisole de force[17] et chantait d'une voix effrayante:

—Je suis le roi de ces montagnes!

En me voyant, il cria:

—Eh! camarade, je te garde une place à ma droite.

Les deux agents de police et le vieux Schlüssel se regardèrent en souriant, tandis que je frissonnais tout le long de mon dos.

II

Schlüssel me poussa dans une haute salle très sombre. L'aspect de cette salle déserte, ses deux hautes fenêtres, son Christ de vieux chêne, les bras tendus, la tête inclinée sur l'épaule, m'inspira je ne sais quelle crainte religieuse d'accord avec ma situation actuelle, et mes lèvres s'agitèrent, murmurant une prière.

Depuis longtemps, je n'avais pas prié, mais le malheur nous ramène toujours à la religion . . . L'homme est si peu de chose!

En face de moi, sur un siège élevé, se trouvaient assis deux personnages tournant le dos à la lumière, ce qui laissait leurs figures dans l'ombre. Cependant je reconnus Van Spreckdal à sa maigre figure, éclairée par un reflet de la vitre. L'autre personnage était gros; il avait les joues pleines, les mains courtes, et portait la robe de juge, ainsi que Van Spreckdal.

Au-dessous était assis le greffier[18] Conrad; il écrivait sur une table basse, se caressant le bout de l'oreille avec la barbe de sa plume. À mon arrivée il s'arrêta pour me regarder d'un air curieux.

On me fit asseoir, et Van Spreckdal, élevant la voix, me dit:

—Christian Vénius, d'où tenez-vous ce dessin?

Il me montrait l'esquisse[1] de la nuit précédante, alors en sa

[17] straight-jacket [18] clerk [1] sketch

possession. On me la fit passer . . . Après l'avoir examiné, je répondis:

—J'en suis l'auteur.

Il y eut un assez long silence; le greffier[18] Conrad écrivait ma réponse. J'entendis sa plume courir sur le papier et je pensais: «Que signifie la question qu'on vient de me faire? Cela n'a point de rapport avec le coup de pied donné à Rap.»

—Vous en êtes l'auteur, reprit Van Spreckdal. Quel en est le sujet?

—C'est un sujet de fantaisie.

—Vous n'avez point vu ces détails quelque part?

—Non, monsieur, je les ai **tous** imaginés.

—Accusé Christian, dit le juge d'un ton sévère, je vous invite à réfléchir. Ne mentez pas!

Je rougis, et d'un ton élevé, je m'écriai:

—J'ai dit la vérité.

—Écrivez, greffier,[18] fit Van Spreckdal.

La plume courut de nouveau.

—Et cette femme, poursuivit le juge, cette femme qu'on tue au bord d'un puits[7] . . . l'avez-vous aussi imaginée!

—Sans doute.

—Vous ne l'avez jamais vue?

—Jamais.

Van Spreckdal parut se consulter à voix basse avec l'autre juge.

«Que me veut-on? qu'ai-je donc fait?» murmurai-je.

Tout à coup Van Spreckdal dit aux agents:

—Vous allez conduire le prisonnier à la voiture; nous partons pour la Metzerstrasse.

Puis s'adressant à moi:

—Christian Vénius, s'écria-t-il, vous êtes dans une voie déplorable . . . Recueillez-vous et songez que si la justice des hommes est inflexible . . . il vous reste la pitié de Dieu . . . Vous pouvez la mériter en avouant votre crime!

Ces paroles me frappèrent comme un coup de bâton . . . Je me rejetai en arrière les bras étendus, en m'écriant:

[18] clerk   [7] well

—Ah! quel rêve affreux!

Et je m'évanouis.

Lorsque je revins à moi, la voiture roulait déjà dans la rue; une autre nous précédait. Les deux agents étaient toujours là. L'un d'eux, pendant la route, offrit une prise de tabac à son ami; sans [5] le vouloir j'étendis les doigts vers la tabatière;[19] il la retira vivement.

Le rouge de la honte me monta au visage, et je détournai la tête pour cacher mon émotion.

—Si vous regardez dehors, dit l'homme à la tabatière,[19] nous serons forcés de vous mettre les menottes.[20] [10]

—Que le diable t'emporte! pensai-je en moi-même. Et comme la voiture venait de s'arrêter, l'un d'eux descendit, tandis que l'autre me retenait par le bras; puis, voyant son camarade prêt à me recevoir, il me poussa dehors.

Ces précautions infinies pour s'assurer de ma personne ne m'an- [15] nonçaient rien de bon; mais j'étais loin de prévoir toute l'étendue de l'accusation, quand une circonstance affreuse m'ouvrit enfin les yeux, et me jeta dans le désespoir.

On venait de me pousser dans une allée basse, à pavés rompus. Je marchais dans le noir, deux hommes derrière moi. Plus loin [20] apparaissait la lumière d'une cour intérieure. À mesure que j'avançais, la terreur me pénétrait de plus en plus. Je reculais à chaque pas.

—Allons donc! criait l'un des agents de police en m'appuyant la main sur l'épaule; marchez! [25]

Mais quel ne fut pas mon étonnement, lorsque, au bout du corridor, je vis la cour que j'avais dessinée la nuit précédante, avec ses murs plantés de crocs,[4] sa cage à poulets et sa cabane à lapins[6] . . . Pas une fenêtre grande ou petite, haute ou basse, pas une vitre cassée, pas un détail ne manquait! [30]

Je restai interdit devant cette étrange révélation.

Près du puits[7] se trouvaient les deux juges, Van Spreckdal et Richter. À leurs pieds était la vieille femme, couchée sur le dos . . . la face bleue . . . les yeux grands ouverts . . . et la langue prise entre les dents. [35]

[19] snuff-box [20] handcuffs [4] hooks [6] rabbit hutch [7] well

C'était un spectacle horrible!

—Eh bien! me dit Van Spreckdal d'un accent solennel, qu'avez-vous à dire?

Je ne répondis pas.

⁵ —Reconnaissez-vous avoir jeté cette femme, Thérésa Becker, dans ce puits,⁷ après l'avoir tuée pour lui voler son argent?

—Non, m'écriai-je, non! Je ne connais pas cette femme, je ne l'ai jamais vue. Que Dieu me soit en aide!

—Cela suffit, répliqua-t-il d'une voix sèche.

¹⁰ Et, sans ajouter un mot, il sortit de la cour.

On me ramena à la Raspelhaus. Je ne savais plus que penser . . . ma conscience elle-même se troublait; je me demandais si je n'avais pas tué la vieille femme!

Aux yeux des agents, j'étais condamné.

¹⁵ Je ne vous raconterai pas mes émotions de la nuit à la Raspelhaus, lorsque, assis sur ma botte de paille, la fenêtre en face de moi et le gibet ²¹ en perspective, j'entendis le wachtmann²² crier dans le silence: «Dormez, habitants de Nuremberg, le Seigneur veille! Une heure! . . . deux heures! . . . trois heures sonnées!»

²⁰ Chacun peut se faire l'idée d'une nuit pareille.

Le jour vint enfin. Dehors la rue s'animait; il y avait marché ce jour-là: c'était un vendredi. J'entendais passer les charrettes à légumes,²³ et les bons paysans chargés de leurs paniers. La halle²⁴ en face s'ouvrait . . . on arrangeait les bancs.

²⁵ Enfin le grand jour se fit, et les bruits sourds et confus de la foule qui grandissait m'annoncèrent qu'il était huit heures du matin. Avec la lumière, la confiance prit un peu le dessus dans mon cœur. Quelques-unes de mes idées noires disparurent; j'éprouvai le désir de voir ce qui se passait dehors.

³⁰ D'autres prisonniers, avant moi, s'étaient élevés jusqu'à l'étroite fenêtre; ils avaient creusé des trous dans le mur pour cet effet . . . J'y montai à mon tour, et quand je pus voir la foule, le mouvement . . . des larmes chaudes coulèrent sur mes joues. Je ne songeais plus au suicide . . . j'éprouvai un besoin de vivre, de ³⁵ respirer, extraordinaire.

⁷ well ²¹ gallows ²² crier ²³ vegetable carts ²⁴ market

«Ah! me disais-je, vivre, c'est être heureux! . . . Qu'on me fasse travailler nuit et jour, qu'on me garde en prison . . . Qu'importe, pourvu que je vive! . . .»

Or, pendant que je regardais ainsi, un homme, un boucher[25] passa, le dos incliné, portant un énorme quartier de bœuf sur les épaules; il avait les bras nus, les coudes en l'air, la tête penchée . . . Ses cheveux flottants me cachaient son visage, et pourtant, au premier coup d'œil, je frissonnai . . .

«C'est lui!» me dis-je.

Tout mon sang revint vers le cœur . . . Je descendis dans la prison, tremblant jusqu'au bout des doigts, sentant mes joues s'agiter, et répétant d'une voix étouffée:

«C'est lui! Il est là . . . là . . . et moi je vais mourir pour son crime . . . Oh Dieu! . . . que faire? . . . que faire? . . .»

Une idée soudaine, une inspiration du ciel me traversa l'esprit . . . Je portai la main à la poche de mon habit; ma boîte à fusain[26] s'y trouvait!

Alors, m'élançant vers la muraille, je me mis à dessiner la scène du meurtre[8] avec une inspiration surprenante. Plus d'incertitudes, plus d'hésitation. Je connaissais l'homme . . . Je le voyais . . . Il posait devant moi.

À dix heures, le géolier[15] entra.

—Est-ce possible? s'écria-t-il, debout sur le seuil et regardant mon dessin.

—Allez chercher mes juges, lui dis-je en poursuivant mon travail avec une exaltation grandissante.

Schlüssel reprit:

—Ils vous attendent dans la salle d'instruction.

—Je veux faire des révélations, m'écriai-je en mettant la dernière main au personnage mystérieux.

Il vivait; il était effrayant à voir. Sa figure se détachait nettement sur le fond blanc.

Le géolier[15] sortit.

Quelques minutes après, les deux juges parurent. Ils restèrent interdits.

[25] butcher   [20] charcoal   [8] murder   [15] jailor

Moi, la main étendue et tremblant de tous les membres, je leur dis:

—Voici l'assassin!

Van Spreckdal, après quelques instants de silence, me demanda:

5   —Son nom?

—Je l'ignore . . . mais il est, en ce moment, sous la halle[24] . . . il coupe de la viande sur la troisième table, à gauche, en entrant par la rue des Trabans.

—Qu'en pensez-vous? dit-il en se penchant vers son compagnon.

10 —Qu'on cherche cet homme, répondit l'autre d'un ton grave.

Plusieurs agents, restés dans le corridor, obéirent à cet ordre. Les juges restèrent debout, regardant toujours l'esquisse.[1] Moi, je me laissai tomber sur la paille, la tête entre les genoux, comme à bout de forces.

15 Bientôt des pas retentirent au loin dans le corridor. Ceux qui n'ont pas attendu l'heure de la libération et compté les minutes, longues alors comme des siècles . . . ceux qui n'ont pas ressenti les émotions vives de la terreur, l'espérance, le doute . . . ceux-là ne sauraient concevoir les sentiments intérieurs que j'éprouvais dans

20 ce moment. J'aurais distingué les pas de l'assassin, marchant au milieu de ses gardes, entre mille autres. Ils s'approchaient . . . Les juges eux-mêmes paraissaient émus . . . Moi, j'avais relevé la tête, et le cœur serré comme dans une main de fer, j'attachais un regard attentif sur la porte fermée. Elle s'ouvrit . . . l'homme entra . . .

25 Van Spreckdal, sans une parole, lui montra l'esquisse.[1]

Alors, cet homme à la face sanguine, aux larges épaules, ayant regardé, devint tout pâle . . . puis, poussant un cri qui nous remplit tous de terreur, il écarta ses bras énormes, et sauta en arrière pour renverser les gardes. Il y eut une lutte effrayante dans

30 le corridor; on n'entendait que la respiration du boucher,[25] des imprécations sourdes, des paroles brèves, et les pieds des gardes, soulevés de terre retombant sur la pierre.

Cela dura bien une minute.

Enfin, l'assassin rentra, la tête basse, l'œil hagard, les mains liées

[24] market   [1] sketch   [25] butcher

sur le dos. Il fixa de nouveau le tableau du crime . . . parut réfléchir, et, d'une voix basse, comme se parlant à lui-même:

—Qui donc a pu me voir, dit-il, à minuit?

J'étais sauvé!!! . . .

Bien des années se sont écoulées depuis cette terrible aventure. 5
Grâce à Dieu! je ne fais plus de silhouettes. À force de travail et de
persévérance, j'ai obtenu ma place au soleil, et je gagne ma vie en
faisant des œuvres d'art, le seul but, suivant moi, auquel tout
véritable artiste doit s'efforcer d'atteindre. Mais le souvenir de
l'esquisse[1] mystérieuse m'est toujours resté dans l'esprit. Parfois, 10
au beau milieu du travail, ma pensée y revient. Alors, je m'arrête
et je rêve durant des heures entières!

Comment un crime commis par un homme que je ne connaissais
pas . . . dans une maison que je n'avais jamais vue . . . a-t-il pu
apparaître sous mon crayon, jusque dans ses moindres détails? 15

Est-ce un hasard? Non! Et d'ailleurs, le hasard, qu'est-ce, après
tout, sinon l'effet d'une cause qui nous échappe?

Qui sait? La nature est plus hardie dans ses réalités que l'imagination de l'homme dans sa fantaisie!

[1] sketch

XX

LE LOUIS D'OR[1]

(Conte de Noël)

François Coppée

Lorsque Lucien de Hem eut vu son dernier billet de cent francs saisi par le banquier,[2] et qu'il se fut levé de la table de roulette où il venait de perdre les débris de sa petite fortune, réunis par lui pour cette suprême bataille, il se sentit devenir faible et crut qu'il
5 allait tomber.

La tête troublée, les jambes molles, il alla se jeter sur le large banc qui faisait le tour de la salle de jeu. Pendant quelques minutes, il regarda l'intérieur de cette salle clandestine dans laquelle il avait perdu les plus belles années de sa jeunesse, reconnut les tristes
10 têtes des joueurs,[3] éclairées par les trois grandes lampes, écouta rouler l'or sur le tapis, songea qu'il était ruiné, se rappela qu'il avait chez lui les revolvers dont son père, le général de Hem, s'était si bien servi dans ses campagnes; puis, brisé de fatigue, il s'endormit d'un sommeil profond.

15 Quand il se réveilla, la bouche sèche, il constata, par un regard jeté à la pendule, qu'il avait dormi une demi-heure à peine, et il éprouva un grand besoin de respirer l'air de la nuit. Il était minuit moins le quart. Tout en se levant, Lucien se souvint alors qu'on était à la veille de Noël, et, par un étrange jeu de la mémoire, il se
20 revit soudain tout petit enfant et mettant, avant de se coucher, ses souliers dans la cheminée.

En ce moment, le vieux Dronski s'approcha de Lucien et murmura quelques mots dans sa sale barbe grise:

—Prêtez-moi donc une pièce de cinq francs, monsieur. Voilà
25 deux jours que je n'ai pas bougé du cercle, et depuis deux jours le

---

[1] *a gold coin*   [2] banker   [3] players

152

«dix-sept» n'est pas sorti . . . Moquez-vous de moi, si vous voulez; mais je donnerais mon poing à couper que tout à l'heure, au coup de minuit, le numéro sortira.

Lucien de Hem haussa les épaules; il n'avait même plus dans sa poche de quoi satisfaire la demande de ce vieux misérable. Il passa ₅ dans le vestibule, mit son chapeau et son pardessus, et descendit l'escalier avec précipitation.

Depuis quatre heures que Lucien était enfermé dans la maison de jeu, la neige était tombée sans cesse, et la rue—une rue du centre de Paris, assez étroite et bâtie de hautes maisons—était toute ₁₀ blanche. Dans le ciel bleu noir, de froides étoiles brillaient.

Lucien frissonna sous son lourd pardessus et se mit à marcher, roulant toujours dans son esprit des pensées de désespoir et songeant plus que jamais à la boîte de revolvers qui l'attendait chez lui; mais, après avoir fait quelques pas, il s'arrêta tout d'un coup ₁₅ devant un douloureux spectacle.

Sur un banc de pierre placé, selon l'usage d'autrefois, près de la porte d'entrée d'un hôtel, une petite fille de six ou sept ans, à peine vêtue d'une robe noire tout usée, était assise dans la neige. Elle s'était endormie là, malgré le froid cruel, dans une attitude ₂₀ effrayante de fatigue et de misère, et sa pauvre petite tête et son épaule maigre étaient comme enfoncés dans un angle de la muraille et reposaient sur la pierre froide et dure. Un des souliers que portait l'enfant s'était détaché de son pied qui pendait, et était resté devant elle sur le trottoir. ₂₅

Par habitude, Lucien de Hem porta la main à sa poche; mais il se souvint qu'un instant auparavant il n'y avait même pas trouvé une pièce de vingt sous oubliée, et qu'il n'avait pas pu donner de pourboire au garçon du cercle. Cependant, poussé par un senti-ment de pitié, il s'approcha de la petite fille, et il allait peut-être ₃₀ l'emporter dans ses bras et lui donner refuge pour la nuit, lorsque, dans le soulier tombé sur la neige, il vit quelque chose de brillant.

Il se pencha. C'était un louis d'or.[1]

Une personne charitable, une femme sans doute, avait passé par ₃₅

[1] *a gold coin*

là, avait vu, dans cette nuit de Noël, cette chaussure devant cette
enfant endormie, et, se rappelant la touchante histoire du Christ,
elle avait laissé tomber cette pièce d'or, pour que la petite crût
encore aux cadeaux faits par l'Enfant-Jésus et conservât, malgré
5 son malheur, quelque confiance et quelque espoir dans la bonté de
la Providence.

Un louis![1] c'étaient plusieurs jours de repos et de richesse pour
la pauvre petite; et Lucien était sur le point de l'éveiller pour lui
dire cela, quand il entendit près de son oreille, comme dans une
10 hallucination, une voix—la voix du vieux Dronski avec son accent
traînant et gras—qui murmurait tout bas ces mots:

—Voilà deux jours que je n'ai pas bougé du cercle, et depuis deux
jours le «dix-sept» n'est pas sorti . . . Je donnerais mon poing à
couper que tout à l'heure, au coup de minuit, le numéro sortira.

15   Alors ce jeune homme de vingt-trois ans, qui descendait d'une
race d'honnêtes gens, qui portait un superbe nom militaire, et qui
n'avait jamais trahi son honneur, conçut une terrible pensée; il fut
pris d'un désir fou, horrible. D'un regard il s'assura qu'il était bien
seul dans la rue déserte, et, pliant le genou, avançant avec pré-
20 caution sa main tremblante, il vola le louis d'or[1] dans le soulier
tombé! Puis, courant de toutes ses forces, il revint à la maison de
jeu, monta vite l'escalier, poussa d'un coup de poing la porte de la
salle clandestine, y pénétra au moment précis où la pendule sonna
le premier coup de minuit, posa la pièce d'or sur le tapis vert et
25 cria:

—En plein sur le «dix-sept»!

Le «dix-sept» gagna.

Sans hésiter, Lucien poussa les trente-six louis[1] sur la rouge.

La rouge gagna.

30   Il laissa les soixante-douze louis[1] sur la même couleur. La rouge
sortit de nouveau.

Il essaya encore deux fois, trois fois, toujours avec le même
bonheur. Il avait maintenant devant lui un tas d'or et de billets.
Tout lui réussissait. Il rattrapa, en une dizaine de coups, les quel-
35 ques misérables billets de mille francs qu'il avait perdus au com-

[1] *a gold coin*

mencement de la soirée. À présent, jouant deux ou trois cents louis[1] à la fois, et servi par sa chance, il allait bientôt retrouver, et au delà, le capital qu'il avait dépensé en si peu d'années. Dans sa hâte à se mettre au jeu, il n'avait pas quitté son lourd pardessus; déjà il en avait rempli les grandes poches de bank-notes et de [5] pièces d'or; et, ne sachant plus où mettre son gain, il chargeait maintenant de monnaie et de papier les poches intérieures et extérieures de son veston et de son pantalon, son chapeau, son mouchoir, tout ce qui pouvait servir de récipient. Et il jouait toujours, et il gagnait toujours, comme un fou! et il jetait ses tas [10] de louis[1] sur le tableau, au hasard, avec un geste de certitude et de mépris!

Seulement, il avait comme un fer rouge dans le cœur, et il ne pensait qu'à la petite misérable endormie dans la neige, à l'enfant qu'il avait volée. [15]

«Elle est encore à la même place! Bien sûr, elle doit y être encore! Tout à l'heure . . . oui, quand une heure sonnera . . . je me le jure! . . . je sortirai d'ici, j'irai la prendre, tout endormie, dans mes bras, je l'emporterai chez moi, je la coucherai sur mon lit . . . Et je l'élèverai, je l'aimerai comme ma fille, et j'aurai soin [20] d'elle toujours, toujours!»

Mais la pendule sonna une heure, et le quart, et la demie, et les trois quarts . . . et Lucien continua son jeu infernal.

Enfin, une minute avant deux heures, le chef de partie se leva soudain et dit à voix haute: [25]

—La banque a sauté,[4] messieurs . . . Assez pour aujourd'hui!

Lucien se leva. Écartant sans faire attention les gens qui l'entouraient et le regardaient avec admiration, il partit vivement, descendit les étages et courut jusqu'au banc de pierre. De loin, il aperçut la petite fille. [30]

—Dieu soit loué! s'écria-t-il. Elle est encore là!

Il s'approcha d'elle, lui saisit la main:

Oh! qu'elle a froid! Pauvre petite!

Il la prit sous les bras, la souleva pour l'emporter. La tête de l'enfant retomba en arrière, sans qu'elle s'éveillât: [35]

[1] *a gold coin* [4] The bank is broken

—Comme on dort, à cet âge-là!

Il la serra contre sa poitrine, et, pris d'une vague inquiétude, il voulut, afin de la tirer de ce lourd sommeil, la baiser sur les yeux.

Mais alors il s'aperçut avec terreur que les yeux de l'enfant
5 étaient entr'ouverts et laissaient voir à demi des prunelles[5] éteintes, immobiles. Le cerveau traversé d'un horrible doute, Lucien mit sa bouche tout près de la bouche de la petite fille; aucun souffle n'en sortit.

Pendant qu'avec le louis d'or[1] qu'il avait volé à cette pauvre
10 enfant Lucien gagnait au jeu une fortune, elle, sans abri, était morte de froid!

Serré à la gorge par la plus cruelle des angoisses, Lucien voulut pousser un cri . . . et, dans l'effort qu'il fit, il se réveilla de son mauvais rêve sur le banc du cercle, où il s'était endormi un peu
15 avant minuit et où le garçon de la maison, s'en allant le dernier vers cinq heures du matin, l'avait laissé tranquille, par bonté d'âme pour le pauvre homme.

Ce matin de décembre il faisait très froid. Lucien sortit, vendit sa montre, prit un bain, déjeuna, et alla au bureau pour s'engager
20 dans le premier régiment de chasseurs d'Afrique.[6]

Aujourd'hui, Lucien de Hem est lieutenant; il n'a que ce qu'il gagne comme soldat, mais il s'en tire, étant un officier très rangé et ne touchant jamais une carte. Il paraît même qu'il trouve encore moyen de faire des économies; car l'autre jour, à Alger, un de ses
25 camarades, qui le suivait à quelques pas de distance dans une rue de la vieille ville, le vit faire l'aumône[7] à une petite Espagnole endormie sous une porte, et eut l'indiscrétion de regarder ce que Lucien lui avait donné. Le curieux fut très surpris de la bonté du pauvre lieutenant.

30 Lucien de Hem avait mis un louis d'or[1] dans la main de la petite fille.

EXERCISES

EXERCICES

LA DERNIÈRE CLASSE

A. *Questionnaire.*

1. Où va le petit garçon par un clair matin de printemps? 2. Pourquoi est-il pressé? 3. Sur quoi M. Hamel allait-il interroger ses élèves? 4. Quelle idée est venue au petit élève pour éviter d'être grondé? 5. Qu'est-ce que le vieux Wachter lui a dit? 6. D'ordinaire, comment M. Hamel commençait-il sa classe? 7. Quelle différence Frantz a-t-il remarquée ce matin? 8. Comment M. Hamel s'est-il habillé ce jour-là? 9. Qui occupait les places au fond de la salle? 10. Pourquoi est-ce que tout le monde était triste? 11. D'où est venu l'ordre de ne plus enseigner le français dans les écoles d'Alsace? 12. Qu'est-ce que Frantz regrettait en entendant ces nouvelles? 13. Pourquoi ne pouvait-il pas répondre aux questions du maître? 14. Quelle était l'attitude de M. Hamel envers Frantz? 15. Que dit M. Hamel à propos de la langue française? 16. Quels mots le maître a-t-il choisis pour la leçon d'écriture? 17. Depuis combien de temps M. Hamel enseignait-il à cette école? 18. Après la leçon d'écriture, qu'est-ce qu'on a étudié? 19. Pourquoi les petits élèves avaient-ils envie de rire et de pleurer en écoutant la voix du vieux Hauser? 20. Quand a-t-on terminé la classe? 21. Pourquoi M. Hamel ne pouvait-il plus parler? 22. Comment a-t-il fait pour s'exprimer? 23. Qu'est-ce qui a indiqué aux élèves qu'ils pouvaient s'en aller?

B. *Dites si les phrases suivantes sont vraies ou fausses:*

1. Frantz ne regrettait pas d'être en retard parce qu'il savait sa leçon. 2. Il a cru que le vieux Wachter se moquait de lui. 3. M. Hamel était trop jeune pour enseigner. 4. Heureusement, Frantz a gagné son banc sans être remarqué. 5. Les vieux du village sont venus pour se moquer de M. Hamel. 6. Quand M. Hamel a appelé le nom de Frantz, celui-ci n'a pas répondu. 7. Selon M. Hamel, Frantz seul est

la cause de son ignorance. 8. Ce jour-là, on a écrit les mots en allemand. 9. Le vieux Hauser a répété les lettres avec la classe. 10. M. Hamel a écrit au tableau noir ce qu'il ne pouvait pas dire à haute voix.

C. (a) *Étudiez bien les phrases suivantes:*

1. Il était *en retard* pour la classe. 2. *J'avais peur d'*être grondé. 3. *Il y avait* du monde près de la grande porte. 4. Il *se moquait de* moi. 5. Je me suis assis *tout de suite* à mon banc. 6. Je savais *à peine* écrire. 7. *Tous les jours* on se dit: «J'apprendrai demain.» 8. Avant de *s'en aller*, il voulait nous donner tout ce qu'il savait. 9. Sa cour était *en face de* lui.

(b) *Traduisez:*

1. M. Hamel *did not make fun of* Frantz. 2. The class began *immediately*. 3. Frantz *was afraid to* talk. 4. *There were* several old men in the schoolroom. 5. Frantz arrived *late*. 6. The old man could *hardly* speak. 7. The pupils will think of France *every day*. 8. The teacher looked at the class *in front of* him. 9. Frantz *was not afraid* now. 10. The pupils wanted *to make fun of* old Hauser. 11. You may *go away*.

MESSIRE TEMPUS

A. *Questionnaire.*

1. Par quel moyen le monsieur est-il arrivé à l'hôtel? 2. Qu'est-ce qui indique que cet homme n'y est pas venu depuis longtemps? 3. Qui se trouvait dans la grande salle de l'hôtel? 4. Qu'est-ce qu'ils étaient en train de faire? 5. Qui entre dans la salle pour recevoir l'homme qui vient d'arriver? 6. Comment Charlotte a-t-elle changé pendant l'absence de cet homme? 7. Quelles avaient été autrefois les relations entre l'homme et Charlotte? 8. Qu'est-ce que Charlotte a fait quand l'homme a voulu s'échapper? 9. Qui avait demandé la main de Charlotte? 10. Qui est venu troubler leur bonheur? 11. Quelle avait été l'attitude des trois amoureux de Charlotte envers l'homme mystérieux? 12. Comment a-t-il reçu leurs plaisanteries? 13. Quel était le résultat de sa visite à l'hôtel? 14. Comment les trois hommes passent-ils leur temps maintenant? 15. Qu'est-ce qu'on entend dans la rue au moment où Charlotte termine le récit de son aventure? 16. Qui a apparu à la fenêtre? 17. Que faisait Charlotte pendant la

visite de l'homme mystérieux? 18. Où étaient les trois amoureux quand le monsieur a couru de l'hôtel? Que faisaient-ils? 19. Qu'est-ce que le monsieur pouvait entendre en s'en allant?

B. *Complétez les phrases suivantes en choisissant les locutions qui conviennent le mieux:*

1. L'homme était sans doute content d'arriver à l'hôtel (parce qu'il avait bien froid, parce que son cheval était très fatigué, parce qu'il n'aimait pas les voitures publiques). 2. En entrant dans l'hôtel, il a remarqué que (le chat n'était plus là, l'horloge ne marchait plus, la grande salle gardait son air d'autrefois). 3. À peine était-il assis, qu'il a entendu (la voix de Charlotte, le son du vieux piano, un bruit bizarre derrière la porte). 4. Malgré les années qui se sont écoulées, Charlotte (s'imagine être toujours jeune, veut présenter le père Blésius, chante mieux qu'autrefois). 5. Charlotte demande si (Théodore est toujours amoureux d'elle, on a preparé une chambre pour Théodore, Théodore veut lui faire peur). 6. Autrefois, elle avait été aimée (de l'homme aux horloges, à cause de sa musique, de trois hommes du village). 7. Comme Théodore, l'homme aux horloges était arrivé (pour déclarer son amour, à cheval, à la recherche du père Blésius). 8. Ce soir encore, l'homme mystérieux est parti (laissant ses horloges derrière lui, sans rien dire, après avoir embrassé Charlotte). 9. Quoique Théodore soit sorti à la hâte, il a remarqué que les trois hommes (vidaient leurs verres, n'étaient nullement affectés par cette visite étrange, pleuraient).

C. (a) *Étudiez bien les phrases suivantes:*

1. *Il avait fait chaud* tout le jour. 2. Le cheval *n'en pouvait plus.* 3. Les trois hommes *jouaient aux cartes.* 4. *Que de* souvenirs lui sont revenus en mémoire! 5. Il voulait *mettre* l'amoureux *à la porte.* 6. Elle *aimait mieux* les voir tous les trois. 7. On a vu un grand homme *à cheval.* 8. *Il faisait nuit* dehors. 9. La fenêtre s'est ouverte comme sous *un coup de vent.*

(b) *Traduisez:*

1. The poor man *was worn out.* 2. *It was hot* in the street. 3. He *preferred* to wait for Charlotte. 4. He had come *on horseback.* 5. *It was not dark.* 6. *What a lot of* thoughts came to him! 7. He found three men who *were playing cards.* 8. He wanted to *throw them*

out. 9. *A gust of wind* opened the door. 10. She *would rather* not see the man. 11. The man *on horseback* disappeared.

L'ENFANT ESPION

A. *Questionnaire.*
1. Comment le père Stenne gagnait-il sa vie? 2. Qu'est-ce qui le rendait si heureux? 3. Comment le siège a-t-il changé la vie du père Stenne? 4. Pourquoi un siège est-il amusant pour les gamins? 5. Qu'est-ce qui amusait le plus le petit Stenne? 6. Pourquoi ne jouait-il jamais à ce jeu de soldats? 7. Qu'est-ce qu'un de ceux qui jouaient lui a dit un jour? 8. Quel effet ce propos a-t-il eu sur le petit Stenne? 9. Pourquoi s'est-il laissé convaincre? 10. Comment les deux enfants ont-ils pu passer par les lignes françaises? 11. Qu'est-ce qu'ils portaient sous leurs blouses? 12. Quel aspect le paysage présentait-il? 13. Qu'est-ce que les enfants ont appris avant de quitter les soldats français? 14. Comment le grand a-t-il expliqué la présence du petit Stenne, une fois arrivé chez les Allemands? 15. Pourquoi les Allemands voulaient-ils entendre les histoires du grand? 16. Pourquoi le petit Stenne n'a-t-il pas parlé? 17. Quels renseignements le grand a-t-il donnés aux Allemands? 18. Où les enfants ont-ils obtenu les pommes de terre? 19. Qu'est-ce que le petit Stenne a voulu dire aux soldats français en rentrant? 20. Où a-t-il mis son argent? 21. Pourquoi le père Stenne était-il heureux ce jour-là? 22. Comment a-t-il appris ce que son fils avait fait? 23. Qu'est-ce que le père a cru en voyant les pièces d'argent? 24. Pourquoi est-il sorti de la maison?

B. *Complétez les phrases suivantes:*
1. Le père Stenne, ancien soldat, gagnait la vie à . . . 2. Le petit garçon ne venait plus voir son père pendant le jour parce que . . . 3. Le petit Stenne désirait de l'argent pour . . . 4. Quand le grand courait on entendait . . . 5. Les deux enfants ont pu passer les postes français après que le grand avait dit . . . 6. Les regards du vieil Allemand gênaient le petit Stenne parce qu'ils semblaient . . . 7. Le petit garçon s'est mis à boire pour . . . 8. Dans Paris les soldats français se préparaient à . . . 9. Le père Stenne était heureux ce soir-là parce qu'il avait entendu . . . 10. En apprenant ce que son fils avait fait, le père est sorti pour . . .

C. (The Partitive; Adverbs of Quantity) *Mettez* de (*ou* d'),
avec ou sans article, selon le cas, à la place indiquée:

1. Il y a _____ enfants et _____ vieilles dames dans le parc. 2. Ce
n'est pas _____ argent; c'est _____ or. 3. Il ne vendait pas _____
pommes; il ne vendait que _____ journaux. 4. Plus _____ école!
Plus _____ travail! 5. Le grand avait toujours beaucoup _____
pièces de cent sous. 6. Il les avait trompés bien _____ fois. 7. De
l'autre côté il y avait _____ grands tas de terre et _____ arbres
couchés. 8. Il y a dans ce regard _____ tendresse et _____ reproches.
9. Le petit n'avait jamais vu tant _____ soldats. 10. Il a remarqué
_____ petits abris de toile, mais très peu _____ maisons. 11. Il n'a
plus _____ journaux qu'il a achetés.

D. (a) *Étudiez bien les phrases suivantes:*

1. Il *s'appelait* Stenne. 2. Il *se contentait de* regarder jouer les autres.
3. Un vieil officier *ressemblait au* père Stenne. 4. Il *a froid*, ce
gamin-là. 5. *A partir de* ce moment, Stenne sentait comme une main
sur son cœur. 6. *En bas*, les soldats se préparaient à partir. 7. Il est
descendu *se mêler aux* soldats. 8. *Profitant de* cette agitation, les
enfants disparurent.

(b) *Traduisez:*

1. The square *resembled* a park. 2. *From* four o'clock *on*, Stenne
was with his son. 3. He *was satisfied with* very little. 4. Little Stenne
mingled with the men. 5. He *profited by* the siege. 6. He *was not
cold.* 7. The soldiers played cards *downstairs.* 8. *From* the wall *on*
they saw nothing but Germans. 9. The town *was called* Aubervilliers. 10. The children *are cold.*

BALLADES EN PROSE

A. *Questionnaire.*

1. Pourquoi la ville est-elle triste? 2. Qui attend des nouvelles?
3. Quelle est l'attitude des médecins? 4. Pourquoi le roi s'est-il
enfermé tout seul dans une chambre? 5. Où est la reine? 6. Pourquoi
le petit prince commence-t-il à avoir peur? 7. Qu'est-ce qu'il demande pour le protéger contre la mort? 8. Qui parle longtemps à
voix basse au petit prince? 9. Qu'est-ce qui console le prince quand il

pense à la mort? 10. De quoi s'est-il rendu compte à la fin? 11. Qu'est-ce qu'il a fait alors?

1. Où va le beau monsieur? 2. Pourquoi porte-t-il son épée de gala? 3. Qu'est-ce qu'il est en train de préparer? 4. Devant qui va-t-il prononcer son discours? 5. Pourquoi ne peut-il que commencer le discours? 6. Qu'est-ce qui attire son attention? 7. Quel ordre donne-t-il à ses gens? 8. Qui s'intéresse beaucoup à son arrivée au bois? 9. Pourquoi le vieil oiseau a-t-il pu le reconnaître? 10. Pourquoi ses gens sont-ils venus le chercher? 11. Que faisait-il quand ils l'ont trouvé?

B. *Dites si les phrases suivantes sont vraies ou fausses:*

1. Les domestiques descendent à pas lents les grands escaliers. 2. Même les médecins croient que l'enfant va mourir. 3. Le roi ne veut pas se montrer. 4. Le prince comprend enfin qu'il va mourir. 5. Il avait appelé les soldats pour dire au revoir à Lorrain.

1. Le beau monsieur n'est pas tout à fait heureux. 2. Il avait dèjà prononcé ce même discours. 3. Les oiseaux ont tout de suite reconnu le grand homme. 4. Le monsieur n'avait besoin que de l'ombre pour préparer son discours. 5. Quand ses gens l'ont trouvé, il cueillait des fleurs.

C. (a) *Étudiez bien les phrases suivantes:*

1. Ils vont chercher des nouvelles *à voix basse.* 2. On les voit *à travers* les vitres. 3. Les valets *se promènent* devant la porte. 4. Je *saurai* l'empêcher de venir ici. 5. Le petit prince a l'air *de plus en plus* étonné. 6. Vous *serez* beaucoup *mieux* sous mes arbres. 7. Le vieil oiseau répond: «*Pas du tout!*» 8. Les oiseaux *se remettent à* chanter. 9. Les oiseaux chantaient *au-dessus de* sa tête.

(b) *Traduisez:*

1. The prince *will be more comfortable* in his bed. 2. Every one talks *in a low voice.* 3. The priest *begins again to* speak to him. 4. The queen becomes *sadder and sadder.* 5. Is the king happy? *Not at all!* 6. He *is better off* in his room. 7. The man *is strolling* in the fields. 8. They can see him *through* the woods. 9. He *does not know how*

to begin his speech. 10. Some birds fly *over* the trees. 11. The servants seem *more and more* worried.

LES DEUX NOTES

A. *Questionnaire.*

1. De quoi parlaient les trois hommes? 2. Qu'est-ce qui manque le plus à l'un des trois? 3. Pourquoi est-ce qu'un de ses amis préférait les garçons aux petites filles? 4. Quelle était l'opinion du troisième sur cette préférence? 5. Comment pouvait-il en savoir quelque chose, n'étant pas père? 6. Quel âge sa nièce a-t-elle? 7. Où l'oncle dîne-t-il chaque dimanche? 8. Pourquoi y est-il venu de bonne heure ce dimanche-là? 9. Qu'est-ce qui a causé le chagrin de la petite Jacqueline? 10. Comment ses parents allaient-ils la punir si elle ne recevait pas une meilleure note? 11. Quelle note avait-elle reçue? 12. Comment l'oncle va-t-il l'aider? 13. Quand est-il revenu chez Jacqueline? 14. Selon elle, pourquoi ne veut-elle plus le joli cahier? 15. Comment l'oncle apprend-il que sa nièce ne lui a pas dit la vérité? 16. Quel avait été le résultat de leur collaboration? 17. Pourquoi la petite fille avait-elle dit un mensonge? 18. À qui l'oncle a-t-il raconté l'incident? 19. Qu'est-ce qu'il a écrit dans le nouveau cahier? 20. Quel doute a traversé l'esprit de Redski? 21. Pourquoi une fille de Redski serait-elle à plaindre?

B. *Complétez les phrases suivantes en choisissant les locutions qui conviennent le mieux:*

1. Trois vieux garçons, assis dans un restaurant, (parlaient des enfants, restaient silencieux autour de leur table, exprimaient leur haine pour les femmes). 2. L'un des trois (trouvait tous les enfants ennuyeux, n'aimait que les petits garçons, comptait bientôt se marier). 3. Rebutel pouvait bien donner son avis (parce qu'il connaissait beaucoup de jeunes filles, étant père de deux enfants, en qualité d'oncle). 4. Jacqueline, sa nièce, (fait souvent des mensonges, vient d'avoir treize ans, sait que son oncle la grondera). 5. Quand l'oncle est arrivé chez sa nièce, il l'a trouvée qui (étudiait sa leçon, pleurait, causait avec ses parents). 6. Après avoir parlé avec la petite fille, l'oncle (a proposé de l'aider avec sa leçon, est allé tout de suite acheter le nouveau cahier, a refusé l'invitation au déjeuner). 7. Il est revenu chez

elle le jour suivant (pour voir sa mère, avec le nouveau cadeau, pour apprendre le résultat de la collaboration). 8. En réalité, la note que la petite fille a reçue était (au-dessus de la première, au-dessous de la première, plus élevée que la première). 9. La petite fille a menti (comme d'habitude, parce qu'elle espérait ainsi obtenir le cadeau, pour protéger l'orgueil de l'oncle). 10. Rebutel a acheté le nouveau cahier (sans rien dire à sa nièce, mais ne l'a pas présenté à la petite fille, et en a déchiré la première page). 11. Ce qu'il a écrit dans le cahier (était une plaisanterie, devait remercier la petite de sa bonté, allait ennuyer la maîtresse d'école).

C. (a) *Étudiez bien les phrases suivantes:*

1. *Peu à peu,* l'on en était venu à parler des enfants. 2. Ce sont les enfants qui *manquent* le plus *à* Redski. 3. Ses parents *se sont fâchés* à cause de sa mauvaise note. 4. Il se demandait ce qui *pourrait arriver.* 5. En l'apercevant, elle *s'est jetée à son cou.* 6. *«À la bonne heure!»* s'est-il écrié. 7. Elle *se sauve* sans lui répondre. 8. Elle *venait de* lui faire un mensonge. 9. Il a écrit trois notes *de sa façon.*

(b) *Traduisez:*

1. The old bachelors *miss* their family. 2. *Little by little,* they gave their ideas. 3. They *had just* talked about women. 4. What *might happen* if Redski were a father? 5. They all liked children *in their own way.* 6. Rebutel *became angry* when he heard this opinion. 7. When he enters the room, his niece *rushes into his arms.* 8. When he saw the notebook, he exclaimed: *«Fine!»* 9. But she *fled* without a word. 10. He *did not become angry.* 11. He *had just* found the other notebook.

L'ODEUR DU BUIS

A. *Questionnaire.*

1. Pourquoi le père Bourgeuil est-il si agité? 2. Depuis quand les parents s'étaient-ils fâchés avec leur fils? 3. D'où est venue la famille Bourgeuil? 4. Comment le père avait-il gagné sa petite fortune? 5. Pourquoi voulait-il donner de l'instruction à son fils? 6. Qu'est-ce qui montre qu'Edouard s'est bien conduit au

lycée? 7. Pourquoi le père a-t-il chassé son fils? 8. Comment le fils a-t-il répondu à la colère de son père? 9. Pourquoi la situation était-elle devenue plus grave? 10. Après la dispute avec Édouard, comment le père Bourgeuil passait-il les soirées? 11. Pourquoi sa conversation était-elle parfois ennuyeuse? 12. En quoi le père Bourgeuil ressemblait-il à Brutus? 13. Pourquoi s'est-il levé tard un dimanche matin? 14. De quelle humeur était-il? 15. Pourquoi a-t-il mis ses habits de fête? 16. Qu'est-ce que la mère a apporté de l'église? 17. Où a-t-elle mis les branches? 18. Pourquoi Bourgeuil était-il troublé par l'odeur? 19. Enfin, qu'est-ce qu'il propose? 20. Quel effet cette proposition a-t-elle eu sur sa femme? 21. Comment la mère savait-elle quelque chose du ménage de leur fils? 22. Qu'est-ce qu'elle allait leur apporter? Pourquoi? 23. Pourquoi Bourgeuil ne ressemble-t-il plus à Brutus?

B. *Complétez les phrases suivantes:*

1. Les parents se sont fâchés contre leur fils parce que celui-ci . . . 2. Au lycée, Édouard avait été . . . 3. Au café, le père Bourgeuil passait son temps à . . . 4. Restée seule dans son salon modeste, la vieille maman . . . 5. Le matin de ce dimanche-là, le père est resté au lit, mais la mère . . . 6. Après que la mère a posé les branches sur la table, . . . 7. Quand la mère rentre à la maison, la grande salle se remplit de . . . 8. Ce jour-là, c'était le père Bourgeuil qui a proposé de . . . 9. La mère avoue que l'autre dimanche elle est allée . . . 10. En voyant sa femme si heureuse, Bourgeuil a tout à fait oublié . . .

C. (Agreement of Past Participles) *Mettez la forme convenable à la place indiquée:*

1. La mère tenait _____ (baisser) ses yeux _____ (remplir) de larmes. 2. Ils s'étaient _____ (fâcher) avec leur fils. 3. L'enfant les avait _____ (blesser). 4. Les parents, _____ (arriver) à Paris sans un sou, sont _____ (devenir) riches. 5. Jamais ils ne se sont _____ (parler) de l'affaire. 6. Les choses s'étaient _____ (passer) comme il le désirait. 7. Elle s'est _____ (dire) qu'ils avaient tort. 8. Ce sont de très petites branches qu'elle a _____ (apporter). 9. Heureusement, elle ne s'est pas _____ (couper) la main. 10. Plus tard, elle est _____ (aller) voir son fils.

D. (a) *Étudiez bien les phrases suivantes:*

1. La dispute éclatait *au moment du* dessert. 2. *Il y avait deux ans* qu'ils s'étaient fâchés. 3. *Il s'agira* bientôt *de* le marier. 4. Il *s'est marié avec* la jeune fille. 5. Il gagne deux cents francs *par mois*. 6. *À sa place*, Brutus ne l'aurait pas fait. 7. Elle *s'est approchée de* la muraille. 8. *Envoie chercher* une voiture. 9. Il *se met à* pleurer.

(b) *Traduisez:*

1. *It was two years ago that* the boy had left. 2. *It was a question of* marriage. 3. The two old people *began to* hate each other. 4. It was very difficult for them *at meal time*. 5. But Édouard *married* the girl. 6. He makes only fifty francs *a week*. 7. The mother *approached* her husband several times. 8. *In her place*, he would have received him. 9. But finally he *began to* listen. 10. Now *it is a question of* pardoning them. 11. The father is going *to send for* a carriage.

DEUX AMIS

A. *Questionnaire.*

1. Pourquoi la ville de Paris était-elle triste? 2. Comment Morissot avait-il fait la connaissance de M. Sauvage? 3. Qu'est-ce que M. Sauvage propose à son ami après avoir bu une absinthe? 4. Pourquoi était-il sûr qu'on les laisserait passer les lignes françaises? 5. Comment pourront-ils se faire reconnaître en rentrant à Paris? 6. Quel aspect le paysage présentait-il? 7. De qui les deux amis avaient-ils peur? 8. Qu'est-ce qui les a fait oublier qu'il y avait une guerre? 9. Quel bruit a fait trembler le sol? 10. Qu'est-ce que les deux amis pensent de la guerre? 11. Pourquoi laissent-ils tomber leurs lignes? 12. Où les amène-t-on? 13. Qui rencontrent-ils derrière la maison qui semblait abandonée? 14. Qu'est-ce qu'un des soldats avait ramassé avant de suivre les deux amis à l'île? 15. Que leur fallait-il révéler à l'officier s'ils ne voulaient pas être tués? 16. Qui est venu se placer à vingt pas d'eux? 17. Pourquoi l'Allemand a-t-il entraîné Morissot loin de son ami? 18. Qu'est-ce qui a causé la faiblesse de Morissot? 19. Comment s'est-on débarrassé des corps des deux amis? 20. À quoi l'officier allemand a-t-il pensé après avoir fait tuer les Français? 21. Alors qu'est-ce qu'il s'est remis à faire?

B. *Dites si les phrases suivantes sont vraies ou fausses:*

1. Quoiqu'il fasse beau, on est en hiver. 2. Les deux amis étaient d'anciens camarades d'école. 3. Ce qu'ils aimaient surtout au bord de l'eau, c'était la conversation. 4. Ils ne se sont pas vus depuis longtemps. 5. M. Sauvage connaissait le colonel Dumoulin. 6. Morissot, étant fatigué, s'est couché au bord du fleuve. 7. Bientôt ils avaient oublié les Allemands et la guerre. 8. Ils avaient raison en croyant la maison de l'île abandonnée. 9. Ni l'un ni l'autre ne pouvait se rappeler le mot d'ordre. 10. L'officier veut qu'on lui prépare les poissons pendant qu'ils sont encore vivants.

C. (a) *Étudiez bien les phrases suivantes:*

1. Paris *avait faim*. 2. Morissot partait *de très bonne heure*. 3. Ils s'entendaient *à merveille*. 4. Je ne connais *rien de meilleur*. 5. Cela *vaut mieux que* le boulevard. 6. Il était pris de colère contre ces gens qui *se battaient*. 7. Il *avait eu soin* d'emporter le panier de poissons. 8. J'*aurai l'air de* m'attendrir. 9. Il *lui a posé la* même *question*.

(b) *Traduisez:*

1. The French and the Germans *were fighting*. 2. The birds *seemed* to avoid Paris. 3. Morissot used to leave *very early*. 4. The two friends *were not hungry*. 5. They knew the country *marvelously well*. 6. They *were careful to* learn the password. 7. The colonel *asked them* several *questions*. 8. For them, the country *was better than* the city. 9. They could think of *nothing better*. 10. When the Germans arrived, they *did not fight*. 11. They *had seemed to* be fishing.

MON ONCLE JULES

A. *Questionnaire.*

1. Qu'est-ce que Joseph Davranche a donné au vieux pauvre? 2. De quelle sorte de famille Joseph vient-il? 3. De quoi la mère souffrait-elle? 4. Qu'est-ce qu'on faisait chaque dimanche? 5. Pourquoi commençaient-ils leur promenade toujours en retard? 6. Pourquoi les sœurs de Joseph marchaient-elles devant les autres membres de la famille? 7. Quelles paroles le père prononçait-il en voyant les navires étrangers? 8. Qui était Jules? 9. Qu'est-ce que la seconde lettre de Jules a annoncé aux Davranche? 10. Combien d'années ont

passé depuis cette lettre? 11. Comment cette lettre avait-elle aidé
la seconde sœur? 12. Où allait la famille après le mariage de la
sœur? 13. Que faisaient les deux dames élégantes sur le bateau? 14.
Qu'est-ce que le père a voulu faire en voyant ces dames? 15. Pourquoi est-il devenu tout à coup inquiet? 16. Qu'est-ce que la mère
craignait surtout, après avoir reconnu Jules? 17. À qui le père
a-t-il demandé des renseignements? 18. Quels détails a-t-il appris
sur l'histoire de Jules? 19. Pourquoi les parents ont-ils demandé à
Joseph de donner au pauvre ce qu'on lui devait? 20. Qu'est-ce que
Joseph a laissé au pauvre homme? 21. Pourquoi les Davranche sont-ils
revenus au Havre par un autre bateau? 22. Quel effet cette histoire
a-t-elle eu sur Joseph?

B. *Complétez les phrases suivantes en choisissant les locutions qui
conviennent le mieux:*

1. Le père de Joseph Davranche (était paresseux, ne savait pas
travailler, travaillait beaucoup mais gagnait peu). 2. Chaque dimanche, les Davranche (allaient voir une tour à côté de la mer, se
promenaient sur le quai, dépensaient beaucoup d'argent comme aux
jours de fête). 3. En regardant les grands navires, le père pensait
(qu'ils venaient tous d'Amérique, à son frère qui était parti il y
avait longtemps, au départ pour l'île de Jersey). 4. Jules, l'oncle
de Joseph, (avait dépensé trop d'argent pendant sa jeunesse, espérait
toujours recevoir de l'argent de son frère, faisait des économies sur
tout). 5. On s'est décidé à faire le voyage à Jersey (après le mariage
de la sœur de Joseph, pour chercher l'oncle Jules, afin d'apprendre
la langue anglaise). 6. Au commencement, la mère ne voulait pas
croire que le misérable sur le bateau (avait refusé un pourboire,
était un homme riche, était Jules). 7. Le père Davranche a demandé
des renseignements (au capitaine, pour amuser Joseph, en espérant
faire la connaissance du capitaine). 8. La mère a peur que (son mari
ne se trouve sans argent, le pauvre homme ne vienne leur demander
de l'aide, le bateau ne se renverse). 9. En remettant l'argent au
pauvre homme, Joseph avait envie (de garder le pourboire pour
lui-même, de lui dire: «mon oncle», de lui demander son nom).
10. Pour revenir au Havre, les Davranche ont pris un autre bateau
(parce qu'il allait pleuvoir, qui marchait plus vite, pour éviter une
nouvelle rencontre avec le misérable).

C. (a) *Étudiez bien les phrases suivantes:*

1. Chaque dimanche nous allions *faire notre tour*. 2. On *se mettait en route* dans les formes. 3. Il avait eu une mauvaise conduite, *c'est-à-dire* qu'il avait mangé quelque argent. 4. Jules ne valait *rien du tout*. 5. Son espoir grandissait *à mesure que* le temps marchait. 6. En voilà un qui a su *se tirer d'affaire!* 7. Ma mère hésitait *à cause de* la dépense. 8. J'ai peur de *me faire mal* à l'estomac. 9. On va *s'apercevoir de* quelque chose. 10. Je *me suis* toujours *doutée* que cet homme ne ferait rien.

(b) *Traduisez:*

1. The family knows how *to get along*. 2. Joseph *notices* everything. 3. He knows his father *will not hurt himself*. 4. The mother gave him *nothing at all*. 5. They were awaiting Jules, *that is*, the brother from New York. 6. They *set out* for the boat. 7. They *took the same walk* every week. 8. Joseph's enthusiasm grew *in proportion as* they approached the boat. 9. The mother did not eat *because of* her health. 10. They *do not notice* Jules at first. 11. *Because of* the sister, they say nothing. 12. The father *suspected* that it was Jules.

EN VOYAGE

A. *Questionnaire.*

1. De quoi causait-on dans le train après avoir passé Tarascon? 2. Qu'est-ce qu'un médecin a voulu raconter? 3. Où avait-il appris cette histoire? 4. Pourquoi la dame venait-elle en France? 5. Pourquoi se sentait-elle bien isolée dans le train? 6. Qui faisait le voyage avec elle? 7. Qu'est-ce qu'elle s'est mise à faire pour passer le temps? 8. Comment a-t-elle su que la porte venait de s'ouvrir? 9. De quoi l'homme avait-il enveloppé sa main? Pourquoi? 10. Quelle pensée faisait frissonner la dame? 11. Qu'est-ce qui est arrivé quand elle a fait un brusque mouvement? 12. Qu'a-t-elle voulu faire quand il s'est baissé pour ramasser l'argent? 13. Comment l'a-t-il rassurée? 14. Quelle faveur le jeune homme a-t-il demandée? 15. Qui est venu parler à la jeune femme quand le train s'est arrêté? 16. Quel ordre lui a-t-elle donné? 17. Pourquoi le train s'est-il arrêté une deuxième fois? 18. Qu'est-ce qu'elle a dit quand les officiers de la douane

sont entrés? 19. À quelle condition sauverait-elle le jeune homme? 20. Quel service a-t-il offert à la dame? 21. Où le médecin a-t-il vu le jeune homme pour la première fois? 22. Que faisait le jeune homme pour montrer sa dévotion? 23. Pourquoi la dame ne voulait-elle pas le recevoir chez elle? 24. Quel effet cette histoire a-t-elle eu sur une des dames dans le wagon?

B. *Complétez les phrases suivantes:*

1. Depuis Tarascon on racontait . . . 2. L'aventure que le médecin veut conter, c'est . . . 3. La dame quittait son pays parce que . . . 4. Ne pouvant dormir, elle s'est mise à . . . 5. Elle a cru que l'homme qui est entré dans le train allait . . . 6. Quand la dame s'est levée, l'homme savait qu'elle voulait . . . 7. Enfin, convaincue qu'il ne lui voulait aucun mal, elle a consenti à le sauver, à condition que . . . 8. À Menton, l'homme est venu au cabinet du médecin pour . . . 9. La dame ne voulait pas le recevoir chez elle, parce que . . . 10. Mais il est entré chez elle en apprenant . . . 11. L'histoire du médecin terminée, on a changé de conversation pour . .

C. (Personal Pronouns) *Traduisez:*

1. The man picked up the money and gave it to her. 2. Did she give it to them? 3. Don't give it to us. 4. Give it to her. 5. Will he give it to them? 6. Where are the papers? There they are. 7. Show them to me but don't show them to her. 8. Yes, show them to us. 9. On the contrary, don't show them to us. 10. She, alone, will speak. 11. *They* will not speak. 12. Who is speaking? She. 13. She speaks oftener than he. 14. They saw him and her. 15. I saw them myself. 16. Ivan was not with them. 17. It is he who leaves. 18. He returns to her home.

D. (a) *Étudiez bien les phrases suivantes:*

1. L'assassin s'offre, *de temps en temps*, la vie d'un voyageur. 2. *Au fond*, c'est peut-être seulement la différence de race. 3. *Quant à* lui, il ne faisait pas un geste. 4. J'*ai assisté à* une chose douloureuse. 5. Le docteur *se tut* de nouveau. 6. On *a changé de* conversation pour la calmer. 7. On n'a pas su ce qu'elle *voulait dire*.

(b) *Traduisez:*

1. The train stopped *from time to time*. 2. *As for* the woman, she

stayed in the coach. 3. The man *stopped talking*. 4. She *changed* servants when Ivan arrived. 5. The old man knew what she *meant*. 6. *In the last analysis*, she knew what she was doing. 7. She saw the young man *from time to time* in the station. 8. The doctor *was present at* the death of the woman. 9. *As for* the young man, he arrived soon afterward.

LE PARAPLUIE

A. *Questionnaire.*
1. Pourquoi M. Oreille n'obtenait-il son argent de poche qu'avec difficulté? 2. Comment M. Oreille gagnait-il sa vie? 3. Pourquoi ses amis du bureau se moquaient-ils de M. Oreille? 4. Pourquoi son nouveau parapluie était-il hors de service au bout de trois mois? 5. Quelle sorte de parapluie a-t-il demandé cette fois? 6. Quel succès a-t-il obtenu au bureau? 7. Qu'est-ce que sa femme a trouvé quand il est rentré le soir? 8. Pourquoi Mme Oreille ne pouvait-elle plus parler en voyant ce qui était arrivé? 9. De quoi a-t-elle accusé son mari? 10. Qu'est-ce qu'elle a fait pour éviter d'acheter un autre parapluie? 11. Quel était l'état du parapluie le lendemain soir? 12. Comment M. Oreille s'est-il expliqué cette destruction? 13. Qu'est-ce qui l'a sauvé de la colère de sa femme? 14. Quelle idée l'ami leur a-t-il donnée? 15. Pourquoi M. Oreille ne voulait-il pas aller à la compagnie demander le prix du parapluie? 16. Qu'est-ce que Mme Oreille a fait avant d'y aller elle-même? 17. Pourquoi marchait-elle de moins en moins vite en regardant les numéros des maisons? 18. Qui se trouvait dans la grande pièce quand elle y est entrée? 19. De quoi parlaient-ils? 20. Pourquoi cette conversation n'ajoutait-elle pas à la confiance de Mme Oreille? 21. Quelle a été l'attitude du directeur en voyant le parapluie brûlé? 22. Quel mensonge Mme Oreille a-t-elle fait pour soutenir sa demande? 23. Pourquoi, selon elle, n'a-t-on rien demandé pour le feu de cheminée? 24. Comment a-t-elle expliqué l'accident du parapluie brûlé? 25. Où est-elle allée en sortant de chez le directeur? 26. Qu'est-ce qu'elle dit au marchand de parapluies?

B. *Dites si les phrases suivantes sont vraies ou fausses:*
1. C'était à cause de l'extrême misère que Mme Oreille gardait si bien son argent. 2. M. Oreille partageait les idées de sa femme

sur la question d'argent. 3. Ses amis du bureau se moquaient de lui à cause de son parapluie usé. 4. Mme Oreille aurait mieux fait d'acheter un bon parapluie à la place de celui de huit francs. 5. M. Oreille avait brûlé son parapluie pour rendre sa femme furieuse. 6. Mme Oreille l'accuse d'avoir fait des farces avec le parapluie au bureau. 7. Quoique furieuse, Mme Oreille est allée tout de suite acheter un autre parapluie. 8. Le lendemain soir, le parapluie était tellement brûlé qu'il ne valait plus rien. 9. Heureusement, un agent de police a séparé les deux époux. 10. Un ami a dit que M. Oreille n'avait pas besoin d'un parapluie pour aller au bureau. 11. Oreille aurait été content d'aller chercher l'argent du parapluie, mais il n'avait pas le temps. 12. Avant d'aller à la compagnie, Mme Oreille a brûlé le parapluie davantage. 13. Elle n'était pas étonnée des sommes énormes dont parlaient les hommes dans le bureau. 14. C'est à force de lutter que Mme Oreille a obtenu l'argent. 15. Ne voulant pas gagner sur la compagnie, elle se contentera d'une soie ordinaire pour recouvrir le parapluie.

C. (a) *Étudiez bien les phrases suivantes:*

1. Son mari *se plaignait des* privations. 2. Il a juré qu'il *n'y comprenait rien.* 3. Il faut *au moins* huit francs. 4. Le dommage *a eu lieu* dans votre domicile. 5. Il faut vous adresser au premier, *à gauche.* 6. *Au premier*, elle aperçoit une porte. 7. Je *m'en rapporte à* vous. 8. Mme Oreille a saisi la carte, *ayant hâte d'*être dehors.

(b) *Traduisez:*

1. M. Oreille *was in a hurry to* leave the office. 2. The poor man *understood nothing about it.* 3. He did not dare to *complain about it.* 4. A dispute *took place* between the two. 5. His office was the third door *on the left.* 6. Mme Oreille *left it to* the man. 7. She found him *on the second floor.* 8. The man *is not in a hurry to* accept the idea. 9. They wanted more than that, *at least.* 10. The man *complained of* the big sum.

UN ACCIDENT

A. *Questionnaire.*

1. Quelle sorte de gens venait à l'église de Saint-Médard? 2. Où allait le vieil abbé un soir d'hiver? 3. Pourquoi n'était-il pas de très

bonne humeur? 4. Qui l'attendait à l'église? 5. Comment le pénitent était-il vêtu? 6. Quelle confession voulait-il faire? 7. Quel était l'effet de cette confession sur le vieil abbé? 8. D'où était venu l'homme il y avait vingt ans? 9. Qui l'avait accompagné à Paris? 10. Quelles différences y avait-il entre les deux camarades? 11. Où mangeait le pénitent d'habitude? 12. Pourquoi n'avait-il pas autant d'argent que son compagnon? 13. À quoi a-t-il pensé après la mort de sa mère? 14. Qui était Catherine? 15. À qui Jacques a-t-il présenté Catherine? 16. Pourquoi Catherine a-t-elle refusé le cadeau que Jacques lui offrait? 17. Quelle conduite Jacques a-t-il suivie après le mariage de Catherine et de Philippe? 18. Comment Philippe a-t-il changé après la naissance du petit Camille? 19. Que faisait Jacques pour aider Catherine et son fils? 20. Comment Camille gagnait-il sa vie? 21. Pourquoi était-il triste quand Jacques l'a rencontré dans la rue? 22. Où Jacques a-t-il vu Philippe après avoir entendu les mauvaises nouvelles? 23. Selon Philippe, pourquoi Catherine et Camille veulent-ils sa mort? 24. Qu'est-ce que Jacques a fait au moment du déjeuner? 25. Qu'est-ce qu'il apporte à l'abbé pour les pauvres?

B. *Complétez les phrases suivantes en choisissant les locutions qui conviennent le mieux:*

1. L'abbé était presque certain de se déranger pour rien (parce qu'il y avait un orage, parce qu'il n'y avait pas d'ordinaire de pénitents à l'église, parce qu'il avait laissé un livre ouvert sur la table). 2. Jacques était venu à Paris (pour voir sa vieille mère, parce qu'il aimait Catherine, accompagné de son ami). 3. Jacques gagnait autant d'argent que Philippe, mais (il en envoyait à sa mère, il en dépensait beaucoup à boire, il ne voulait rien donner à personne). 4. Catherine a refusé le cadeau de Jacques (parce qu'elle le trouvait sans valeur, parce que Jacques ne l'aimait plus, parce qu'elle aimait Philippe). 5. À l'école, Camille a appris (à dessiner, à travailler comme son père, à tirer les mauvais numéros). 6. Philippe est venu travailler à la maison boulevard Arago (parce qu'il voulait revoir Jacques, pour gagner de quoi boire, pour terminer le bâtiment avant le départ de son fils). 7. Si Philippe était mort, (Jacques serait riche, Catherine quitterait Paris, Camille ne partirait pas). 8. La mort de Philippe (n'était pas un accident, a été causé par trop de travail, a désolé toute la ville).

C. (a) *Étudiez bien les phrases suivantes:*

1. Le conseil *a de la peine à* joindre les deux bouts. 2. *Du moins*, il n'était pas venu pour rien. 3. Le pénitent sait qu'il ne parle pas *comme il faut*. 4. On nous a placé *tous les deux* chez le même patron. 5. J'ai mis quelque argent *de côté*. 6. J'ai honte de répéter ce qu'il m'a dit. 7. Nous *avions envie de* nous sauter à la gorge. 8. Il ne peut pas les oublier *tout à fait*. 9. Il allait descendre *à son tour*. 10. Il dit qu'il *s'éloignera de* Paris.

  (b) *Traduisez:*

1. The priest *wants to* remain at home. 2. *At least*, he remembers his duty. 3. He *has difficulty in* walking to the church. 4. The priest replies *properly* to his questions. 5. Jacques *was not ashamed of* what he had done. 6. Philippe was not *entirely* good. 7. He *in turn* was in love with Catherine. 8. They could not *both* marry her. 9. Jacques *had put aside* a little money. 10. Camille did not want *to go away from* his mother. 11. Suddenly he *felt the desire to* kill Philippe.

LE COUP DE PISTOLET

I

A. *Questionnaire.*

1. Comment les officiers passaient-ils leur journée au régiment? 2. Qui, parmi eux, n'était pas militaire? 3. D'où venait cet homme et que savait-on de son passé? 4. Quelle était sa grande occupation? 5. Qu'est-ce qu'on a prié Silvio de faire chez lui un soir? 6. Pourquoi l'officier n'a-t-il pas su l'habitude qu'avait Silvio quand il jouait aux cartes? 7. Qu'est-ce qui est arrivé en conséquence? 8. Pourquoi les officiers étaient-ils surpris de voir R . . . le lendemain? 9. Quel effet la conduite incompréhensible de Silvio a-t-elle eu sur les jeunes officiers? 10. Pourquoi l'auteur était-il surtout touché de cette affaire? 11. Quelles nouvelles Silvio a-t-il annoncées après avoir reçu une lettre? 12. Pourquoi Silvio veut-il que son ami reste après le départ des autres? 13. Qu'est-ce qu'il avait à lui dire? 14. Qu'est-ce que Silvio avait gardé en souvenir de son duel? 15. Quelle a été la cause de ce duel? Où avait-il eu lieu? 16. Comment l'adversaire de Silvio s'était-il conduit après avoir tiré son coup? 17. Pourquoi Silvio n'a-t-il pas voulu tirer à son tour? 18. Quelles nouvelles la lettre lui annonçait-

elle? 19. Pourquoi son ennemi regretterait-il la vie surtout à ce moment-là? 20. Qu'est-ce qu'un domestique est venu annoncer?

B. *Complétez les phrases suivantes:*

1. Dans le village on menait une vie assez ennuyeuse parce que . . . 2. On ne pouvait savoir si Silvio avait beaucoup d'argent parce que . . . 3. Puisque Silvio ne voulait jamais parler de ses duels, on supposait que . . . 4. Lorsqu'il jouait, Silvio avait l'habitude de . . . 5. Un officier a provoqué la colère de Silvio en . . . 6. Silvio a invité les officiers à dîner chez lui une dernière fois, et, en même temps, il a annoncé . . . 7. Il a retenu son meilleur ami pour . . . 8. Il avait refusé de se battre avec R . . . parce que . . . 9. Comme souvenir d'un ancien duel, Silvio avait gardé . . . 10. L'officier qui avait tiré contre Silvio vivait toujours parce que . . . 11. Silvio partait cette même nuit pour . . .

C. (Conditional Sentences) *Mettez la forme convenable à la place indiquée:*

1. Si quelqu'un _____ (faire) une erreur, il payera. 2. S'il _____ (tuer) l'officier, nous aurions été surpris. 3. S'il demande que vous mettiez le chapeau, vous ne _____ (refuser) pas. 4. Il serait parti, si la lettre _____ (arriver) plus tôt. 5. Il s'expliquerait avec moi, s'il _____ (être) possible. 6. S'il _____ (se battre), il ne risquerait pas sa vie. 7. Silvio serait déjà parti, si les chevaux _____ (arriver).

D. (a) *Étudiez bien les phrases suivantes:*

1. On dîne chez le commandant *ou bien* au restaurant. 2. *En outre,* son caractère difficile faisait une grande impression sur nous. 3. Il sortait toujours *à pied.* 4. Remerciez Dieu que cela *se soit passé* chez moi. 5. Le maître ne *s'intéressait* plus *au* jeu. 6. Cette pensée m'empêchait d'être *à mon aise* avec lui. 7. *J'ai besoin de* causer avec vous. 8. *Il se peut* que nous ne nous revoyions jamais. 9. *C'était à moi* de tirer le premier. 10. Ne *vous mêlez* pas *de* mes affaires.

(b) *Traduisez:*

1. The officers *were interested in* his past. 2. *It is possible* that he is not brave. 3. He invited them that evening *or else* on the following day. 4. The officers knew what *would happen.* 5. *It was their turn* to

be surprised. 6. But they *did not meddle in* Silvio's business. 7. They went to his home *on foot.* 8. The officer *needed to* see Silvio. 9. Everyone was soon *at his ease.* 10. The commandant came; *besides* all the regiment was there. 11. They *did not need to* play that evening. 12. Silvio told the officer what *had happened.*

II

A. *Questionnaire.*

1. Pourquoi l'auteur demeurait-il dans un misérable petit village? 2. Que faisait-il pour passer le temps? 3. Qui est venu habiter le château? 4. Pourquoi l'auteur est-il allé au château? 5. Comment le comte l'a-t-il reçu? 6. Pourquoi l'auteur n'était-il pas à son aise? 7. Qui a contribué beaucoup à son embarras? 8. Pourquoi un des tableaux a-t-il attiré son attention? 9. Pourquoi le comte manquerait-il maintenant une carte à vingt pas? 10. Quelle surprise l'auteur a-t-il reçue en nommant Silvio? 11. Pourquoi la femme du comte n'a-t-elle pas voulu entendre l'histoire? 12. Où le comte avait-il trouvé Silvio? 13. Pourquoi Silvio était-il venu le chercher? 14. Pour quelle raison Silvio a-t-il voulu tirer au sort? 15. Qui a obtenu le numéro 1? Comment a-t-il tiré? 16. Qui est entré au moment où Silvio commençait à viser? 17. Pourquoi n'a-t-il pas tiré son coup? 18. Qu'est-ce qu'il a fait en sortant? 19. Comment Silvio est-il mort?

B. *Dites si les phrases suivantes sont vraies ou fausses:*

1. Le soldat ne s'ennuyait pas dans le petit village tranquille. 2. C'était surtout la gaieté des vieillards qui l'amusait. 3. La politesse du comte ne lui était pas naturelle. 4. La présence de la femme du comte a embarrassé l'auteur. 5. Le comte a abandonné l'art de tirer depuis quelque temps. 6. Mais l'auteur était sûr que le comte ne manquerait pas sa carte. 7. Il n'y a jamais eu de duels entre Silvio et le comte. 8. Le comte et sa femme étaient demeurés au château après leur mariage. 9. Le comte avait attendu la visite de Silvio avec grande impatience. 10. Silvio a refusé de tirer à cause de la peur du comte. 11. Silvio portait la casquette que la balle du comte avait traversée autrefois. 12. Le comte était content d'avoir manqué Silvio. 13. Silvio est mort à la tête de ses soldats.

C. (a) *Étudiez bien les phrases suivantes:*

1. Je *me rends au* château. 2. J'ai fait un effort pour *me remettre.*

3. La femme a peur *tout à coup*. 4. Un homme *avait à* me parler
d'affaires. 5. Je *pensais à* elle. 6. Tu *te souviendras de* moi. 7. Il *a jeté
un coup d'œil sur* le tableau.

(b) *Traduisez:*

1. The author *thought of* the happy days of the past. 2. He *will remember* his visit to the château. 3. He *glanced at* the count's wife.
4. He was unable to *regain his composure*. 5. Silvio *had gone to* the
château. 6. *Suddenly* he decided not to shoot. 7. He *had* a lesson *to*
give. 8. The count *is thinking about* Macha.

LA CLOCHE

A. *Questionnaire.*

1. Pourquoi l'église de Lande-Fleurie avait-elle besoin d'une cloche
neuve? 2. Quel âge le curé avait-il? 3. Depuis combien d'années
était-il curé de cette église? 4. Pourquoi lui a-t-on donné mille francs?
5. Où allait le curé le lendemain matin? 6. Qu'est-ce qu'il a vu au
bord de la route? 7. Que lui a demandé la petite fille? 8. Comment
était-elle vêtue? 9. Pourquoi l'abbé voulait-il lui donner de l'argent?
10. Pourquoi est-il revenu sur ses pas bien vite après? 11. Comment
monsieur le curé a-t-il expliqué son retour à Scholastique? 12. Pourquoi est-il sorti enfin de sa maison? 13. Comment a-t-il expliqué
l'absence de la cloche neuve à un de ses fidèles? 14. Par quels moyens
espérait-il obtenir mille autres francs? 15. Pourquoi a-t-il tout raconté
à Scholastique? 16. Comment l'a-t-elle aidé? 17. Quel changement
s'est produit peu à peu en monsieur le curé? 18. Comment l'attitude
de ses fidèles changeait-elle? 19. Qu'est-ce qu'il a enfin résolu de
faire? 20. Qu'est-ce qui s'est passé dans l'église au moment où
monsieur le curé commençait sa confession? 21. Comment pourrait-on
expliquer ce qui est arrivé? 22. Qu'est-ce que les habitants du village
n'ont jamais pu savoir?

B. *Complétez les phrases suivantes en choisissant les locutions qui
conviennent le mieux:*

1. La petite église de Lande-Fleurie avait besoin (d'un curé plus
jeune, d'une nouvelle cloche, d'une pendule pour indiquer l'heure).
2. Les membres du conseil sont allés voir toutes les familles (pour
leur dire qu'il fallait chasser le vieux curé, pour leur apporter des

cadeaux, pour leur demander de l'argent). 3. Le vieux curé allait à Rosy-les-Roses (en voiture, pour voir la petite fille au bord de la route, pour y prendre la voiture publique). 4. La petite fille était triste surtout (parce que son frère vient de sortir de prison, parce que le cheval est mort, à cause du ton sévère du curé). 5. Quand enfin le curé quitte la petite fille, (il va tout de suite à Pont-l'Archevêque, il lui laisse tout son argent, il pleure en lui disant au revoir). 6. Après avoir menti une première fois, le vieux curé est obligé de continuer (pour plaire à Scholastique, pour gagner les autres mille francs, parce qu'il n'ose dire la vérité). 7. Il ne recevrait pas beaucoup d'argent s'il vendait ses meubles (parce qu'ils ne valent pas beaucoup, parce que le curé n'a pas le droit de les vendre, parce que Scholastique n'en a pas pris soin). 8. Ce qui gênait le vieux curé, c'était (d'avoir sur la conscience et ses propres mensonges et ceux de Scholastique, de n'avoir pas donné plus d'argent à la petite fille, d'avoir fait cette longue promenade à pied). 9. Le retard de monsieur le curé a donné lieu à la fin à (une grande fête, quelques doutes de la part des habitants du village, l'approbation du boulanger Farigoul). 10. Enfin, le brave homme s'est décidé à (faire une confession publique de sa faute, payer la cloche neuve lui-même, ne plus parler de l'affaire). 11. Au moment où il commençait à parler, (on a entendu la cloche neuve, les fidèles se moquaient de lui, les deux Américaines sont entrées).

C. (a) *Étudiez bien les phrases suivantes:*

1. *Il faisait beau.* 2. *Il plaît à* Dieu *de* tenir ses créatures à la grande misère. 3. *En attendant,* que répondre à ceux qui l'interrogeraient? 4. On est venu le chercher pour aller *rendre visite à* un malade. 5. Scholastique *se trompe.* 6. Monsieur le curé, vous *avez quelque chose.* 7. Je *me charge d'*expliquer la chose. 8. Cela formait, *à la longue,* une masse excessive de mensonges. 9. Les habitants *s'étonnaient de* ce retard. 10. Dieu *avait-il fait apporter* la nouvelle cloche?

(b) *Traduisez:*

1. *It pleased* the inhabitants *to* see the priest. 2. He went *to pay a visit to* his friend. 3. *In the meantime,* he thought about the bell. 4. *In time,* the people regretted it. 5. The priest *was astonished at* the gift. 6. He *will take care of* buying the bell. 7. *It is a nice day.* 8. He thinks he is going to the city, but he *is mistaken.* 9. *There is something the*

matter with him. 10. *The weather was not nice* when he returned.
11. The Americans *have had* a bell *installed.*

NAUSICAA

A. *Questionnaire.*

1. Qui était Télémaque? 2. Qu'est-ce que son père lui racontait tous les jours? 3. Quel récit préféraient et Télémaque et son père? 4. Que faisait Nausicaa quand Ulysse l'a vue pour la première fois? 5. Pourquoi Ulysse était-il sûr de ne jamais rencontrer de fille comme Nausicaa? 6. Quelle raison Télémaque donnait-il pour ne pas vouloir se marier? 7. Qu'est-ce qu'il dit un jour à son père? 8. Quels conseils son père lui a-t-il donnés? 9. Vers quelle île est-il allé et pourquoi y a-t-il abordé? 10. Pourquoi le Cyclope n'était-il plus aveugle? 11. Comment Télémaque a-t-il évité d'être mangé du Cyclope? 12. Quelle confession a-t-il faite au Cyclope au bout de six années? 13. Qui était Circé? 14. Pourquoi n'a-t-elle pas changé Télémaque en cochon? 15. Pendant combien de temps Télémaque est-il resté avec Circé? 16. Pourquoi l'a-t-il quittée? 17. Qu'est-ce qui l'a retenu si longtemps à l'île des Lotophages? 18. Qui est-ce que Télémaque a vu en se réveillant sur l'île des Phéaciens? 19. Que faisaient les femmes? 20. Où Nausicaa allait-elle conduire Télémaque? 21. Quelle surprise attendait Télémaque? 22. Quel effet cette révélation a-t-elle eu sur lui?

B. *Complétez les phrases suivantes:*

1. Ce qu'Ulysse n'oubliera jamais, c'est que Nausicaa . . . 2. Quand il l'a vue pour la première fois, elle était en train de . . . 3. Ulysse ne pouvait faire à Nausicaa une description de son fils parce que . . . 4. L'histoire de Nausicaa a eu tant d'influence sur Télémaque qu'il . . . 5. Avant le départ de Télémaque, son père, en parlant des dangers du voyage, lui a recommandé de . . . 6. Le Cyclope n'a pas mangé Télémaque parce qu'il voulait . . . 7. Le long des chemins sur l'île de Circé, Télémaque a vu . . . 8. Il a passé vingt ans sur l'île des Lotophages après avoir . . . 9. Il vivait de la même façon que les doux Lotophages: c'est-à-dire . . . 10. Comme Télémaque était nu en gagnant le bord de l'île des Phéaciens, il . . . 11. Si Télémaque n'a pas voulu rester avec Nausicaa, c'est qu'enfin il a compris que . . .

C. (Possessive Adjectives and Pronouns) *Traduisez les mots entre parenthèses:*

1. Ulysse s'assied entre (*his*) femme et (*his*) fils et commence à raconter (*his*) voyages. 2. Il parle de (*his*) aventure dans l'île des Phéaciens. 3. C'est (*his*) histoire préférée et (*mine*) aussi. 4. Est-ce (*hers*)? 5. Quelles sont (*yours*)? 6. (*Our*) rois sont comme (*theirs*). 7. C'est (*her*) roi aussi bien que (*ours*). 8. Il ouvre (*his*) yeux et remarque qu'ils se lavent (*their*) mains.

D. (a) *Étudiez bien les phrases suivantes:*

1. Elle n'*avait* que *quinze ans*. 2. *Garde-toi* d'aborder à cette île. 3. *Au reste*, tout obstacle me sera ennemi qui pourrait remettre mon arrivée. 4. Si je l'ai trahi, *c'est que* j'allais mourir. 5. *Le long du* chemin, les cochons accouraient. 6. Il n'avait point cessé d'aimer la vierge *aux* yeux bleus. 7. Ils ne *s'inquiètent d'*aucune chose. 8. Il ne savait *au juste* ce que c'était.

(b) *Traduisez:*

1. Télémaque *was five years old* when his father left. 2. If his father remembered him, *it was because* he wanted to see him. 3. He *took care not to* talk of Nausicaa in front of Pénélope. 4. Circé was a beautiful woman *with* hair of gold. 5. Télémaque walked *along* the shore. 6. He did not know *exactly* where he was. 7. *Moreover*, he had lost his ship. 8. He *was worrying about* everything. 9. The man *with* the big head seized him. 10. When Télémaque saw Nausicaa, he *was fifty years old*.

JÉSUS-CHRIST EN FLANDRE

A. *Questionnaire.*

1. Quand partait le bateau? 2. Pourquoi le patron attendait-il toujours? 3. Qui est arrivé sur le quai au dernier moment? 4. Pourquoi les voyageurs à l'arrière du bateau se sont-ils assis tout de suite en voyant cet homme? 5. Qui a fait placé au nouveau venu? 6. Quelle différence y avait-il entre les voyageurs à l'arrière et ceux à l'avant du bateau? 7. Comment le patron a-t-il su qu'il y aurait un orage? 8. Qu'est-ce que les gens à l'arrière ont fait en voyant travailler les hommes du patron? 9. Pourquoi les pauvres gens plaignaient-ils cette

misère? 10. Lequel des deux groupes de voyageurs était le plus effrayé quand l'orage est venu? 11. Quelle a été l'attitude de l'inconnu devant ce danger? 12. Qu'est-ce qu'il a dit à la jeune mère quand elle avait peur pour son enfant? 13. Quelle était l'attitude du patron devant les périls du voyage? 14. Qu'est-ce que le beau cavalier a promis à la fière demoiselle? 15. À quelle distance d'Ostende le bateau se trouvait-il au moment de se renverser? 16. Qu'est-ce que l'inconnu a dit aux voyageurs à ce moment-là? 17. Qui a pu le suivre? 18. Pourquoi Thomas a-t-il eu de la difficulté? 19. Comment le patron a-t-il essayé de se sauver? 20. Qu'est-ce qui est arrivé à ceux qui ne pouvaient pas suivre l'homme? 21. Où les fidèles ont-ils vu une petite lumière? 22. Pourquoi leur guide n'est-il pas resté avec eux? 23. Où a-t-il laissé le patron? 24. Qu'est-ce qu'on a bâti en cet endroit? 25. Quelles preuves y avait-il que Jésus avait fait visite à cette région?

B. *Dites si les phrases suivantes sont vraies ou fausses:*

1. Le bateau partait de si bonne heure que l'on pouvait à peine voir la côte. 2. Le patron a tout de suite reconnu l'étranger. 3. Ce n'étaient pas les riches qui ont fait place à l'inconnu. 4. Les pauvres gens étaient tous de la campagne. 5. Le patron savait qu'il y aurait bientôt un orage. 6. Les hommes du patron n'ont fait aucun effort pour arriver à Ostende avant l'orage. 7. Tous les voyageurs, même les riches, étaient frappés de l'aspect de l'inconnu. 8. L'étranger a essayé d'encourager la jeune mère. 9. Le patron croyait que le travail et la force seuls pouvaient sauver le bateau. 10. Le bateau s'est renversé au moment où les voyageurs en descendaient. 11. Après tout, l'inconnu n'était qu'un voyageur ordinaire.

C. (a) *Étudiez bien les phrases suivantes:*

1. Le patron sonna *à plusieurs reprises*. 2. *À côté d'*eux se trouvait un homme de science. 3. Derrière lui *se trouvaient* un paysan et son fils. 4. Après avoir lancé *un coup d'œil* au ciel, il dit: «Dépêchons.» 5. Chacun a regardé le ciel, *soit* par instinct, *soit* pour obéir à une mélancolie religieuse. 6. «Le patron *a raison,*» dit Thomas. 7. Il a continué de regarder *tour à tour* son bateau, la mer et le ciel. 8. Ah! *j'ai eu tort!* 9. Le savant *se prend à* rire.

(b) *Traduisez:*

1. They *were* near the shore. 2. The master looked toward the

land *several times.* 3. *A glance* toward the sea told him that there was danger. 4. The stranger *found himself* between the mother and the soldier. 5. The wind *starts* to blow. 6. *Whether* because of the storm *or* because of the water, the rich people were afraid. 7. The leader spoke *by turns* to his men and to the travellers. 8. He *was not wrong.* 9. The old woman sat *beside* the priest. 10. The mother began her song *several times.* 11. They knew that the stranger *was right.* 12. He found the master *beside* the rock.

PRINTEMPS

I

A. *Questionnaire.*

1. Chez qui le jeune homme demeurait-il? 2. Pourquoi était-il sorti ce matin sur la pointe des pieds? 3. Où le jeune homme allait-il? 4. Pourquoi l'oncle l'avait-il reçu chez lui? 5. Qu'est-ce que l'oncle aurait sans doute empêché, s'il s'était réveillé? 6. Depuis combien de temps Jean connaissait-il cette rivière? 7. Où s'est-il couché ce matin-là? 8. À quoi pensait-il en attendant Babet? 9. Qui était Babet? 10. Qu'est-ce qui a fait oublier à Jean la rivière et les collines? 11. Pourquoi croyait-il que Babet le détestait? 12. Qu'est-ce qu'elle a voulu faire en prenant de l'eau dans la main? 13. Qu'est-ce que le jeune homme a fait en voyant cela? 14. Pourquoi n'a-t-elle pas reçu de l'eau de sa main à lui la première fois? 15. Qui est venu au moment où le jeune homme donnait à boire à la jeune fille? 16. Quel a été l'effet de l'arrivée du curé? 17. Qu'est-ce que l'oncle Lazare a dit à Jean? 18. Pourquoi le silence de l'oncle pendant la promenade a-t-il effrayé Jean? 19. Où l'oncle s'est-il enfin arrêté? 20. Qu'est-ce que Jean attendait en se mettant à côté de son oncle?

B. *Complétez les phrases suivantes en choisissant les locutions qui conviennent le mieux:*

1. Le jeune homme habitait (une petite chambre à côté de celle de son oncle, la grande maison que son père lui a laissée, un petit coin sombre de l'église). 2. Il ne voulait pas réveiller son oncle (qui se mettrait sans doute en colère, parce qu'il faisait toujours nuit, car celui-ci ne lui permettrait pas de sortir seul). 3. La mère du garçon (demeurait dans un village tout près, était morte, l'avait chassé quand il était tout

petit). 4. L'oncle Lazare voulait faire de son neveu (un artiste, le mari de Babet, un savant). 5. Quand Jean est arrivé au bord de la rivière (Babet s'y trouvait déjà, il pouvait voir à l'horizon les premiers rayons du soleil, il s'est couché sous les arbres). 6. Babet s'est arrêtée (pour parler avec des femmes près de la rivière, car elle savait que Jean se cachait sous les arbres, devant la maison de l'oncle Lazare). 7. Jean ne s'est montré (qu'après le départ de la jeune fille, qu'au moment où il l'a vue se pencher pour boire, que pour dire bonjour à son oncle). 8. La première fois, il n'a pas réussi à lui donner à boire parce que (l'eau s'est échappée de ses mains, Babet s'est enfuie, l'oncle l'a grondé). 9. En apercevant l'oncle Lazare, (Jean s'est caché derrière les arbres, Babet a rougi, les femmes s'en sont allées). 10. Ce qui effrayait Jean, c'était que (son oncle était furieux, son oncle ne lui parlait pas, son oncle marchait trop vite).

C. (a) *Étudiez bien les phrases suivantes:*

1. *Levez-vous*, mon oncle Lazare! 2. Il devait *faire si bon* sous les arbres! 3. La plaine *était à moi*. 4. Je *me couchais* sur le ventre. 5. N'avez-vous jamais regardé dans l'herbe, *de près?* 6. *Que m'importaient* mes camarades? 7. Alors elle *a éclaté de rire*. 8. *Je me suis demandé* comment j'avais pu oser me faire baiser les doigts. 9. *Au loin* s'étendaient les prairies. 10. Je *me suis tenu* à son côté.

(b) *Traduisez:*

1. He *wondered* how he could get out. 2. He *had arisen* early. 3. The entire morning *was his*. 4. He wanted *to lie down* under the trees. 5. *In the distance* he could hear the river. 6. He *kept himself* in the shadow. 7. He studied the new leaves *closely*. 8. He *was wondering* when Babet would come. 9. The women *burst out laughing*. 10. *What did* the river *matter to him!* 11. *It was so nice* in the grass. 12. He hoped that Babet *would be his*.

II

A. *Questionnaire.*

1. De quoi l'oncle Lazare a-t-il commencé à parler? 2. Pourquoi Jean était-il étonné? 3. Qu'est-ce que le printemps enseigne aux garçons d'après l'oncle? 4. Pourquoi l'oncle aime-t-il la nature? 5. Qu'est-ce que l'oncle voulait dire à Jean en parlant du printemps et de

l'automne? 6. Quelle bonne nouvelle l'oncle laisse-t-il échapper?
7. Comment avait-il appris cette nouvelle? 8. Pourquoi était-il embarrassé après l'avoir dite? 9. Qu'est-ce que Jean lui a promis de faire?
10. À quel rêve l'oncle a-t-il renoncé? 11. Où va-t-il envoyer Jean?
12. Pourquoi importe-t-il peu à Jean que le déjeuner soit froid? 13.
Qu'est-ce qu'il a fait pendant le reste de la journée? 14. Où est-il allé
après le dîner du soir? 15. Comment Babet a-t-elle avoué son amour,
même sans le vouloir? 16. Quels projets les deux jeunes gens ont-ils
faits? 17. Qu'est-ce qu'ils se sont juré l'un à l'autre? 18. Comment se
sont-ils séparés? 19. Pourquoi semblait-il à Jean qu'il avait été longtemps absent de sa chambre? 20. Pourquoi Jean a-t-il appelé cette
journée-là sa «journée de printemps»?

B. *Complétez les phrases suivantes:*

1. Au lieu de lui faire un sermon, l'oncle de Jean a commencé
à . . . 2. Selon l'oncle Lazare, on doit aimer le printemps parce
que . . . 3. Dans sa description du printemps, l'oncle Lazare voulait
dire à Jean que . . . 4. L'oncle Lazare savait que Babet aimait son
neveu parce que . . . 5. L'oncle Lazare, embarrassé, s'est tu, et
c'était Jean qui . . . 6. Comprenant que Jean aimera Dieu d'une
autre façon, l'oncle renonce à . . . 7. Tout de suite après le dîner du
soir, Jean est sorti pour . . . 8. Babet a laissé voir à Jean qu'elle
l'aimait quand . . . 9. Jean a juré de . . . 10. Jean se souviendra toujours de cette journée parce que . . .

C. (Demonstrative Adjectives and Pronouns) *Traduisez les mots
entre parenthèses:*

1. Regardez (*that*) belle fleur, (*the one*) que vous voyez là-bas.
2. (*That one*) est la plus jolie. 3. (*This*) arbre vert est (*the one*) dont
je vous ai parlé. 4. Jean et l'abbé sont parents; (*the former*) est beaucoup plus jeune que (*the latter*). 5. Qu'est-ce que (*this*) veut dire?
6. (*These*) messieurs sont (*those*) dont vous avez déjà fait la connaissance. 7. C'est le meilleur gamin de tous (*those*) de son âge. 8. Un jour
je vous raconterai tout (*that*). 9. (*He*) qui a peur n'ira pas. 10. (*This
stream*) est plus grande que (*that one*).

D. (a) *Étudiez bien les phrases suivantes:*

1. Les fleurs *se hâtent*. 2. Je *renonce* pour toujours *à* mon rêve. 3. Il
a fait semblant de ne pas remarquer mon peu d'appétit. 4. Elle venait à

l'église *tous les soirs.* 5. Laissez-moi, je *suis pressé.* 6. *Il me semble* encore entendre sa voix. 7. J'ai juré de mériter sa main *à force de* travail et de tendresse.

(b) *Traduisez:*
1. Will he *give up* Babet? 2. The uncle *does not hurry.* 3. *By dint of* study, he will succeed in Grenoble. 4. The uncle *pretends to* be thinking. 5. Jean *is in a* great *hurry.* 6. He will no longer see her *every evening.* 7. Babet *pretended to* be frightened. 8. *It seemed to her* that he *was hastening.*

LA SAINT-NICOLAS

I

A. *Questionnaire.*
1. Quelle a été l'attitude de M. Hubert Boinville quand le garçon a annoncé la visite de Mme Blouet? 2. Comment la vieille femme a-t-elle salué M. Boinville? 3. Pourquoi est-elle venue au bureau? 4. Pourquoi Boinville croyait-il qu'il serait difficile d'obtenir du secours pour elle? 5. Qui avait fait vivre la vieille femme? 6. Qu'est-ce que Boinville a remarqué en écoutant l'histoire de la vieille femme? 7. Qu'a-t-il demandé au garçon de bureau? 8. De quelle région la vieille femme était-elle venue? 9. Pourquoi Boinville s'est-il intéressé à ce détail? 10. Quelle espérance a-t-il donnée à la femme? 11. À quoi a-t-il pensé après le départ de la vieille? 12. Comment avait-il pu arriver à un poste si élevé? 13. Pourquoi ne s'est-il jamais marié? 14. Qu'est-ce qu'il a écrit enfin sur la feuille Blouet? 15. Pourquoi Boinville allait-il rendre visite à Mme Blouet? 16. Qui lui a ouvert la porte? 17. Qu'est-ce que Boinville a cru en la voyant? 18. Comment la grand'mère a-t-elle reçu Boinville? 19. Dans quelle sorte de salle s'est-il trouvé? 20. Qu'est-ce que la jeune fille faisait pour gagner de l'argent pour la maison? 21. Pourquoi la grand'mère préparait-elle un grand repas ce soir-là?

B. *Complétez les phrases suivantes en choisissant les locutions qui conviennent le mieux:*
1. Boinville a reçu Mme Blouet (avec enthousiasme, d'un air indifférent, à son appartement). 2. La vieille femme est venue pour (lui parler de sa petite-fille, lui adresser ses meilleurs vœux, demander du

secours). 3. Boinville écoute la vieille femme avec plus d'attention quand (il apprend qu'elle est de la Lorraine, il remarque son âge avancé, il apprend qu'elle ne peut plus travailler). 4. Boinville était d'une famille (du Midi de la France, qui avait toujours habité Paris, assez pauvre mais travailleuse). 5. Après avoir longtemps réfléchi, Boinville se décide à (essayer d'oublier la vieille femme, ne plus travailler que le matin, aider la vieille femme). 6. Boinville est allé chez la vieille femme (très tard le soir, pour lui annoncer que le secours lui serait accordé, dans une voiture du ministre). 7. Quand il a frappé à la porte, (il était étonné de voir une jolie jeune fille, on a crié: «Entrez,» personne n'a répondu). 8. La grand'mère préparait un repas (pour quelques voisins, pour célébrer la Saint-Nicolas, parce qu'elles étaient tristes). 9. En entendant la description de ce repas, Boinville (est parti en hâte, avait envie de pleurer, s'est remis à penser à sa jeunesse).

C. (a) *Étudiez bien les phrases suivantes:*

1. *Tout en* rejetant la carte, il a un geste d'impatience. 2. Je *m'en suis douté* à votre accent. 3. La vieille dame *se retire.* 4. Une des fenêtres *donne sur* les jardins de l'hôtel. 5. Son regard s'en va *au delà des* plaines. 6. Une jeune fille *se tenait* sur le seuil. 7. Monsieur, *donnez-vous la peine* d'entrer. 8. Je ne *m'attendais* pas *à* l'honneur de vous voir.

(b) *Traduisez:*

1. The house was *beyond* number 10. 2. He *stands* before the door. 3. He *expected to* find a very young girl. 4. She *did not suspect it.* 5. *While* replying to her, he examined the room. 6. The apartment *overlooked* the street. 7. She *withdrew* after five minutes. 8. His window *opened on* the court. 9. *Be good enough to* take off your hat. 10. They *were not expecting* his visit.

II

A. *Questionnaire.*

1. Quelles sortes de plats la grand'mère préparait-elle ce soir-là? 2. Quelle idée est venue à la vieille femme en causant avec Boinville? 3. Pourquoi Claudette s'est-elle opposée à cette invitation? 4. Comment l'attitude de Boinville a-t-elle changé pendant le repas?

5. Qu'est-ce que Mme Blouet a fait après le repas? 6. De quoi Boinville et Claudette ont-ils causé? 7. À quel moment Boinville est-il parti? 8. Comment Boinville et Claudette se sont-ils dit au revoir? 9. Qu'est-ce qui commençait à détourner l'attention de Boinville de son travail? 10. Qu'est-ce qu'il se demandait de temps en temps? 11. Qui est venu le voir un jour dans son bureau? 12. Quelles nouvelles apportait-elle? 13. Où était le poste que Claudette a reçu? 14. Quel effet ces nouvelles ont-elles eu sur Boinville? 15. Où est-il allé le lendemain soir? 16. Qui lui a ouvert la porte? 17. Quel moyen de rester à Paris Boinville a-t-il proposé à la jeune fille? 18. Pourquoi Boinville n'a-t-il pas osé la regarder? 19. Qui a apparu au moment où il lui baisait les doigts? 20. Quel cadeau Saint-Nicolas avait-il fait à Boinville selon celui-ci?

B. *Complétez les phrases suivantes:*

1. Selon la grand'mère et Boinville un *tôt-fait* est . . . 2. Dans la discussion secrète entre Claudette et la grand'mère, il s'agissait de . . . 3. D'ordinaire, Boinville dînait . . . 4. Pendant qu'elle préparait le repas, la grand'mère disait que Claudette . . . 5. Boinville s'est trouvé presque seul avec la jeune fille, car . . . 6. Quand Boinville a pris congé, c'était Claudette qui . . . 7. Rentré à son bureau, il n'avait pas le temps de . . . 8. La vieille femme est revenue à son bureau pour lui apprendre . . . 9. Le lendemain, Boinville est allé rue de la Santé pour . . . 10. Ce n'était pas parce qu'elle était effrayée que Claudette ne lui répondait pas mais parce qu'elle . . . 11. Si Mme Blouet le permet, Boinville va . . .

C. (Relative Pronouns) *Mettez la forme convenable à la place indiquée:*

1. La jeune fille _____ je parle c'est Claudette. 2. Voici le couvert _____ elle met. 3. Ce sont les détails _____ lui rappellent son pays. 4. C'est la province _____ il est né. 5. Voilà ce _____ il a besoin. 6. Elles ont fait pour lui tout ce _____ il voulait. 7. C'est la dame au fils de _____ il avait envoyé une lettre autrefois. 8. Il sait à _____ il pense. 9. Voilà la table sur _____ il écrit. 10. Ce n'est pas Mme Blouet _____ il désire rencontrer. 11. Oh! monsieur! s'est écrié la jeune fille _____ le visage s'est allumée de joie. 12. Cela est arrivé le soir _____ j'ai dîné chez vous.

D. (a) *Étudiez bien les phrases suivantes:*
1. Le voisin nous a donné *de quoi* faire une soupe. 2. *J'étais en train de* faire un gâteau. 3. Elles se tiennent un peu *à l'écart.* 4. Puis tu *iras chercher* du vin. 5. Elle *n'a pas tardé à* s'endormir. 6. Il fait un pas *en arrière.* 7. Il *songeait à* ce bon dîner. 8. La petite *va bien.*

(b) *Traduisez:*
1. He *thought of* his childhood. 2. He *was feeling fine.* 3. He looked *back.* 4. She had *what was necessary* to make a cake. 5. The grandmother *was in the act of* preparing the meal. 6. She *went to get* the cake. 7. Claudette *was not long in* returning. 8. Boinville *was thinking of* his work. 9. He *was in the act of* looking at the papers. 10. The office boy kept *to one side.* 11. Boinville *went to get* Claudette.

LE PAVILLON SUR L'EAU

A. *Questionnaire.*
1. Où demeuraient Tou et Kouan? 2. Quelles étaient leurs relations autrefois? Et à présent? 3. Qu'est-ce qu'ils ont fait pendre à la façade de leurs maisons? 4. Pourquoi ne voulaient-ils pas quitter leurs maisons? 5. Qu'est-ce qu'ils avaient fait bâtir entre les deux propriétés? 6. Qu'est-ce qui rendait le lac si joli? 7. Quel heureux événement a mis la joie dans les deux familles? 8. Que demandaient les enfants en regardant la muraille? 9. Quelle réponse leur donnaient les parents? 10. Quels talents Ju-Kiouan possédait-elle? 11. Quels honneurs Tchin-Sing a-t-il obtenus? 12. Quelle était son attitude envers les propositions de mariage? 13. Quelles excuses Ju-Kiouan a-t-elle trouvées pour ne pas se marier? 14. Quels rêves les deux mères ont-elles faits? 15. Pourquoi sont-elles allées au temple? 16. Qu'est-ce qu'elles y ont appris? 17. Où les jeunes gens se sont-ils vus la première fois? 18. De quoi Tchin-Sing était-il sûr en voyant la jeune fille? 19. Quelles menaces son père lui a-t-il adressées? 20. Qu'est-ce qu'il a fait le lendemain pour déclarer son amour? 21. Comment Ju-Kiouan a-t-elle pu savoir que Tchin-Sing était un homme de mérite? 22. Qu'est-ce que Tchin-Sing a reçu de Ju-Kiouan le jour suivant? 23. À qui les enfants ont-ils raconté leurs histoires? 24. De quoi les pères ont-ils été étonnés en se revoyant?

Exercices · 189 ·

B. *Dites si les phrases suivantes sont vraies ou fausses:*

1. Tou et Kouan habitaient des maisons voisines depuis bien des années. 2. Ils se sont félicités l'un l'autre de la naissance de leurs enfants. 3. Autrefois il n'y avait pas de murailles entre les maisons. 4. Quand les enfants ont remarqué la muraille, on l'a détruite. 5. C'était surtout dans ses études que Tchin-Sing avait des difficultés. 6. Ju-Kiouan savait par cœur le livre des Odes. 7. Les mères sont allées ensemble au temple. 8. En apprenant que sa beauté avait un frère Ju-Kiouan était fâchée. 9. Il faisait un temps superbe ce jour-là. 10. Tchin-Sing avait très peur de son père. 11. Les amoureux ne se sont déclaré leurs amours que par des lettres. 12. Le mariage s'est fait contre la volonté des pères.

C. (a) *Étudiez bien les phrases suivantes:*

1. Les deux amis se plaisaient à *se réunir*. 2. Kouan, *au contraire*, semblait devenir plus jeune. 3. La muraille bornait la vue à *tout le monde*. 4. Il désirait *jouir de* sa liberté. 5. Il ne *faisait la cour à* aucune jeune fille. 6. *Jusque-là*, elle avait cru que la terre ne renfermait pas l'être créé pour elle. 7. Son cœur était lié *à jamais*. 8. Le vent s'est levé *à propos*.

(b) *Traduisez:*

1. The two friends *enjoyed* their friendship. 2. *Everyone* looked at their lake. 3. But the houses were separated *forever*. 4. The friends no longer *met together*. 5. *Until that time*, they had smoked in the garden. 6. They cannot *enjoy* the view. 7. *On the contrary*, the wall hides everything. 8. His father called him *just at the right moment*. 9. He *courted* the girl from the other side. 10. They were married, to the great happiness of *everyone*.

L'ESQUISSE MYSTÉRIEUSE

I

A. *Questionnaire.*

1. Pourquoi le peintre était-il venu à Nuremberg? 2. Dans quelle sorte d'auberge demeurait-il? 3. Que lui demandait tous les jours le maître d'hôtel? 4. Quel effet ces demandes avaient-elles sur le peintre? 5. Qu'est-ce qu'il a résolu de faire une nuit? 6. Pourquoi s'est-il levé vers une heure? 7. Quel était le sujet de son dessin? 8. Où se trouvait

la vieille femme? 9. Qu'est-ce que la scène montrait? 10. Pourquoi le
peintre n'a-t-il pas terminé le dessin? 11. Qui est venu frapper à sa
porte le lendemain matin? 12. Pourquoi le peintre était-il embarrassé
en voyant cet homme? 13. Qu'est-ce que l'homme lui a acheté?
14. Pourquoi le peintre a-t-il descendu l'escalier après le départ du
juge? 15. Quelle résolution le peintre a-t-il prise quand il s'est trouvé
de nouveau dans sa chambre? 16. Qui est entré dans la chambre au
moment où il était en train de terminer le dessin? 17. Qu'est-ce que
cet homme a fait en voyant l'argent laissé par le juge? 18. Pourquoi le
peintre a-t-il mis à la porte le maître d'hôtel? 19. Quelle idée effrayante est venu au peintre quand il a vu les agents de police devant
l'hôtel? 20. Qu'est-ce qui s'est passé tout de suite après l'entrée des
agents? 21. Où les agents ont-ils amené le peintre? 22. Dans quelle
sorte de prison s'est-il trouvé? 23. Qui a-t-il vu en passant par les
galeries?

B. *Complétez les phrases suivantes:*

1. Ce que le peintre trouve de plus ennuyeux, c'est . . . 2. Une
nuit, se trouvant sans argent, le peintre a pensé à . . . 3. Il s'est levé
vers une heure du matin pour . . . 4. Le lendemain, quand il s'ap-
prêtait à terminer le tableau, quelqu'un . . . 5. Le juge s'est inter-
rompu dans sa conversation quand . . . 6. Quand le maître d'hôtel a
vu les ducats du peintre, il . . . 7. En voyant les agents de police à la
porte de l'hôtel, le peintre croyait . . . 8. Le peintre a ouvert la
porte, comprenant que . . . 9. Le peintre savait qu'il entrait à la
Raspelhaus quand . . . 10. Il n'y avait dans sa prison que . . . 11. En
traversant les galeries, le peintre a aperçu . . .

C. (Interrogative Adjectives and Pronouns) *Mettez la forme
convenable à la place indiquée:*

1. _____ le peintre est en train de faire? 2. _____ est son seul désir?
3. À _____ a-t-il donné un coup de pied? 4. De _____ a-t-il besoin
pour payer Rap? 5. _____ révolution singulière se fait-il dans son
esprit? 6. _____ des hommes a-t-il vendu son tableau? 7. _____
homme a frappé à la porte? 8. _____ il a dit? _____ dit le peintre?
9. _____ est arrivé plus tard? 10. _____ est-ce qu'il y a? _____ y
a-t-il? 11. _____ veulent les agents de police? 12. _____ des agents
s'agit-il? 13. _____ des hommes est le coupable? 14. _____ est votre
opinion?

D. (a) *Étudiez bien les phrases suivantes:*

1. *Faute d*'argent, il m'a fallu faire des portraits. 2. *Ce n'est pas la peine* qu'on en parle. 3. Après avoir considéré *de la sorte*, je soufflai ma lumière. 4. Mon seul désir était d'avoir de l'argent, pour *me débarrasser de* sa présence. 5. *Figurez-vous* une cour sombre. 6. Cette femme *me faisait peur.* 7. Il *s'est incliné* de nouveau. 8. Je n'ai pas pu *m'empêcher de* jeter un coup d'œil sur mes vieux meubles.

(b) *Traduisez:*

1. He tried *to keep from* thinking. 2. He stopped the work *for lack of* inspiration. 3. *It was not worthwhile* to make silhouettes. 4. After having worked *in this manner*, he was tired. 5. He cannot *get rid of* his black thoughts. 6. He *bowed* when the judge entered. 7. The landlord *did not frighten* him. 8. The painter cannot *imagine* what has happened. 9. At least, he *got rid of* the picture. 10. The prison *frightened* the poor man.

II

A. *Questionnaire.*

1. Quels détails de la haute salle ont frappé le peintre? 2. Qui se trouvait dans cette salle? 3. Pourquoi le peintre était-il étonné quand le juge a commencé à parler du dessin? 4. Où avait-il pris les détails de ce dessin? 5. Pourquoi le peintre s'est-il évanoui? 6. Où s'est-il trouvé en revenant à lui? 7. Où a-t-on arrêté la voiture? 8. Pourquoi le peintre reculait-il à chaque pas? 9. Qu'est-ce qu'il a vu au bout de l'allée sombre? 10. Quelle était l'accusation du juge? 11. Quel serait le sort du peintre, selon les agents? 12. Où l'a-t-on ramené? 13. Comment a-t-il passé la nuit? 14. Pourquoi y avait-il une foule dans la rue le lendemain matin? 15. Quel effet la lumière du nouveau jour avait-il sur l'esprit du peintre? 16. Comment a-t-il pu voir la foule? 17. Qui a passé par la rue? 18. Quelle révélation est venue au peintre en apercevant cet homme? 19. Qu'est-ce qu'il s'est mis à faire? 20. Qu'a-t-il demandé à Schlüssel quand celui-ci est entré? 21. Quel succès a-t-il eu avec le nouveau dessin? 22. Qu'est-ce que les juges ont fait en voyant ce dessin? 23. Qu'est-ce que l'homme a fait quand on lui a montré le dessin? 24. Qu'est-ce qui a sauvé le peintre? 25. Comment gagne-t-il la vie aujourd'hui?

B. *Complétez les phrases suivantes en choisissant les locutions qui conviennent le mieux:*

1. Le peintre était amené à prier (par son malheur, parce que ses lèvres s'agitaient, à cause du regard souriant de Conrad). 2. Van Spreckdal a commencé par (demander à Vénius d'où il venait, parler au peintre d'une vieille femme morte, montrer au prisonnier le dessin). 3. Vénius insistait (à dire que le dessin représentait un suicide, à voir la cour où s'était passé cet événement, à répéter qu'il était innocent du crime). 4. On a remis le prisonnier dans la voiture (avec deux agents, parce qu'il s'était évanoui, pour le ramener à son hôtel). 5. Une fois arrivé à la cour intérieure, le peintre était étonné de (trouver qu'il connaissait bien la vieille femme, constater qu'il n'avait rien oublié dans son dessin, trouver l'assassin qui sortait d'une petite maison). 6. Vénius commençait à se demander (s'il avait tué la femme lui-même, où se trouvait la prison en question, pourquoi le juge n'était plus en colère). 7. Le lendemain matin il est monté à la fenêtre de sa prison (pour chercher l'assassin, voulant voir la foule qui passait, pour voir s'il pouvait s'échapper). 8. Quand le vieux Schlüssel est entré à dix heures, (il avait toujours sommeil, Vénius avait presque terminé son dessin, il avait très peur). 9. L'homme que les agents étaient allés chercher a voulu s'échapper (sachant qu'il était plus fort que tous les autres, parce qu'il était le véritable coupable, pour forcer Vénius à admettre que le crime était le sien). 10. Aujourd'hui le peintre n'habite plus les petits hôtels (parce que Rap est mort de cet accident, mais il voudrait bien le faire, parce qu'il gagne plus d'argent qu'autrefois.

C. (a) *Étudiez bien les phrases suivantes:*

1. L'autre portait la robe de juge, *ainsi que* Van Spreckdal. 2. Vous n'avez point vu ces détails *quelque part*? 3. Je tremblais *jusqu'au* bout des doigts. 4. *M'élançant* vers le mur, je me suis mis à dessiner. 5. Qu'*en* pensez-vous? dit-il. 6. Bien des années *se sont écoulées* depuis cette aventure. 7. Parfois, *au beau milieu du* travail, ma pensée y revient.

(b) *Traduisez:*

1. *Right in the midst of* his dreams, Schlüssel entered. 2. Conrad, *as well as* the two judges, was very severe. 3. They led him *as far as* the

main room. 4. The carriage stopped *somewhere*. 5. Several hours *passed*. 6. The man *rushed* toward his guards. 7. What does the painter *think about it*? 8. He climbed *up to* the window. 9. He wanted *to rush* from the room.

LE LOUIS D'OR

A. *Questionnaire.*

1. Qu'est-ce qui était arrivé à Lucien de Hem dans la salle de jeu? 2. Où s'est-il couché? 3. À quoi pensait-il avant de s'endormir? 4. Quelle heure était-il quand il s'est réveillé? 5. Qu'est-ce qui l'a fait penser à son enfance? 6. Pourquoi le vieux Dronski voulait-il de l'argent? 7. Quel temps faisait-il quand Lucien de Hem est sorti de la maison de jeu? 8. Qui a-t-il trouvé dans la porte d'un hôtel? 9. Pourquoi n'a-t-il pas dit à la petite fille qu'il y avait une pièce d'or dans son soulier? 10. Pourquoi était-il si pressé de rentrer à la maison de jeu? 11. Qu'est-ce qu'il a pu faire dans deux heures? 12. Quelle résolution a-t-il prise à propos de la petite fille? 13. Où l'a-t-il trouvée la seconde fois? 14. Pourquoi était-il pris d'une inquiétude en la soulevant dans ses bras? 15. Comment s'est-il assuré qu'elle était morte? 16. Où était Lucien de Hem quand il s'est réveillé de son mauvais rêve? 17. Qu'est-ce qu'il a fait après être sorti de la maison de jeu? 18. Comment gagne-t-il sa vie aujourd'hui? 19. Quel changement pourrait-on remarquer dans sa conduite? 20. Comment a-t-on su qu'il a fait des économies? 21. Qui était endormi dans une porte? 22. Qu'est-ce que Lucien a donné à la petite fille?

B. *Complétez les phrases suivantes:*

1. Lucien de Hem se sentait faible en pensant . . . 2. Il lui est venu des souvenirs d'enfance en se rappelant que . . . 3. S'il pensait aux revolvers de son père, c'est sans doute qu'il voulait . . . 4. Mais les idées noires étaient chassées de son esprit par . . . 5. La petite fille ne savait pas que la pièce d'or était dans son soulier parce que . . . 6. Lucien de Hem n'avait pas l'intention de voler; il voulait seulement . . . 7. En sortant de la maison de jeu, il avait hâte à . . . 8. Au lieu de penser à la mort en se réveillant, Lucien de Hem a quitté la maison de jeu pour . . . 9. Lucien de Hem a beaucoup changé depuis cette nuit de décembre; aujourd'hui . . .

C. (The Subjunctive) *Mettez la forme convenable à la place indiquée:*

1. Lucien a peur qu'il ne ____ (tomber). 2. Il doute que le numéro ____ (sortir) à minuit. 3. C'est la plus belle salle qu'il ____ (connaître). 4. Lucien sort quoique la neige ____ (tomber) sans cesse. 5. D'abord il craint que ce ne ____ (être) un enfant. 6. Il importe qu'on lui ____ (donner) refuge. 7. On lui donne la pièce pour qu'elle ____ (croire) à Dieu. 8. Il n'est pas sûr qu'elle ____ (être) toujours là. 9. Est-il vrai qu'ils ____ (vouloir) l'aider? 10. Il sera content pourvu qu'il ____ (pouvoir) la trouver.

D. (a) *Étudiez bien les phrases suivantes:*

1. Il s'est rappelé les revolvers *dont* son père *s'étaient servi.* 2. *En ce moment,* un homme s'approche de Lucien. 3. *Tout à l'heure* le numéro sortira. 4. Elle *s'était endormie* dans la grande porte. 5. Une femme avait passé *par là.* 6. Elle *croit* encore *à* la bonté de la Providence. 7. La rouge est sorti *de nouveau.* 8. Il jouait deux cents francs *à la fois.* 9. Il les jetait sur le tapis *au hasard.* 10. Il a aperçu la petite fille *de loin.* 11. Il a voulu *pousser un cri.*

(b) *Traduisez:*

1. *Presently* the young man will have lost all his fortune. 2. Then he *will go to sleep* on the bench. 3. When he awakes, he will think of his money *again.* 4. He wanders through the streets *at random.* 5. He *uses* the money that he has found in the shoe. 6. *From afar,* the game appears easy. 7. His friend *cried out* when the number won. 8. He still *believes in* his luck. 9. *At that moment,* the clock was striking. 10. He hoped and feared *at the same time.* 11. He had already gone *that way.* 12. His friend could see him *from a distance.* 13. He has tried *once more* to be good. 14. Has he *used* the same coin?

VOCABULARY

All words carried in bold-face type are to be found in "A Basic French Vocabulary," *Modern Language Journal, Supplementary Series,* No. 2. Forms of irregular verbs troublesome to the student at the level for which this book is intended are carried in italics.

Words of the text not in this vocabulary belong to one of five classes: (1) "extra" words (words essential to the narrative but outside the limits of "A Basic French Vocabulary"), the English meanings of which are given at the bottom of the page; (2) absolute cognates (words identical in spelling and in meaning in both languages); (3) proper and geographical names; (4) onomatopœic words recognizable as such; and (5) exceptionally common words of the following list: articles; personal, relative, and interrogative pronouns; demonstrative pronouns and demonstrative adjectives; the conjunctions *comme, et, mais, ou, que*; the prepositions *à, avec, dans, de, en, par, sur*; the adverbs *comme, où, y*; and the cardinal numbers from one to twenty.

ABBREVIATIONS

def.	definite	*pres.*	present
imp.	imperfect	*subj.*	subjunctive
part.	participle	*pl.*	plural

A

abaisser to lower
abandonner to abandon
abattirent, past def. of abattre
abattre to prostrate, overcome, depress, cut off; **s'——** to fall
abattu, past part. of abattre
un **abbé** abbot, priest
un **abord** approach; **d'——** at first, first
aborder to enter upon, accost, land

aboutir to end
un **abri** shelter; **à l'—— de** protected from
absolu,–e absolute, complete
absorber to absorb, engross
accepter to accept
accompagner to accompany
accomplir to carry out, accomplish
un **accord** agreement, accord; **d'—— avec** in keeping with; **tomber d'——** to agree

accorder to accord, grant; **s'**—— to conspire, fit

accourir to run up

s'accrocher to cling

accueillir to welcome, greet

accuser to accuse

acheter to buy

achever to finish

acquérir to acquire

acquis, past part. and past def. of acquérir

un acte act, action

actif, active active

actuel, actuelle actual, present

adieu goodby, farewell

admirer to admire

une adresse skill, address

adresser to address; **s'**—— à to speak to, apply to

un adversaire adversary

une affaire affair; homme d'——s manager; les ——s business

affirmer to affirm

s'affoler to be frantic

affreux, affreuse dreadful, frightful

afin de in order to

afin que in order that

un âge age

âgé aged, old; —— de dix ans ten years old

un agent policeman

agir to act; **s'**—— de to be a question of

agiter to wave, agitate, excite, disturb; **s'**—— to wriggle, move, quiver

agréable pleasant

une aide help; Que Dieu me soit en aide! So help me God! venir en —— à to come to the aid of

aider to aid

aie, pres. subj. of avoir

aigu, aiguë sharp, shrill

une aile wing

aille, pres. subj. of aller

ailleurs elsewhere; d'—— besides

aimable lovable, affable

un aimé, une aimée beloved

aimer to love, like; —— mieux to prefer

un aîné, une aînée elder, eldest

ainsi thus; —— que as well as

un air air; avoir l'—— de to seem, appear; en plein —— in the open; l'—— bon kindly air

une aise ease; à l'—— at ease; à leur —— in comfortable circumstances

ait, pres. subj. of avoir

ajouter to add

une allée walk, path, alley, avenue (of trees)

allemand,–e German

un Allemand German; l'allemand German language

aller to go, be (*of health*); —— aux nouvelles to go for news; —— chercher to send for; —— et venir to walk to and fro; allons! come! Ça vous va-t-il? Is that agreeable to you? Comment va-t-elle? How is she? Si on y allait? What do you say we go there? **s'en** —— to go away, leave, disappear

allumer to light, stir up; **s'**—— to light up

une allumette match

une allure appearance, speed

alors then, at that time, so; —— que when

un amateur connoisseur, amateur

une âme heart, soul

amener to bring, bring up

américain,–e American

un ami, une amie friend, beloved, dear

une amitié friendship, affection, love

un amour love

amoureux, amoureuse in love; tomber —— to fall in love

un amoureux suitor

amuser to amuse; **s'**—— to enjoy oneself, have a good time

un an year

ancien, ancienne former, ancient

un âne donkey

un ange angel

une angoisse anguish, pang

un animal animal, creature, fool

animer to animate; **s'**—— to become animated

une année year; d'—— en —— from year to year

un **anniversaire** birthday, anniversary

annoncer to announce, promise

s'apaiser to become calm

apercevoir to perceive, see; **s'____ de** to perceive, notice

aperçu, past part. of apercevoir

aperçus, past def. of apercevoir

aperçut, past def. of apercevoir

aperçût, imp. subj. of apercevoir

apparaître to appear

une **apparence** appearance

un **appartement** apartment

appartenir to belong

apparut, past def. of apparaître

un **appel** call

appeler to call, invoke; **s'____** to be called, named

un **appétit** appetite

appliquer to press; **s'____** to apply oneself, endeavor

apporter to bring

apprendre to learn; **____ à** to inform

s'apprêter to get ready

appris, past part. and past def. of apprendre

approcher to approach; **s'____ (de)** to approach

appuyer to bear down, lean, rest; **s'____** to support itself, lean

après after, afterwards, next, what of it? **____ que** after; **et ____?** and then what?

un, une **après-midi** afternoon

un **arbre** tree

ardent,–e ardent

une **ardeur** ardor

un **argent** silver, money

une **arme** arm, weapon

une **armée** army

armer to arm, cock, load

arracher to tear out

arranger to arrange, stir up; **s'____** to contrive

arrêter to arrest, stop; **s'____** to stop

un **arrière** stern; **en ____** backwards, behind, back

une **arrivée** arrival

arriver to arrive, happen

un **artiste** artist

un **aspect** sight, glance

s'asseoir to sit down

assez enough, rather

une **assiette** plate

assîmes, past def. of asseoir

assis, past part. and past def. of asseoir

assister to witness, accompany; **____ à** to be present at

assit, past def. of asseoir

assurer to assure, insure; **s'____** to make sure

attacher to attach, bind; **s'____** to be associated

une **attaque** attack

attaquer to attack

atteignirent, past def. of atteindre

atteindre to reach, hurt, attain

attendre to wait, await, wait for, hope for, expect; **en attendant** until, in the meantime; **s'____ à** to expect

attendrir to move to pity, soften; **s'____** to soften

attentif, attentive attentive

attirer to attract, draw

une **auberge** inn

aucun,–e no, not a, any

au-dessous underneath, down below, below; **____ de** below

au-dessus above, over; **____ de** above, beyond

augmenter to increase

aujourd'hui today

auparavant before

auprès de beside, near, to

aussi also, too, moreover; **____ . . . que** as . . . as

aussitôt immediately; **____ que** as soon as

autant as much; **____ que** as much as; **d'____ plus . . . que** the more . . . because; **d'____ que** since; **en faire ____** to do the same thing

un **auteur** author, creator

un, une **automne** autumn

une **autorité** authority

autour around, about; **____ de** around

autre other; **____ chose** something else; **d'____** other

un **autre** other; **d'____s** others

autrefois formerly, of former times, at one time

autrement otherwise

avaler to swallow

une **avance** advance; d'____ in advance

avancer to advance, to thrust forward; s'____ to advance

avant before; ____ de before; ____ que before

un **avant** bow (of a ship)

un **avenir** future, prospects

une **aventure** adventure; **dire la bonne** ____ to tell fortunes

avertir to warn

aveugle blind

un **avis** advice, counsel, opinion; **changer d'**____ to change one's mind

aviser to take counsel, perceive, think; **il s'avisa que** it occurred to him that

un **avocat** lawyer

avoir to have; ____ . . . **ans** to be . . . years old; ____ **beau** to do in vain; ____ **besoin de** to need; ____ **bon cœur** to be good-hearted, kindly; ____ **de la chance** to have luck, be lucky; ____ **de quoi** to have the wherewithal, what is necessary; ____ **droit à** to have the right to; ____ **du chagrin** to be chagrined; ____ **envie de** to want; ____ **faim** to be hungry; ____ **froid** to be cold; ____ **hâte de** to hurry, be in a hurry; ____ **honte** to be ashamed; ____ **l'air de** to seem, appear; ____ **lieu** to take place; ____ **peine à** to have difficulty in; ____ **peur** to be afraid; ____ **raison** to be right; ____ **soin de** to take care; ____ **sur le dos** to be saddled with; ____ **tort** to be wrong; ____ **un geste** to make a gesture; **ce qu'il a** what is wrong with it; **il y a** there is, there are, ago, for; **n'**____ **garde de** to know better than; **Qu'avez-vous? (Qu-as-tu?)** What is the matter with you? **Qu'est-ce qu'il y a? (Qu'y a-t-il?)** What is wrong? What is the matter? **Vous avez quelque chose** Something is the matter with you

avouer to confess, admit

un **avril** April

ayant, pres. part. of avoir

ayez, pres. subj. of avoir

B

le **bain** bath

le **baiser** kiss

baiser to kiss

baisser to lower, bow; **se** ____ **to** stoop, lower

le **bal** ball

balancer to swing; **se** ____ to sway

la **balle** ball, bullet

le **banc** bench, seat

la **bande** strip, school (of fish)

la **barbe** beard, feather; **se faire la** ____ to shave

bas, basse low

le **bas** stocking, lower part, downstairs, bottom; **à** ____ down; **du haut en** ____ from top to bottom; **en** ____ below, downstairs

la **bataille** battle

le **bateau** boat

le **bâtiment** building, boat

bâtir to build

le **bâton** staff, club

battre to beat, mark, clap; **se**____ to fight, fight a duel.

beau, bel, belle fine, beautiful, handsome; ____ **monde** fashionable people; **avoir** ____ to do in vain; **bel et bien** in good earnest; **de plus belle** louder than ever; **il faisait** ____ it was fine weather

le **beau** beautiful

beaucoup much, a great deal

la **beauté** beauty

bénir to bless

la **besogne** task

le **besoin** need; **avoir** ____ **de** to need

bête stupid

la **bête** beast, animal, brute, creature, fool

la **bêtise** stupidity, absurdity, folly

bien well, very well, very, much, very much, quite, indeed; ____ **de** many, a great many; ____ **que** although; **bel et** ____ in good earnest;

c'est ____ it is all right; eh ____!
well! well then! faire du ____ to do
good; ou ____ or else
le bien property, good thing; dire du
____ de to speak well of
le bien-être well-being
bientôt soon
le billet bill, note, bank-note, slip of
paper
bizarre outlandish, peculiar
blanc, blanche white, blank; nuit
blanche sleepless night
blesser to wound, offend, be unpleasant (to), hurt
la blessure wound
bleu,-e blue
blond,-e blond
le bœuf beef
boire to drink; à ____ something to
drink
le bois wood, grove
la boîte box, case
bon, bonne good, good-natured, de-
pendable; c'est ____! very well!
faire ____ to be pleasant
bondir to bound, spring
le bonheur happiness, joy, good luck,
good fortune
le bonhomme old man, fellow, good
soul
la bonne maid
le bonnet bonnet, cap; ____ noir aca-
demic cap
la bonté goodness, kindness, generos-
ity
le bord edge, bank, rail, shore;
hommes du ____ crew
borner to limit, moderate
la botte boot, shoe, bundle
la bouche mouth
bouger to move, stir
le boulanger baker
bouleverser to overwhelm, convulse,
throw into confusion
bourgeois,-e middle-class, mean
le bourgeois, la bourgeoise man,
woman (of the lower middle class),
burgher
la bourse purse, pouch
le bout end, bit, piece, tip; à ____ de
forces at the end of one's strength;
au ____ de after, at the end of;

joindre les deux ____s to make
ends meet
la bouteille bottle
la boutique shop
le bouton button
la branche branch
le bras arm; au ____ de on the arm of;
sur les ____ on one's hands
brave brave, good, fine, fine looking
bref, brève brief, in brief
brillant,-e brilliant
briller to shine, gleam
briser to break, exhaust; se ____ to
break in two
la brosse brush, eraser
le bruit noise, rumor
brûler to burn, consume, scorch, burn
out
brun,-e brown, brunette, tanned
brusque quick, brusk
bu, past part. of boire
le bureau desk, office, department;
garçon de ____ office boy
burent, past def. of boire
le but end, goal
but, past def. of boire

C

le cabinet study, small room, private
office
cacher to hide; ____ à to hide from;
se ____ to be hidden
le cadeau gift
le café coffee, restaurant
le cahier note-book
la caisse cashier's office
calme calm
le calme calm, quiet
calmer to calm, decrease; se ____ to
become calm
le camarade comrade
la campagne campaign, country,
fields, countryside
le canon cannon; coup de ____ cannon-shot
le capitaine captain
car because
le caractère character
caresser to caress, stroke
la carrière career
la carte card

le cas case, situation; dans tous les
—— in any case; faire peu de ——
de to hold lightly

la casquette cap

casser to break, crack; se —— to
break

la cause cause; à —— de because of,
on account of

causer to chat, converse, talk, cause

céder to yield, give in, give up

la ceinture belt, waist

célèbre famous

célébrer to celebrate

cent hundred

le centime centime (*a coin: 100th part
of a franc*)

le centre center

cependant nevertheless, however, yet

le cercle circle, group, band

certain, –e certain

certes to be sure

la certitude assurance

le cerveau brain, mind, head

la cesse: sans —— constantly

cesser to cease

chacun, –e each, each one

le chagrin chagrin, disappointment;
avoir du —— to be chagrined

la chaîne chain

la chaise chair

la chaleur heat, warmth; faire une
grosse —— to be intensely hot

la chambre room; femme de ——
lady's maid

le champ field; sur-le-—— at once

la chance luck, chance; avoir de la
—— to have luck, be lucky

changer to change; —— d'avis to
change one's mind; —— de to
change

la chanson song

le chant song

chanter to sing, sing of, sound; chantant singing, sing-song

le chapeau hat

chaque each

la charge responsibility, burden

charger to load, fill, lade; se —— de
to take upon oneself

charmant, –e charming

le charme charm

charmer to charm

la chasse hunt; chien de —— hunt-
ing-dog

chasser to drive away

le chasseur light cavalryman

le chat cat

chaud, –e warm, hot; faire —— to be
warm, hot

chauffer to warm, puff; se —— to
warm oneself

la chaussure shoe

le chef head, leader, chief

le chemin road; —— de fer railroad

la cheminée fireplace, chimney, man-
telpiece

la chemise shirt, file (for documents);
en manches de —— in shirtsleeves

le chêne oak

cher, chère dear, dearly

chercher to look for, seek, get, fetch;
aller —— to go for; envoyer ——
to send for

le cheval horse; à —— on horseback;
à —— sur astride

le cheveu hair

chez at the home of, with, at, to

le chien dog; —— de chasse hunt-
ing-dog

le chiffre sum

choisir to choose

le choix choice

la chose thing, event; autre ——
something else; quelque —— something

la chute fall

le ciel sky, heaven

cinquante fifty

la circonstance circumstance

le citoyen citizen

clair, –e clear, bright, light

le clair de lune moonlight

la clarté brightness, shaft of light

la classe class; faire la —— to teach
the class

la clef key

la cloche bell

le clocher belfry

le cochon pig

le cœur heart, spirit, mind; avoir bon
—— to be good-hearted; de bon
—— gladly; faire gros —— to make
the heart heavy; le —— sur la main
open-hearted

le **coin** corner
la **colère** anger
la **colline** hill
la **colonie** colony
combattre to combat
combattu, past part. of combattre
combien how much, how many, how
combler to surround
commander to give commands, command
le **commencement** beginning
commencer to begin
comment how, what, what do you mean (by), how now!
le **commerce** business, trade
commettre to commit
commis, past part. and past def. of commettre
commode convenient
commun,–e common, in common, banal, commonplace
la **compagne** companion
la **compagnie** company
le **compagnon** companion, workman
complet, complète complete
le **complet** suit; **au** ____ full
complètement completely
compléter to complete
composer to compose
comprendre to understand; **n'y** ____ **rien** to understand nothing about it
compris, past part. and past def. of comprendre
comprit, past def. of comprendre
le **compte** account, calculation; **se rendre** ____ **de** to realize
compter to count, number
le **comte** count
concerner to concern
concevoir to conceive, understand
conclure to conclude
conçu, past part. of concevoir
conçut, past def. of concevoir
condamner to condemn
conduire to conduct, lead, drive
la **conduite** conduct, behavior
la **confiance** confidence
confier to confide
se confondre en to make a profusion of
confus,–e confused, embarrassed
le **congé** leave

la **connaissance** acquaintance
connaitre to know, be acquainted with; **s'y** ____ **en** to excel in, know all about
connu, past part. of connaître
connusse, imp. subj. of connaître
le **conseil** council, advice, counsel
consentir to consent
le **conséquent: par** ____ consequently
conserver to keep, preserve
considérer to consider, see
consister to consist
consoler to console
constater to discover, determine
construire to construct
consulter to consult
le **conte** story, short-story
content,–e content, happy
contenter to content; **se** ____ **de** to be satisfied with
conter to relate, tell
continuer to continue
contraire opposing, contrary; **au** ____ on the contrary
contre against, close by
convaincre to convince
convainquit, past def. of convaincre
convenable decent, proper, correct
convenir to be fitting, suit, admit, agree upon; **convenez-en** you will admit
convenu, past part. of convenir
convint, past def. of convenir
la **corde** rope
le **corps** body, corps (of an army); ____ **à** ____ hand to hand
corriger to correct, overcome
le **costume** costume; ____ **de soirée** evening clothes
la **côte** coast, shore; ____ **à** ____ side by side
le **côté** side; **à** ____ adjoining; **à** ____ **de** at the side of, beside; **de** ____ aside, side; **de l'autre** ____ on the other side; **de son** ____ for his (her) part; **du** ____ **de** toward, in the direction of; **d'un** ____ on the one side
le **cou** neck; **sauter au** ____ to throw oneself into the arms; **se jeter au** ____ to rush into the arms

coucher to put to bed; **couché** lying, felled; s̒e —— to go to bed, lie down, set (*of the sun*)

le **coude** elbow

couler to shed, drip, run down, flow, pass

la **couleur** color

le **coup** blow, stroke, shot, knock, ring, play; —— **de canon** cannon-shot; —— **de pied** kick; —— **de sang** congestion of the brain, "stroke"; —— **de vent** gust of wind, squall; —— **d'œil** glance; —— **sur** —— time after time; **du premier** —— at once; **d'un seul** —— all at once; **pour le** —— for once, now; **tout à** —— suddenly; **tout d'un** —— abruptly, all of a sudden

coupable guilty

le, la **coupable** guilty one

couper to cut, cut off, divide

la **cour** yard, court-yard; **faire la** —— **à** to woo, court

le **courant** stream

courir to run, rove, play

la **couronne** crown

court,–e short

couru, past part. of courir

coururent, past def. of courir

courus, past def. of courir

courut, past def. of courir

coûter to cost

la **coutume** custom; **de** —— usual

le **couvert** place (*table service for one*); **mettre le** —— to set the table

couvert, past part. of couvrir

la **couverture** covering

couvrir to cover; **se** —— to conceal oneself, become overcast

la **craie** chalk

craignant, pres. part. of craindre

craignis, past def. of craindre

craindre to fear

la **crainte** fear; **de** —— **que** for fear, lest

le **crayon** pencil

créer to create

creuser to dig

le **cri** cry

crier to cry, cry out, creak

croire to believe, think; —— **à to** believe in; **Je crois bien!** I should say so!

croiser to cross

croissant, pres. part. of croître

croître to grow

la **croix** cross

cru, past part. of croire

cruel, cruelle cruel

crurent, past def. of croire

crus, past def. of croire

crut, past def. of croire

crût, imp. subj. of croire

cueillir to pluck, pick

la **cuisine** cooking, fare, kitchen

la **cuisinière** cook

le **cuivre** copper, brass

le **curé** curate, priest

curieux, curieuse curious

le **curieux** curious one

la **curiosité** curiosity

D

la **dame** lady; —— **d'honneur** lady-in-waiting

dangereux, dangereuse dangerous

danser to dance

davantage more, further

se débarrasser to get rid of

debout standing, erect, up, on one's feet; **se mettre** —— to stand up

le **début** debut, beginning

le **décembre** December

déchirer to tear, rend, tear asunder, tear out

décidément decidedly

décider to decide, persuade; **se** —— to make up one's mind

déclarer to declare

la **découverte** discovery

découvrir to discover, reveal

décrire to describe

dedans inside, in it; **au** —— at home

défaire to unfasten; **défait** ghastly, wan

le **défaut** defect, fault

défendre to forbid, defend; **se** —— to be unruly (*of horses*)

la **défense** prohibition

dégager to disengage; **dégagé** easy

le **degré** degree

dehors outside; au ―― abroad; en ―― de out from, apart, outside of

le dehors outside

déjà already

le déjeuner luncheon, breakfast

déjeuner to lunch, breakfast

delà: au ―― (de) more, beyond

délicat,–e sensitive, gentle, delicate, fastidious

délicieux, délicieuse delicious, delightful

demain tomorrow

la demande request

demander to ask, ask for; se ―― to wonder

la demeure dwelling, home

demeurer to remain, live

demi half; à ―― half, halfway; une ――-heure half hour

la demoiselle young lady

démontrer to prove

la dent tooth

le départ departure

dépêcher to hurry, dispatch; se ―― to hasten, hurry

la dépense expense, outlay

dépenser to spend

déplaire to displease; ―― à to be displeasing to

déposer to put down

depuis since, for, from, after; ―― que since

déranger to put out of order, disturb; se ―― to disturb oneself, go astray

dernier, dernière last, recent; le ―― venu last-comer

le dernier, la dernière last

dérober to steal

derrière behind

dès from; ―― que as soon as

descendre to descend, go down, get off

désert,–e deserted

le désert solitude

le désespoir despair

désigner to point out

le désir desire

désirer to wish, desire

désoler to distress; se ―― to lament

le dessin drawing, sketch

dessiner to draw, outline; se ―― sur to be outlined against

dessus above (it)

le dessus upper part; prendre le ―― to get the upper hand

la destinée destiny

destiner to destine

détacher to take off, come off, remove; se ―― sur to stand out against

détester to detest

détourner to turn away, distract

détruire to destroy

la dette debt

devant before, in front of, in front

développer to develop

devenir to become, become of, turn to

devenu, past part. of devenir

deviner to guess; ―― quelqu'un to guess one's secret

devinrent, past def. of devenir

devint, past def. of devenir

devoir to be obliged, be, owe, must

le devoir task, exercise, duty; les ――s respects

le diable devil; Comment ――! How the deuce! Que ――! What the deuce!

Dieu God; dieu god; Bon ――! Mon ――! Heavens!

différent,–e different

difficile difficult, exacting

la difficulté difficulty; faire ―― de to hesitate

digne worthy

le dimanche Sunday

diminuer to diminish

le dîner dinner

dîner to dine

dire to say, tell; ―― à l'oreille to whisper; ―― du bien de to speak well of; ―― la bonne aventure to tell fortunes; c'est-à-―― that is to say, that is; c'est dit! all right! il n'en put ―― plus long he couldn't say any more; pour ainsi ―― so to speak; sans ―― mot without saying a word; se ―― to say to oneself, say one is; vouloir ―― to mean

direct,–e direct

le directeur director

la direction direction; la ―― générale central office

diriger to direct; **se ___** to go, direct one's steps
le discours discourse, speech
discuter to discuss, debate
disparaître to disappear
disparu, past part. of disparaître
disparurent, past def. of disparaître
disparut, past def. of disparaître
disposer to dispose, provide
disputer to dispute; **se ___ à qui** to contend as to which
dissimuler to conceal
la distance distance; **de ___ en ___** at regular intervals
distinguer to distinguish
divers,–e varied
divin,–e divine
diviser to divide, separate
la dizaine about ten
le docteur doctor, physician
le doigt finger; **montrer du ___** to point out
le domestique servant (*in a household*)
dominer to dominate
le dommage damage
donc then
donner to give, distribute; **___ à rire** to cause to laugh; **___ le jour à** to give birth to; **___ raison à** to agree with; **___ sur** to overlook, open on; **en se donnant le bras** arm in arm; **me donnèrent envie de** made me want
dorer to gild; **doré** gold, gilt
dormir to sleep
le dos back; **avoir sur le ___** to be saddled with; **sur le ___ de quelqu'un** on someone's hands
la douane customs
doucement softly, gently, sweetly
la douceur delight, pleasure, sweetness, gentleness
la douleur suffering
douloureux, douloureuse grievous
le doute doubt; **sans ___** doubtless
douter to doubt; **se ___ (de)** to suspect
doux, douce sweet, gentle, mild
le drame drama
le drapeau flag

se dresser to sit up, stand up, rise, straighten up, stand on end
droit,–e straight, erect, right
le droit law, right; **avoir ___ à** to have a right to; **être en ___ de** to have a right to
la droite: à ___ on (to) the right
drôle droll, queer; **d'un ___ d'air** with a queer look
le drôle rascal
dû, past part. of devoir
dur,–e harsh, hard
durant during, for
durer to last, continue
dus, past def. of devoir
dut, past def. of devoir

E

une eau water; **pièce d'___** lake
un écart: à l'___ aside, to one side
écarter to thrust aside, part, put off, throw out; **s'___** to stand aside
un échange exchange
échanger to exchange
échapper to escape, avoid; **s'___** to escape, slip
éclairer to light up, enlighten
un éclat outburst, burst, splendor
éclater to burst forth, break out; **___ de rire** to burst out laughing
une école school; **___ du soir** night-school
une économie economy; **faire des ___s** to save money, be economical
s'écouler to elapse (*of time*)
écouter to listen, listen to
écraser to crush
s'écrier to cry out, exclaim
écrire to write
une écriture writing, handwriting, Scripture; **___ tremblée** shaky hand-writing
effacer to remove, erase
un effet effect; **en ___** in fact, indeed; **pour cet ___** for this purpose
s'efforcer to endeavor
effrayer to frighten; **effrayé** frightened, of fright; **s'___** to be frightened
égal,–e even
un égard respect, regard

Vocabulary

une église church
s'élancer to rush (forward), throw oneself
élégant,–e elegant
un, une élève student
élever to bring up, rear, raise, build; s'—— to arise, stand
éloigner to send away; s'—— to move away, go away
un embarras embarrassment, perplexity
embarrasser to embarrass
embrasser to embrace, kiss
emmener to lead away, carry off
émouvoir to move (emotionally)
s'emparer de to grasp
empêcher to prevent; s'—— de to keep from
un employé clerk, employee
emporter to carry away, prevail over, carry along, take; s'—— to fly into a passion
s'empresser to hasten
ému, past part. of émouvoir
enchanter to delight
encore again, still, yet; —— une fois once more
endormir to put to sleep; s'—— to fall asleep, sleep
un endroit spot
une énergie energy, strength
une enfance childhood
un enfant child; bon —— good fellow
enfermer to shut up
enfin at last, finally, after all, in fact
enfoncer to sink, bury; s'—— to sink
s'enfuir to flee, recede
engager to engage, pledge, obligate; s'—— to enlist, get on to
un ennemi enemy
ennuyer to annoy, bore; s'—— to grow restless
ennuyeux, ennuyeuse boring, annoying
énorme enormous
enseigner to teach
ensemble together
un ensemble whole, ensemble
ensuite next, then

entendre to hear, understand; —— parler de to hear about; bien entendu of course; c'est entendu it's agreed; s'—— to understand each other
un enthousiasme enthusiasm
entier, entière entire; tout —— entirely
entourer to surround
entraîner to induce, attract, lead away, drag
entre among, with, between, into
une entrée entrance
entrer to enter
un entretien conversation
entrevoir to foresee, see dimly
entr'ouvert, past part. of entr'ouvrir
entr'ouvrir to open partly
envahir to fill, overcome, overrun
envelopper to envelop, wrap up
envers toward
une envie desire; avoir —— de to want, feel a desire; faire —— à to take the fancy, tempt; me donnèrent —— de made me want
environ about, approximately
les environs neighborhood, vicinity
envisager to consider
envoyer to send; —— chercher to send for
épais, épaisse thick, deep
une épaule shoulder
une épée sword
une époque time
une épouse wife
épouser to marry
épouvanter to terrify
un époux husband; (pl.) husband and wife, married couple
une épreuve trial
éprouver to experience, feel, undergo, test
épuiser to exhaust
une erreur error, mistake
un escalier stairs
une Espagnole Spanish girl
une espèce kind, species
une espérance hope
espérer to hope, hope for
un espoir hope
un esprit mind, intelligence, wit, ingenuity; mot d'—— witty remark

essayer to try
essuyer to wipe, dry
est East
estimer to esteem
un estomac stomach
établir to establish; **s'____** to marry, settle down
un établissement establishment
un étage step, story (of a house)
un état occupation, state, condition
un été summer
été, past part. of être
s'éteindre to go out, become dim
étendre to extend, stretch out, stretch away; **s'____** to extend, stretch out, lie down
une étendue extent, expanse
éternel, éternelle eternal, constant
une étoile star
un étonnement astonishment
étonner to astonish; **s'____ (de)** to be astonished (at)
étouffer to suffocate, choke
étrange strange
étranger, étrangère strange, foreign, unconcerned (with)
un être being, creature
être to be; **____ à** to belong to; **____ bien avec** to be in good standing with; **____ mieux** to be more comfortable, be better off; **c'est-à-dire** that is to say, that is; **c'est à moi** it is my turn; **C'est bon!** Very well! **c'est que** it is because; **en ____ là** to have gone so far; **j'en suis** I am with you; **je suis à vous** I am at your service; **n'est-ce pas?** is it not (so)? does it not? are you not? etc.; **Que Dieu me soit en aide!** So help me God! **soit . . . soit** whether . . . or; **y ____ pour beaucoup** to have a great deal to do with it
étroit,–e narrow
une étude study
étudier to study
eu, past part. of avoir
eûmes, past def. of avoir
eurent, past def. of avoir
eus, past def. of avoir
eusse, imp. subj. of avoir
eussent, imp. subj. of avoir

eut, past def. of avoir
eût, imp. subj. of avoir
s'évanouir to faint
éveiller to waken; **éveillé** awake; **s'____** to awake
un événement event
évidemment evidently
éviter to avoid
exagérer to exaggerate
un examen examination
examiner to scrutinize
excellent,–e excellent
un excès excess; **à l'____** excessively
exciter to excite
une excuse excuse, (*pl.*) apology; **faites bien ____** please excuse me
excuser to excuse
exécuter to execute
un exemple model, example; **par ____!** indeed!
s'exercer to drill
un exercice exercise, drill; **faire l'____** to drill
exiger to exact, insist
une existence life, existence
exister to exist
expliquer to explain; **s'____** to explain
exposer to expose
exprès purposely
exprimer to express
exquis,–e exquisite
extérieur,–e outside
extraordinaire extraordinary

F

la face face; **en____** opposite; **en____ de** in front of, facing, face to face with
fâcher to vex, anger; **fâché** sorry; **se ____** to become angry
facile easy
la façon way, fashion; **de sa ____** in his own way; **sans ____** without ceremony
le facteur postman
la faculté faculty
faible weak, feeble, dim
la faiblesse weakness, illness
la faim hunger; **avoir ____** to be hungry

faire to do, make, say, be, give, teach, play, carry on; —— + *infinitive* to have + *past part.*; —— attention to pay attention; —— beau to be nice weather; —— bon to be pleasant, nice; —— bon voyage to have a a good trip; —— chaud to be warm, hot; —— de la morale to lecture; —— de la peine à to hurt, be painful to; —— des économies to save money, be economical; —— des rentes to pay a pension, support; —— difficulté de to hesitate; —— du bien to do good; —— du vent to be windy; —— envie à to take the fancy; —— feu to fire, shoot; —— figure to attain distinction; —— fortune to make one's fortune; —— froid to be cold; —— grâce à to spare; —— gros cœur to make the heart heavy; —— jour to be daylight; —— la cour à to woo, pay court to; —— la fête to lead a life of pleasure; —— l'exercice to drill; —— les menaces à to threaten; —— le tour to walk (go) around; —— montre to make a display; —— nuit to be dark; —— peu de cas de to hold lightly; —— peur à to frighten; —— place à to make room for; —— plaisir à to please; —— semblant de to pretend; —— ses études to pursue his studies; —— signe to motion, beckon; —— sombre to grow dark; —— son petit ménage à son gré to have his own way; —— tort à to wrong; —— un mensonge to tell a lie; —— un pas to take a step; —— un signe to give a signal; —— un tour to take a walk; —— une grosse chaleur to be intensely hot; —— une partie to play a game; —— une promenade to take a walk; —— vivre to support, nourish; —— voir to show; en —— autant to do the same thing; faites bien excuse please excuse me; Qu'est-ce que cela fait? What difference does that make? se —— to take place, be, become, make, gain, accustom oneself; se —— conscience de to

shrink from; se —— la barbe to shave

le fait matter; en —— de as regards; si —— on the contrary; tout à —— completely, absolutely

fait, past part. of faire

falloir to be necessary, be needed; comme il faut well-bred, properly

fallu, past part. of falloir

fallut, past def. of falloir

fameux, fameuse famous, first-rate, notorious, terrible

familier, familière familiar

la famille family

la fantaisie whim, fancy, imagination

fasse, pres. subj. of faire

fassiez, pres. subj. of faire

fatiguer to tire; fatigué à en tomber mort tired to death

la faute mistake, fault, misdeed; —— de for lack of

le fauteuil arm-chair

faux, fausse false

une faveur favor

favorable favorable, propitious

féliciter to compliment

la femme woman, wife; —— de chambre lady's maid; bonne —— simple soul, gossip

la fenêtre window

le fer iron, steel; chemin de —— railroad

ferme firm

fermer to close, shut; figure moins fermée less forbidding countenance

la fête festival, birthday; faire la —— to lead a life of pleasure; jour de —— holiday; jour de sa —— one's saint's day

le feu fire, shot; en —— on fire; faire —— to fire, shoot; prendre —— to flare up

la feuille leaf, sheet (of paper)

fidèle faithful

le, la fidèle faithful (person)

fier, fière proud

la fièvre fever

la figure face, figure; —— moins fermée less forbidding countenance; faire —— to attain distinction; par la —— in the face

se figurer to imagine

le **fil** thread
filer to run along
la **fille** girl, young lady, daughter; **jeune** ⸺ young woman; **vieille** ⸺ spinster
le **fils** son
fîmes, past def. of faire
fin,-e small, fine, tender, delicate
la **fin** end; **à la** ⸺ finally; **mettre** ⸺ **à** to put an end to
finir to finish, end; **cela n'en finit plus** there is no end to it; **en** ⸺ to end it all
firent, past. def. of faire
fis, pas def. of faire
fit, past def. of faire
fixer to fix (in the memory), set, gaze (at), fasten
la **flamme** flame, fire
flatter to flatter
la **fleur** flower; **en** ⸺ in bloom
le **fleuve** river
le **flot** flood, stream, wave
flotter to float, flutter, wave
la **foi** faith, belief; **ma** ⸺! my word!
la **fois** time; **à la** ⸺ at a time, at once, at the same time; **deux** ⸺ **sur trois** two times out of three; **que de** ⸺ how many times; **une** ⸺ once
la **folie** folly, madness
la **fonction** function
le **fond** back, bottom, depths, background; **au** ⸺ after all, in the last analysis, in the rear
fondre to melt, cast; ⸺ **en larmes** to burst into tears
la **force** strength, force; **à** ⸺ **de** by dint of; **à bout de** ⸺ s at the end of one's strength; **de** ⸺ by force; **de toutes ses** ⸺ s with all his might
forcer to force
la **forêt** forest
la **forme** form; **dans les** ⸺ s in order, formally
former to form; **se** ⸺ to form
fort,-e strong, pungent, loud; **c'est plus** ⸺ **que moi** I cannot help it
fort very, well, quite, hard, closely
fou, fol, folle mad, crazy, madly fond

le **fou** madman
fouiller to rummage, search
la **foule** crowd
fournir to provide with, render
le **foyer** home
frais, fraîche fresh, cool
les **frais** expense
la **fraise** strawberry
franc, franche frank
français,-e French
le **français** French language; le **Français** Frenchman
franchir to go beyond, cross, climb over
frapper to strike, knock, whip, slap, impress
le **frère** brother
frissonner to quiver, shiver, tremble
froid,-e cold
le **froid** cold; **avoir** ⸺ to be cold; **faire** ⸺ to be cold (*of weather*)
le **front** head, front, brow, forehead
frotter to strike, rub
fuir to flee
la **fuite** flight
la **fumée** smoke
fumer to smoke
furent, past def. of être
furieux, furieuse furious
le **furieux** madman
fus, past def. of être
le **fusil** gun
fut, past def. of être
fût, imp. subj. of être
futur,-e future

G

gagner to reach, earn, win, gain
gai,-e gay, cheerful, light-hearted
la **gaieté** cheerfulness, gaiety, joy
la **galerie** gallery
le **gamin** urchin
le **gant** glove
le **garçon** boy, lad, waiter, servant, young man, bachelor; ⸺ **de bureau** office boy; ⸺ **de cœur** fine fellow; **vieux** ⸺ bachelor
le **garde** guard, warden, constable, sentinel
la **garde** guard; **monter la** ⸺ to mount guard; **n'avoir** ⸺ **de** to

know better than to; **prendre** ——
to take care, notice

garder to keep, save, guard; —— **le
silence** to keep silent; **se** —— **de** to
take care not to

la gare station

le gâteau cake

gâter to spoil

gauche awkward

la gauche left; **à** —— to the left

gêner to cramp, restrain, trouble, upset; **se** —— to restrain oneself

général,–e general

le genou knee; **à** ——**x** on one's knees;
plier le —— to crouch

le genre taste, sort

les gens people, folk, servants; —— **de
service** servants; **jeunes** —— young
men

gentil, gentille sweet, pretty, nice

le gentilhomme nobleman, gentleman

le geste gesture, motion; **avoir un**
—— to make a gesture

la glace ice, looking-glass

glisser to slip, glide; —— **en** to penetrate

la gorge throat

le goût taste

goûter to enjoy

la goutte drop, small quantity

le gouvernement government

la grâce grace; —— **à** thanks to; **faire**
—— **à** to spare; **par** —— for mercy's
sake

gracieux, gracieuse gracious

grand,–e great, main, wide, tall, large,
much

le grand big fellow

grandir to grow

la grand'mère grandmother

gras, grasse thick, big, heavy, lush;
soupe grasse soup made with meat

grave grave, sedate

le gré will; **à son** —— as one wishes

gris,–e gray

gronder to scold, growl, rumble

gros, grosse thick, heavy, big, stout,
corpulent, intense, great

le gros: en —— in a general way,
vaguely

le groupe group

guère: ne . . . —— scarcely, hardly

guérir to cure

la guerre war

H
(**'h** = *aspirate h*)

habiller to dress; **s'**—— to dress, get
dressed

un habit clothes, coat, uniform

un habitant inhabitant

habiter to live, live in

une habitude habit, custom; **d'** ——
customarily, usual

habituel, habituelle customary

habituer to habituate, accustom;
s'—— to be accustomed

la 'haie hedge

la 'haine hatred

'haïr to hate

'hardi,–e bold, striking

le 'hasard chance, accident; **au** —— at
random

la 'hâte haste; **à la** —— in haste; **avoir**
—— **de** to hurry, be in a hurry

'hâter to hasten; **se** —— to hasten,
hurry

'hausser to shrug

'haut,–e tall, high, chief, loud

'haut loudly, erect, aloud; **de** ——
from above; **en** —— overhead

le 'haut crest, end; **du** —— **en bas**
from top to bottom

la 'hauteur height, hill; **à la** —— **de**
on a level with, to

hélas alas

une herbe grass, weed; **mauvaise** ——
weed

héroïque heroic

hésiter to hesitate

une heure hour, o'clock; **à cette** ——
right now; **à la bonne** ——! fine!
good! **de bonne** —— early; **sur**
l'—— at once; **tout à l'**—— a while
ago, presently

heureusement fortunately

heureux, heureuse happy, successful,
fortunate

un heureux happy person

'heurter to knock

hier yesterday

une histoire history, story

un hiver winter

un **homme** man; ——— d'affaires manager; ——— de peine et de fatigue
man of hardship and trouble
honnête honest
un **honneur** honor; dame d'——— lady-
in-waiting
la '**honte** shame; avoir ——— (de) to
be ashamed
'**honteux,** '**honteuse** ashamed, shame-
ful
une **horloge** clock
une **horreur** horror
horrible horrible, terrifying
'**hors de** out of; ——— moi beside myself (in anger)
un **hôte** host, guest
un **hôtel** hotel, residence, building
humain,–e human
les **humains** men, mankind
une **humeur** humor, disposition, vexa-
tion

I

ici here; d'——— hence; par ——— this
way
une **idée** idea
ignorant,–e ignorant
ignorer to be ignorant of, be uncon-
scious of, ignore
une **île** isle, island
illustre illustrious
imaginer to imagine; s'——— to imagine
imiter to imitate
immédiatement immediately
immobile motionless, lifeless
important,–e important
importer to matter, be important;
n'importe **quelle** . . . any . . . ;
n'importe **quoi** anything at all;
qu'importe! What does it matter!
imposer to impose
imprimer to impart, give, imprint
incliner to lower, bend over; s'———
to bow
inconnu,–e unknown, strange
un **inconnu,** une **inconnue** unknown
person, stranger
indifférent,–e indifferent
indiquer to point out, indicate
un **individu** individual

infini,–e infinite, endless
informer to inform; s'——— to ascer-
tain
innocent,–e innocent
inquiet, inquiète anxious, uneasy
inquiéter to alarm, worry; s'———
(de) to make oneself uneasy, worry
(about), become alarmed
une **inquiétude** uneasiness
inscrire to inscribe
insister to insist
inspirer to inspire
installer to settle, install
un **instant** instant, moment; d'———
en ——— from moment to moment;
tous les ———s every moment
une **instruction** instruction; **salle**
d'——— courtroom
interdire to stun, render speechless
intéressant,–e interesting
intéresser to interest; **interessé** self-
ish; s'——— à to be interested in
un **intérêt** interest
intérieur,–e interior, inner
un **intérieur** inside, interior, home
interroger to question
interrompre to interrupt; s'——— to
break off
introduire to show, put, usher in
inventer to invent
invisible invisible, unseen
inviter to invite
isolé,–e isolated

J

jadis of old, formerly
jaloux, jalouse jealous, eager
jamais never, ever; à ——— forever;
ne . . . ——— never
la **jambe** leg
le **janvier** January
le **jardin** garden
jaune yellow
jeter to throw, cast, utter, throw
away; se ——— to spring, throw oneself, rush; se ——— au cou to rush
into the arms
le **jeu** game, gambling, trick
le **jeudi** Thursday
jeune young
la **jeunesse** youth

la joie joy; en —— joyful

joindre to clasp, join, add; —— les deux bouts to make ends meet

joint, past part. of joindre

joli,–e pretty; pas ——! rotten!

la joue cheek; tenir en —— to aim at

jouer to play; —— à to play (a game)

jouir to enjoy

le jour day; —— de fête holiday; donner le —— à to give birth to; faire —— to be daylight; grand —— broad daylight; mes vieux ——s my old age; petit —— daybreak; tous les ——s every day; un —— some day

le journal newspaper

la journée day, day's work

joyeux, joyeuse carefree, happy, joyous

le juge judge; —— de paix magistrate

juger to judge, adjudge

le juin June

la jupe skirt

jurer to swear

jusque as far as, up to; jusqu'à as far as, to, until; jusqu'à ce que until; ——-là to there, that far, until that time

juste fair, just, right, precisely; au —— exactly

justement exactly

justifier to justify

L

là there; jusque-—— to there, that far, until that time; par —— thereabout, that way, in that way

là-bas yonder, over there, below

le lac lake

lâcher to release

là-haut up there

la laine wool

laisser to leave, let; —— tranquille to let alone; se —— faire to offer no resistance

le lait milk

la lampe lamp

lancer to hurl, fling, dart, cast

le langage language

la langue language, tongue

large wide, broad, large, generous

la larme tear

las, lasse weary, tired

laver to wash

la leçon lesson

la lecture reading

léger, légère light, slight, airy

le légume vegetable

le lendemain next day, following day, day after

lent,–e slow, deliberate

la lettre letter, (*pl.*) literature

lever to lift, raise; se —— to get up, arise

la lèvre lip

la liberté liberty; en —— freely

libre free

lier to bind

le lieu place; au —— de instead of; au —— que whereas; avoir —— to take place

la lieue league

la ligne line

la limite boundary, limit

le linge linen

lire to read

la liste list, roll

le lit bed

le livre book

la livre livre (*a coin*)

livrer to entrust, hand over, give over; se —— to give oneself over

loger to lodge

la logique logic

la loi law

loin far, far away; —— de far from; au —— far away, in the distance; de —— from a distance, from afar; de —— en —— at long intervals

lointain,–e far away, distant

le lointain distance

long, longue long; à la longue in time, in the end

le long length; de —— en large up and down; de tout mon —— at full length; le —— de along; tout au —— at length; tout le —— de all along

longtemps a long time, for a long time

lors then; —— de at the time of; pour —— therefore

lorsque when
louer to praise, rent
lourd,–e heavy
lu, past part. of lire
la lumière light, daylight
le lundi Monday
la lune moon; clair de ____ moonlight
lus, past def. of lire
lut, past def. of lire
la lutte struggle
lutter to struggle, fight
le lycée lyceum (*advanced high
school*)

M

le magasin shop, store
magnifique splendid, beautiful
le mai May
maigre thin, emaciated, scanty, feeble,
slender
la main hand, stroke; à deux ____s
with both hands; à la ____ in one's
hand(s), by hand; la ____ sûre a
steady hand; serrer la ____ à to
shake hands with
maintenant now
maintenir to hold
le maire mayor
la maison house, firm, home, building; ____ d'école schoolhouse
le maître master, teacher; ____
d'hôtel landlord
la maîtresse mistress
mal ill, badly, poorly, imperfectly;
pas ____ de quite a little (few)
le mal evil; faire ____ à to hurt,
harm; les maux misfortunes
malade ill, sick
le malade sick person, patient
la maladie malady, sickness
malgré in spite of
le malheur misfortune, tragedy, ill
success
malheureusement unfortunately
malheureux, malheureuse unhappy,
unfortunate, wretched
le malheureux, la malheureuse unfortunate, wretch
la malle trunk
la maman mama, mother

la manche sleeve; en ____s de chemise in shirtsleeves
manger to eat, wear, run through; à
____ something to eat
la manière manner
manquer to miss, be lacking, fail; ____
à to be false to
le manteau cloak
le marchand merchant
la marche walk, journey, step; en
____ under way; se remettre en
____ to set out again
le marché market, market-place
marcher to walk, progress, go on, run
le mardi Tuesday
le mari husband
le mariage marriage
marier to marry; se ____(avec) to
marry
marquer to indicate
la masse quantity
le matin morning
la matinée morning
mauvais,–e bad, insulting, vulgar, un-
lucky, unpleasant; plus ____ worse
méchant,–e obstinate, evil, mean, vi-
cious, mischievous, cruel
le médecin physician, doctor
meilleur,–e better; le ____ best
la mélancolie melancholy
mêler to mingle; se ____ à to mingle
with; se ____ de to meddle with
le membre member, limb
même same, very; tout de ____ all
the same, even so
même even, also, indeed
la mémoire memory
menacer to threaten
le ménage household, housekeeping;
faire son petit ____ à son gré to
have his own way; se mettre en
____ to settle down
mener to lead
le mensonge lie, falsehood; faire un
____ to tell a lie
mentir to lie
le menton chin; tirer son ____ to
stroke his chin
le mépris scorn, contempt
la mer sea, ocean; en pleine ____ on
the open sea

la **mère** mother
la **merci** mercy
le **merci** thanks; **grand** ____ many thanks
le **mérite** merit, quality
mériter to merit, deserve
la **merveille** marvel; **à** ____ wonderfully, marvelously well
merveilleux, merveilleuse marvelous, wonderful
la **messe** mass
les **messieurs** gentlemen
la **mesure** measure, meter; **à** ____ **que** as, in proportion as
mesurer to measure
le **métier** profession, calling, occupation, trade
le **mètre** meter (*a measure: French yard*)
mettre to put, put on, place, set, use, bring; ____ **à la mode** to popularize; ____ **à la porte** to turn out, throw out; ____ **à mort** to put to death; ____ **à sec** to leave penniless; ____ **bas** to take off; ____ **dans** to hit; ____ **de côté** to put aside, save; ____ **de l'ordre** to put things in order; ____ **fin à** to put an end to; ____ **le couvert** to set the table; ____ **le pied** to step into; ____ **pied à terre** to dismount; **se** ____ to sit down, place oneself; **se** ____ **à genoux** to kneel; **se** ____ **à table** to sit down at the table; **se** ____ **debout** to stand up; **se** ____ **en ménage** to settle down; **se** ____ **en route** to set out
le **meuble** piece of furniture, (*pl.*) furniture, furnishings
le **midi** noon; **le Midi** South
mieux better; **de leur** ____ their best; **être** ____ to be more comfortable
le **milieu** middle, surroundings; **au** ____ **de** in the midst of, in the middle of; **au beau** ____ right in the middle
militaire military
le **militaire** soldier
mille thousand
le **millier** thousand
mince slender, thin
le **ministère** ministry

le **ministre** minister
le **minuit** midnight
mirent, past def. of mettre
mis, past part. and past def. of mettre
misérable wretched
un **misérable** wretch, unfortunate
la **misère** distress, poverty, misery
mit, past def. of mettre
la **mode** mode; **à la** ____ fashionable; **mettre à la** ____ to popularize
modeste modest, unpretentious, humble
les **mœurs** manners, morals
le, la **moindre** least
moins less; **au** ____ at least; **de** ____ **en** ____ less and less; **du** ____ at least
le **mois** month; **par** ____ per month
la **moitié** half
le **monde** world, crowd, people, company, society; **beau** ____ fashionable people; **tout le** ____ everybody
la **monnaie** coin, change
le **monsieur** gentleman, Mr., sir
la **montagne** mountain
monter to mount, ascend, go up, equip, furnish; ____ **dans** to get into; ____ **la garde** to mount guard; **se** ____ **à** to amount to
la **montre** watch, display; **faire** ____ **de** to make a display of
montrer to show, point out, offer; ____ **du doigt** to point at; **se** ____ to appear, point out to each other
se moquer de to make fun of, ridicule, show no respect for, disregard, be unaffected by
moral,–e moral
la **morale** morals; **faire de la** ____ to lecture
le **morceau** piece, bit
la **mort** death
mort, past part. of mourir
le **mot** word, saying, memorandum; ____ **d'esprit** witty remark; ____ **d'ordre** password; **sans dire** ____ without saying a word
le **motif** motive, reason
mou, mol, molle soft, limp, indolent
le **mouchoir** handkerchief
mouiller to wet

mourir to die; **se** —— to expire, die out

mourut, past def. of mourir

le **mouvement** motion, action, movement

moyen, moyenne medium-size

le **moyen** way, possibility, means; **trouver** —— to find a way, contrive

la **moyenne** average

muet, muette silent

mûr,–e ripe, mature

le **mur** wall

la **muraille** wall

murmurer to murmur, mumble

la **musique** music, band

le **mystère** mystery

mystérieux, mystérieuse mysterious

N

nager to trail (*of oars*), swim

naïf, naïve ingenuous, unaffected, simple

la **naissance** birth

naître to be born

la **nappe** cover, blanket, expanse

national,–e national

naturel, naturelle natural

naturellement naturally

le **navire** ship

ne: —— . . . **guère** hardly, scarcely; —— . . . **jamais** never; —— . . . **ni** . . . **ni** neither . . . nor; —— . . . **pas** not; —— . . . **plus** no more, no longer; —— . . . **point** not at all; —— . . . **que** only

né, past part. of naître

néanmoins nevertheless

la **nécessité** necessity

la **neige** snow

nerveux, nerveuse nervous, brawny

net, nette outright, abruptly, distinct

nettement flatly, distinctly

neuf, neuve new; **à** —— newly

le **neveu** nephew

le **nez** nose

ni: ne . . . —— . . . —— neither . . . nor

nier to deny

noble noble, high

la **noblesse** nobility; **haute** —— old nobility

le **Noël** Christmas

noir,–e black, dark, gloomy

le **noir** darkness

le **nom** name; —— **d'une pipe!** (*an oath*)

le **nombre** number

nombreux, nombreuse large

nommer to name

non no, not; —— **plus** no longer, either

notamment notably

la **note** grade, bill

nourrir to support; **se** —— **de** to exist on

la **nourriture** food

nouveau, nouvel, nouvelle new; **de** —— anew, again; **le** —— **venu** newcomer

une **nouvelle** news; **aller aux** ——**s** to go for news; **de mes** ——**s** news of me

noyer to drench, drown

nu,–e bare, naked; ——**-tête** bareheaded

le **nuage** cloud

la **nuit** night, darkness; —— **blanche** sleepless night; **cette** —— tonight, last night; **de** —— by night; **faire** —— to be dark

nul, nulle no, not any

nullement not at all

le **numéro** number

O

obéir to obey

un **objet** object

obliger to force

observer to observe

obtenir to get

obtint, past def. of obtenir

une **occasion** occasion; **d'**—— secondhand

occuper to occupy, preoccupy; **s'**—— to be busy; **s'**—— **de** to look after, be occupied with

une **odeur** odor, fragrance

un **œil** eye; **coup d'**—— glance

un **œuf** egg

une **œuvre** work

offert, past part. of offrir
un **office** service
officiel, officielle official
un **officier** officer
offrir to offer, present; **s'___** to take up, treat oneself to
un **oiseau** bird
une **ombre** shadow, darkness, shade
on one, people, they
un **oncle** uncle
opposer to oppose; **s'___ à** to oppose
or now
un **or** gold
un **orage** storm
ordinaire ordinary, usual; **à son ___** as usual; **d'___** ordinarily
ordonner to order
un **ordre** order; **mettre de l'___** to put things in shape; **mot d'___** password; **petit ___ . . . grand ___** minor . . . major
une **oreille** ear; **dire à l'___** to whisper; **parler à l'___** to whisper; **prêter l'___** to listen closely
un **orgueil** pride
une **origine** origin
orner to decorate
oser to dare; **osé** daring, presumptuous
ôter to take off, take
oublier to forget
ouest West
oui yes
outre besides; **en ___** moreover, besides
ouvert, past part. of ouvrir
une **ouverture** opening
un **ouvrage** work
ouvrier, ouvrière working
un **ouvrier** workman
ouvrir to open; **s'___** to open, make way

P

la **paille** straw
le **pain** bread
paisible peaceable, peaceful
la **paix** peace; **juge de ___** magistrate
le **palais** palace
le **panier** basket

le **pantalon** trousers
le **papier** paper, paper money; **___ ministre** official stationery
le **paquet** bundle, package
paraître to appear, seem
le **parapluie** umbrella
le **parc** park
parce que because
parcourir to run through, run all over
parcourut, past def. of parcourir
par-dessus over
le **pardessus** overcoat
pardonner to pardon, forgive; **si nous lui pardonnions?** suppose we forgive him?
pareil, pareille alike, like, similar, such
le **parent** relative, parent
parer to decorate, dress up
paresseux, paresseuse idle
le **paresseux** lazy fellow
parfait,-e perfect
parfois at times, now and then
le **parfum** perfume, fragrance
parisien, parisienne Parisian
parler to speak; **___ à l'oreille** to whisper; **entendre ___ de** to hear about; **se ___** to talk to one another
parmi among
la **parole** word; **sans ___** silent
la **part** share, part; **à ___** apart; **à ___ lui** within himself, inwardly; **de ___ et d'autre** on both sides; **prendre ___ à** to take part in; **quelque ___** somewhere
partager to divide, share
le **parti** match, faction, course; **prendre un ___** to make up one's mind
particulier, particulière particular, peculiar; **en ___** in private, alone
particulièrement particularly
la **partie** game, part; **faire une ___** to play a game
partir to leave, issue, depart; **à ___ de** from
partout everywhere
parurent, past def. of paraître
parut, past def. of paraître
parût, imp. subj. of paraître
parvenir to attain success, succeed
parvenu, past part. of parvenir

pas not, not a, no; ——— **du tout** not at all; **ne . . .** ——— not

le **pas** step, pace; **à** ——— **lents** slowly; **au** ——— at a walk; **faire un** ——— to take a step; **sur les** ——— at the heels

le **passage** passage, way, passing; **au** ——— on one's way

le **passé** past

passer to pass, spend, carry over, pass over, ferry, thrust; **se** ——— to take place, happen, pass

la **patrie** native land

le **patron** employer, captain, master, patron saint

pauvre poor, humble

le, la **pauvre** poor, poor man (woman)

le **pavé** pavement

payer to pay, pay for

le **pays** country, fellow countryman, region, native region

le **paysage** landscape

le **paysan** peasant

la **peau** skin

pêcher to fish

peindre to paint

la **peine** torment, sorrow, trouble, hardship, difficulty, penalty; **à** ——— scarcely, hardly; **avoir** ——— **à** to have difficulty in; **donnez-vous la** ——— **de** be good enough to; **être la** ——— to be worth while; **faire de la** ——— **à** to be painful to, hurt

peint, past part. of peindre

le **peintre** painter, artist

pencher to lean, stoop over, lower; **se** ——— to lean, bend (over), lean over

pendant during; ——— **que** while

pendre to hang

la **pendule** clock

pénétrer to penetrate, enter, fill

pénible laborious, painful, distressing, difficult

la **pensée** thought

penser to think, be able, imagine

la **pension** boarding-house

la **pente** slope

percer to pierce, cut through

perdre to lose, ruin; ——— **de vue** to lose sight of; **se** ——— to disappear

le **père** father, old

la **période** period

permettre to permit

permis, past part. and past def. of permettre

permit, past def. of permettre

le **personnage** person

personne no one, nobody; **ne . . .** ——— no one

la **personne** person; **grande** ——— grown-up

personnel, personnelle personal

persuader to persuade, convince

la **perte** loss; **à** ——— **de vue** as far as one can see

peser to be heavy; **pesant** slow, heavy

petit,–e little, inconsiderable; ——— **à** ——— little by little

le **petit**, la **petite** little one

le **petit-fils** grandson

la **petite-fille** granddaughter

peu little, not very

le **peu** little, little bit; ——— **à** ——— little by little

le **peuple** people, common people

la **peur** fear; **avoir** ——— to be afraid; **de** ——— **de** for fear of; **de** ——— **que** for fear that; **faire** ——— **à to** frighten

peut-être perhaps

la **phrase** sentence, phrase

la **physionomie** expression, aspect

la **pièce** coin, room, piece, document; ——— **d'eau** lake

le **pied** footing, foot; ——— **pressé** hurried step; **à** ——— on foot; **coup de** ——— kick; **sur la pointe des pieds** on tiptoe

la **pierre** stone

la **pipe** pipe; **nom d'une** ——**!** (*an oath*)

piquer to prod, prick, sting

pire worse; **le** ——— worst

pis worse; **le** ——— worst; **tant** ——— so much the worse

la **pitié** pity

la **place** square, place, position; **à ma** ——— in my place; **faire** ——— **à** to make room for

placer to place, situate

le **plafond** ceiling

plaindre to pity; **se** ——— **(de)** to complain (about)

Vocabulary

la plaine plain, surface
la plainte complaining
plaire to please; —— à to please; s'il
vous plaît if you please; se —— à
to take pleasure in
plaisanter to joke
la plaisanterie jest, joke
le plaisir pleasure; faire —— à to
please; prendre —— à to take pleasure in
la planche plank
le plancher floor
la plante plant
planter to plant; —— de to line with
le plat flat, flat side, dish
plein,–e full; en —— air in the open;
en pleine mer on the open sea
le plein: en —— directly, right
pleurer to weep, cry
pleuvoir to rain
plier to bend, fold; —— le genou to
crouch
plonger to plunge, go down
la pluie rain
la plume feather, pen
la plupart greater part
plus more, more than; —— que more
than; au —— at the most; de ——
more; de —— en —— more and
more; le —— most; ne . . . —— no
more, no longer; non —— no longer,
either, neither
plusieurs several
plutôt rather
la poche pocket
la poésie poetry, sentiment
le poète poet
le poids weight
le poing wrist, hand, paw
point not at all; ne . . . —— not at
all
le point point, degree; à —— just
right
la pointe prow; sur la —— des pieds
on tiptoe
le poisson fish
la poitrine breast, chest
poli,–e polished, polite
la politesse politeness
politique political
la politique politics
la pomme de terre potato

le pont bridge
la porte door, doorway, gate; —— à
—— side by side; mettre à la ——
to turn out, throw out
porter to carry, wear, bear, take, rest
poser to place, put, pose, ask, rest, lie
posséder to possess
le poste post, position
la poudre powder, dust
le poulet chicken
la poupée doll
pour for, on account of, in order to,
as for; —— que in order that, so
that
le pourboire tip
pourquoi why
poursuivre to go on, pursue
pourtant nevertheless, still, however
pourvu que provided that
pousser to push, impel, utter, emit,
drive, grow; —— un soupir to sigh
la poussière dust
pouvoir to be able; ne —— rien to
be able to do nothing; n'en ——
plus to be exhausted, overwhelmed,
worn out; ça se peut bien that is
quite possible; il se peut it is possible; on ne peut plus . . . ex-
tremely . . . ; puissent . . . may . . .
la pratique practice, observance, pat-
ronage
précéder to precede
précieux, précieuse precious
précipiter to hurry; se —— to rush,
throw oneself
précis,–e precise, exact
précisément precisely
préférer to prefer
premier, première first
le premier, la première first; au ——
on the second floor
prendre to take, take up, get, assume,
seize, buy, make; —— feu to flare
up; —— garde to take care; —— le
dessus to get the upper hand; ——
part à to take part in; —— plaisir
à to take pleasure in; —— un parti
to make up one's mind; je vous y
prends now I've caught you; se
—— à to begin, start; se ——
d'amitié pour to take a liking to;

se —— de haine contre to take a
dislike to; s'y —— to go about it
préparer to prepare
près near; —— de near, to; de ——
closely; de tout —— very closely
présent,–e present
présenter to present
presque almost
presser to press, crowd, quicken;
pressé in a hurry
prêt,–e ready
prétendre to pretend
prêter to lend, further; —— l'oreille
to listen closely
le prétexte pretext
le prêtre priest
la preuve proof
prévenir to forestall, warn, inform,
indicate
prévint, past def. of prévenir
prévoir to forecast, foresee
prévu, past part. of prévoir
prier to beg, ask, pray
la prière prayer, entreaty
le principe principle
le printemps spring
prirent, past def. of prendre
pris, past part. and past def. of prendre
la prise pinch
le prisonnier prisoner
prit, past def. of prendre
priver to deprive
le prix prize, price
le problème problem
prochain,–e next, impending
proche near
produire to produce
profiter to profit; —— de to profit by
profond,–e deep, profound
profondément profoundly
la profondeur depth
le projet plan
prolonger to prolong
la promenade walk, ride; en —— out
riding; faire une —— to take a
walk
se promener to walk, stroll
promettre to promise
*promis, past part. and past def. of
promettre*
promit, past def. of promettre
prononcer to pronounce

le propos remark; à —— approximately, just at the right moment; à
—— de with regard to; à tout ——
on every occasion
proposer to propose
propre own, clean, fitted
le, la propriétaire owner
la propriété estate, property
protéger to protect
prouver to prove
la province province; de —— provincial; en —— in the provinces
pu, past part. of pouvoir
public, publique public
puis then
puisque since
la puissance power
puissant,–e powerful, strong; tout-
—— all-powerful
puisse, pres. subj. of pouvoir
puissent, pres. subj. of pouvoir
puissions, pres. subj. of pouvoir
punir to punish
purent, past def. of pouvoir
pus, past def. of pouvoir
put, past def. of pouvoir
pût, imp. subj. of pouvoir

Q

le quai quay, dock
la qualité quality; en —— de as (a)
quand when
quant à as for
quarante forty
le quart quarter
le quartier quarter, district
quatre-vingt-deux eighty-two
le quatrième fourth; au —— on the
fifth floor
que de how much, how many
quelconque some . . . or other
quelque some; (*pl.*) a few; —— chose
something; —— part somewhere;
——s-uns some; vous avez ——
chose something is the matter with
you
quelquefois sometimes
quelqu'un someone
la queue tail, queue, bread-line
quitter to leave, take off
quoi what; —— qu'il en soit be that

as it may; à —— bon? what is the good of it? why go on? de —— the wherewithal, what is necessary; sur —— whereupon

quoique although

R

raconter to recount, tell, relate

la raison reason, mind, reasoning; avoir —— to be right; donner —— à to agree with; rendre —— à to give satisfaction to

raisonnable rational, reasonable

ramasser to pick up, gather (up)

ramener to bring back, lead back, bring out

le rang rank

ranger to arrange, seat; rangé steady (in conduct); se —— to line up

rapide rapid, quick, swift

le rapide express train

rappeler to recall; se —— to remember

le rapport report, harmony, connection

rapporter to bring back; s'en —— à to abide by, leave it to

rapprocher to place near; se —— to draw near (one another), become reconciled, approach

rare rare, scarce

rassurer to reassure

rattraper to recover

ravir to delight, steal

le rayon ray, beam

la réalité reality

recevoir to receive

la recherche search; à la —— de in search of

rechercher to seek

le récit tale

réclamer to claim

recommander to request

recommencer to begin again

la reconnaissance gratitude

reconnaître to recognize, identify, realize, be grateful, admit

reconnu, past part. of reconnaître

reconnus, past def. of reconnaître

reconnut, past def. of reconnaître

recouvrir to cover, recover

reçu, past part. of recevoir

recueillir to pick up; se —— to collect one's thoughts

reculer to recoil, move (backward); reculé remote; se —— to draw back

reçus, past def. of recevoir

reçut, past def. of recevoir

redevenir to become again

redevint, past def. of redevenir

redoutable formidable

redouter to fear, beware of

réduire to reduce

se refermer to close

réfléchir to reflect; se —— to be reflected

le reflet reflection

la réflexion reflection

refuser to refuse, reject

le regard mind's eye, glance, look, attention

regarder to regard, look at; —— à to mind

la règle rule, ruler

régner to exist

regretter to regret, miss

la reine queen

rejeter to throw back

rejoindre to join

réjouir to gladden, cheer up; se —— to rejoice

relever to raise, lift up, elevate; se —— to get up again

religieux, religieuse religious, sacred

le religieux monk

remarquer to notice

remercier to thank

remettre to recover, carry back, put off, delay, replace, give, give back, forgive, repair; se —— to regain one's composure; se —— à to begin again; se —— en marche to set out again; se —— en route to start off again

remirent, past def. of remettre

remis, past part. and past def. of remettre

remit, past def. of remettre

remonter to rise again, come up, ascend

le remords remorse

remplacer to replace

remplir to fill; **se ___** to fill
remuer to move, stir
la **rencontre** encounter, meeting; **aller à sa ___** to go to meet him
rencontrer to meet, encounter, see
rendre to pay, make, repay, give back, return; **___ raison à** to give satisfaction to; **___ visite** to pay a visit; **se ___** to go; **se ___ compte de** to realize
renfermer to contain
renoncer to renounce, give up; **___ à** to give up
le **renseignement** information
la **rente** pension, income; **faire des ___s** to pay a pension, provide an income
rentrer to return home, return, re-enter, enter; **lèvres rentrées** sunken lips
renverser to upset, invert; **renversé** upside down; **se ___** to upset
renvoyer to send away, dismiss, put off
répandre to spread, spread out, scatter, give off; **se ___** to spread
repartir to start off again
le **repas** meal
répéter to repeat, reproduce
répliquer to reply
répondre to reply, respond
la **réponse** reply
le **repos** rest, calm, comfort, repose
reposer to rest
repousser to push back, shove back, thrust back, reject
reprendre to continue, resume, reply, recover, retake, regain
représenter to represent; **se ___** to imagine
repris, past part. and past def. of reprendre
la **reprise: à plusieurs ___s** repeatedly, several times
reprit, past def. of reprendre
le **reproche** reproach
reprocher to reproach
la **république** republic
réserver to reserve
résigner to resign; **se ___** to be reconciled, resigned
résister to resist

résolu, past part. of résoudre
résolurent, past def. of résoudre
résolus, past def. of résoudre
résolut, past def. of résoudre
résolvant, pres. part. of résoudre
résoudre to resolve, solve, determine
respecter to respect
respirer to breathe
ressembler to resemble
ressentir to feel
la **ressource** resource, help
le **reste** rest, remains; **au ___** finally, moreover; **du ___** moreover
rester to remain, stop, stand
le **résultat** result
résulter to result
le **retard** delay; **en ___** late
retenir to detain, suppress, restrain, hold
retentir to reverberate, sound
retint, past def. of retenir
retirer to retire, withdraw; **se ___** to withdraw
retomber to fall
le **retour** return; **au ___** upon returning
retourner to return, turn; **se ___** to turn, turn around; **s'en ___** to return
la **retraite** retreat; **en ___** set back
retrouver to recover, find again, get; **se ___** to meet again, find oneself again
la **réunion** gathering, convention
réunir to bring together, collect; **se ___** to mass, meet (together)
réussir to succeed
le **rêve** dream
réveiller to wake; **se ___** to awake
révéler to reveal
revenir to come back, be due; **___ à elle** to recover herself; **___ sur ses pas** to retrace one's steps; **y ___** to do it again
revenu, past part. of revenir
rêver to dream
revînmes, past def. of revenir
revinrent, past def. of revenir
revins, past def. of revenir
revint, past def. of revenir
revis, past def. of revoir
revit, past def. of revoir

Vocabulary

revoir to see again
revu, past part. of revoir
le rez-de-chaussée ground floor
le rhume cold
riche rich
le riche rich person
la richesse riches, wealth
le rideau curtain
rien nothing; —— de nothing; —— du
tout nothing at all; ne . . . ——
nothing; plus —— nothing more
le rien trifle
le rire laughter, laugh
rire to laugh; donner à —— to cause
to laugh; éclater de —— to burst
out laughing; se —— de to laugh at
risquer to risk
la rive bank, shore
la rivière stream
la robe dress; en —— in professional
robes
le rocher rock
le roi king
rompre to break, break off
rond,–e round
rose rosy, pink
rouge red, flushed
rougir to blush
rouler to turn, roll, move along
la route road
le royaume kingdom
le ruban ribbon
rude rough, rude
la rue street
la ruine ruin
ruiner to ruin

S

le sable sand
le sabot wooden shoe
le sac sack, bag
sachant, pres. part. of savoir
sache, pres. subj. of savoir
sachiez, pres. subj. of savoir
sacré,–e sacred, *(before the noun)*
cursed
sacrifier to sacrifice
sage sensible, wise, good
la sagesse wisdom
sain,–e sane, healthful
saint,–e holy, saintly

saisir to seize, overhear, perceive
la saison season
sale dirty
la salle room; —— à manger dining-
room; —— d'instruction courtroom
le salon parlor, living-room
saluer to greet, bow
le salut greeting, bow
le samedi Saturday
le sang blood; coup de —— congestion of the brain, "stroke"
le sanglot sob
sans without; —— que without
la santé health
satisfaire to grant, satisfy
satisfait, past part. of satisfaire
sauf save, except; —— à only to; ——
votre respect with all due respect
sauter to spring, jump; —— au cou
de quelqu'un to throw oneself into
the arms of someone
le sauvage savage
sauver to save, befriend; se —— to
run away, flee, leave hurriedly
savant,–e scholarly, learned
le savant scholar
savoir to know, know how, be able;
—— à quoi s'en tenir to know
what to think of; je ne sais
quelle . . . some vague . . .
la science knowledge, science
la séance meeting
sec, sèche skinny, dry; mettre à ——
to leave (make) penniless
second,–e second
la seconde second, second one
secouer to shake, shake out
le secours succour, help, aid
secret, secrète secret
le secrétaire desk
le seigneur lord, sir
selon according to
la semaine week, week's wages
semblable like, similar
sembler to seem; faire semblant de
to pretend; il me semble I seem, it
seems to me
semer to sprinkle
le sens direction, meaning
sensible sensitive
le sentier path

le **sentiment** feeling, sensation, sentiment

sentir to smell, feel, sense, sniff, reek of, guess; se —— to feel, feel oneself

séparer to separate; se —— to separate

sérieusement seriously

sérieux, sérieuse serious

serrer to press, grasp, oppress, contract, furl; —— **la gorge** to choke; —— **la main à** to shake hands with; **vie serrée** restricted life; se —— 'to press together, contract

la **servante** servant-girl

la **serviette** napkin

servir to serve, help; —— **de** to act (serve) as (a); se —— to serve; se —— **de** to use, employ

le **serviteur** serving-man, servant

le **seuil** threshold

seul,–e single, alone

seulement only

sévère severe, strict

si if, whether, so, so very, yes (*emphatic*), on the contrary

le **siècle** century

le **siège** seat, siege

siffler to whistle, wheeze, sing

le **signe** sign; —— **de tête** nod; **en** —— **de** as a token of; **faire** —— to motion, beckon; **faire un** —— to give a signal

signer to sign; se —— to cross oneself

signifier to mean

silencieux, silencieuse silent, in silence

simple common, simple, plain

singulier, singulière singular, remarkable

sinon if not

situer to place

la **société** group

la **sœur** sister

la **soie** silk

le **soin** care; **avoir** —— **de** to be careful (of)

le **soir** evening

la **soirée** evening; **costume de** —— evening clothes

sois, pres. subj. of être

soit, pres. subj. of être

soixante-douze seventy-two

soixante-quinze seventy-five

le **sol** soil, ground

le **soldat** soldier

le **soleil** sun, sunshine

solennel, solennelle solemn

solide substantial, healthy

sombre somber, dark; **faire** —— to get dark

la **somme** sum

le **sommeil** sleep

le **son** sound

songer to think, reflect

sonner to strike, ring, sound, clink, ring for

le **sort** chance; **tirer au** —— to draw lots

la **sorte** sort, kind; **de** —— **que** in such a way that; **de la** —— in this manner; **en** —— **que** so that

la **sortie: jour de** —— holiday

sortir to go out, come out, issue, bring out, come up

sot, sotte stupid

le **souci** care; **sans** ——s free from care

soudain,–e sudden

soudain suddenly

souffert, past part. of souffrir

le **souffle** breath, gust, breeze

souffler to blow, blow out

la **souffrance** suffering

souffrir to suffer, encounter

souhaiter to wish, compliment

soulever to lift; se —— to rise

le **soulier** shoe

soumettre to submit; se —— to be submissive

soumit, past def. of soumettre

soupçonner to suspect

la **soupe** soup

le **souper** supper

le **soupir** sigh; **pousser un** —— to sigh

la **source** spring

sourd,–e low, rumbling, muffled

le **sourire** smile

sourire to smile

sous under, underneath

soutenir to defend

soutenu, past part. of soutenir

le souvenir memory
se souvenir (de) to remember
souvent often
souvins, past def. of souvenir
souvint, past def. of souvenir
soyons, pres. subj. of être
su, past part. of savoir
subir to undergo
le succès success
suffire to suffice
suffisant,–e sufficient
la suite sequel, rest, consequence, train; de ⸺ in succession; tout de ⸺ immediately, at once
suivre to follow; suivant moi in my opinion
le sujet person, subject; mauvais ⸺ ne'er-do-well
superbe superb, proud
supérieur,–e superior
supporter to endure
supposer to suppose
sûr,–e sure; bien ⸺! of course!
surent, past def. of savoir
surprendre to surprise, catch; ⸺ le mot to learn the password
surpris, past part. and past def. of surprendre
surprit, past def. of surprendre
le sursaut start; en ⸺ with a start
surtout especially, above all
le surtout overcoat
surveiller to watch over, supervise
suspendre to hang
sut, past def. of savoir

T

le tabac tobacco
la table table; ⸺ ouverte open house
le tableau table, painting, picture, blackboard
la tâche task
tâcher to try
la taille waist
tailler to cut, deal
se taire to keep silent, become silent
tandis que while
tant so, so much, so long; ⸺ bien que mal so so, indifferently; ⸺ de

so many, so much; ⸺ que so long as, as much as
la tante aunt
tantôt: ⸺ . . . ⸺ now . . . again
le tapis carpet, felt covering
tard late; plus ⸺ later
tarder to delay; ⸺ à to be slow in
le tas pile, heap, flock
la tasse cup
tel, telle such, such a; ⸺ que such as
tellement so much, so
le témoin witness
le temps time, weather; dans les premiers ⸺ at first; de ⸺ en ⸺ from time to time
tendre tender
tendre to tender, extend, strain, hand; ⸺ la main to ask for help
la tendresse tenderness
tenir to hold, have, keep, get; ⸺ à to insist upon; ⸺ bon to hold up; ⸺ de to have something of; ⸺ en joue to aim at; ⸺ en place to keep still; tenez (tiens) look here; y ⸺ to resist; se ⸺ to keep, stand; savoir à quoi s'en ⸺ to know what to think of
tenter to tempt
la tenue dress, behavior; en grande ⸺ in full dress, dressed up
le terme term, end, word; ⸺ de marine sea term
terminer to finish, end; se ⸺ to end
le terrain earth, ground
la terre ground, field, clay, world, earth; mettre pied à ⸺ to dismount; par ⸺ against the ground, flat, on the ground
la terreur fright, terror
terrible terrible, horrible
la tête head, mind; en ⸺ à ⸺ face to face; la ⸺ lui tourne his head is whirling; nu-⸺ bareheaded; signe de ⸺ nod
le tête-à-tête interview, meeting
le timbre quality (of voice)
tins, past def. of tenir
tint, past def. of tenir
tirer to draw, pull, pull up, shoot, fire, get out; ⸺ au sort to draw

lots; ___ son menton to stroke his chin; se ___ to escape; se ___ d'affaire to get along, manage; s'en ___ to get along, manage

le titre certificate

la toile cloth, canvas

la toilette dress, attire

le toit roof

tomber to fall, fall on; ___ amoureux to fall in love; ___ d'accord to agree; ___ sur to stumble upon; vous tombez bien you come opportunely

le ton tone

le tort wrong, harm; à ___ wrongly; à ___ et à travers at random; avoir ___ to be wrong; faire ___ à to wrong

tôt soon

toucher to touch, concern

toujours still, always, ever

le tour turn, trick, switch (of hair); ___ à ___ by turns; à son ___ in turn; faire le ___ to walk around, go around; faire un ___ to take a walk; fermer à double ___ to lock doubly

tourner to turn, turn out; la tête lui tourne his head is whirling; se ___ to turn, turn around

tout,-e all, every; ___ le monde everybody; tous les deux both

tout all, quite, entirely, very; ___ à coup suddenly; ___ à fait completely, entirely; ___ à l'heure awhile ago, presently; ___ de même all the same, even so; ___ de suite at once, immediately; ___ en (*before a pres. part.*) while

tout all, every, everything; pas du ___ not at all; rien du ___ nothing at all

la toute-puissance omnipotence

traduire to translate

trahir to betray, reveal

le train train; en ___ de in the act of, busy at

traîner to drawl, linger

le trait incident, (*pl.*) features; d'un ___ at one dash, without pausing

traiter to treat; ___ de to consider, speak of as

tranquille tranquil, quiet, peaceful; laisser ___ to let alone

transformer to transform

transporter to transport

le travail work, labor, task

travailler to work

travailleur, travailleuse industrious

le travailleur worker

travers: à ___ across, through; à ___ champ through the fields; à tort et à ___ at random; de ___ crooked, awry; en ___ crosswise

traverser to cross, pierce

trembler to tremble, shake; écriture tremblée shaky handwriting

tremper to soak

trente thirty

trente-cinq thirty-five

trente-deux thirty-two

trente-huit thirty-eight

trente-six thirty-six

très very

le trésor treasure

le triomphe triumph

triste sad, unhappy, sorrowful, melancholy

la tristesse sadness

le, la troisième third

tromper to disappoint, wrong, deceive; se ___ to be mistaken, make mistakes

trop too, too much, too well

le trottoir sidewalk

le trou hole

le trouble trouble, embarrassment, distress

troubler to trouble, confuse, embarrass

la troupe band, troop

trouver to find, lie, be situated, think, see; ___ moyen to find a way, contrive; se ___ to be, be situated

tuer to kill

tut, past def. of taire

U

unique only

user to wear, wear away, wear out

V

vaincre to vanquish
vaincu, past part. of vaincre
la **valeur** value
valoir to be worth; ——— **mieux** to be better; **mieux vaut** better
la **vanité** vanity
varier to vary
vaste wide, spacious
vécu, past part. of vivre
vécurent, past def. of vivre
vécut, past def. of vivre
la **veille** evening before, day before
veiller to watch
vendre to sell
le **vendredi** Friday
venir to come; ——— **de** to have just; ——— **en aide à** to come to the aid of; **aller et** ——— to walk to and fro; **en** ——— **à** to come to; **dernier venu** last-comer; **nouveau venu** new-comer; **premier venu** first-comer; **s'en** ——— to come away
le **vent** wind; **coup de** ——— gust of wind, squall; **faire du** ——— to be windy
le **ventre** stomach
venu, past part. of venir
véritable veritable, genuine
la **vérité** truth
le **verre** glass
vers toward, about
le **vers** verse, (*pl.*) poetry
verser to pour; ——— **à boire** to pour something to drink
vert,–e green
le **veston** coat
le **vêtement** clothing, clothes
vêtir to dress, clothe, cover
vêtu, past part. of vêtir
veuillez, pres. subj. of vouloir
la **viande** meat
la **victime** victim
la **victoire** victory
vide empty, deserted
le **vide** space
vider to empty
la **vie** life, living, consciousness; ——— **serrée** restricted life; **en** ——— alive; **jamais de la** ——— never in my life

le **vieillard** old man
la **vieille** old woman
vienne, pres. subj. of venir
vierge virgin, unspoiled
la **vierge** virgin, maid; la **Vierge** Holy Virgin
vieux, vieil, vieille old
le **vieux** old man; **mon** ——— old fellow
vif, vive lively, keen, alive
la **vigne** vine, vineyard
vilain,–e ugly
la **ville** city, town
vîmes, past def. of voir
le **vin** wine
vingt-cinq twenty-five
vingt-huit twenty-eight
vingt-six twenty-six
vingt-trois twenty-three
vinrent, past def. of venir
vint, past def. of venir
violent,–e violent
virent, past def. of voir
vis, past def. of voir
le **visage** face, countenance
vis-à-vis toward
viser to aim, aim at
la **visite** visit; **rendre** ——— to pay a visit
visiter to visit
vit, past def. of voir
vite quickly
la **vitesse** speed; **à toute** ——— at full speed, as quickly as possible
la **vitre** windowpane, window
vive, pres. subj. of vivre
vivement quickly, keenly
vivent, pres. subj. of vivre
vivre to live, breathe easily; **faire** ——— to support, nourish; **vive . . . !** (**vivent . . . !**) long live . . . !
le **vœu** prayer
voici here is, here are; **me** ——— here I am
la **voie** way, tracks (of a railroad)
voilà there is, there are, there you are! **me** ——— there I was; **m'en** ———! I'm in for it!
le **voile** veil
voir to see; **faire** ——— to show; **voyons!** come! see here! **se** ——— to be seen, appear, find oneself

voisin,–e neighboring, adjoining
le voisin, la voisine neighbor
le voisinage neighborhood; de ——
  neighborly
la voiture carriage
la voix voice; à —— basse in a low
  voice; à haute —— aloud
voler to steal, steal from, rob, hover,
  fly
la volonté wish, will, (*pl.*) will
volontiers willingly
vouloir to wish, want; —— bien to
  be willing; —— dire to mean; en
  —— à to hold a grudge against;
  veuillez be good enough
voulu, past part. of vouloir
voulus, past def. of vouloir
voulut, past def. of vouloir
voûte, –e bent over
le voyage voyage, journey, trip, (*pl.*)

travels; en —— travelling; faire
bon —— to have a good trip
voyager to travel
le voyageur traveller
vrai,–e true, real, truly; dire —— to
  speak truly
le vrai truth
vu, past part. of voir
la vue sight, view; à ma —— at sight
  of me; à perte de —— as far as one
  can see; perdre de —— to lose sight
  of

W

le wagon railway car

Y

les yeux eyes